HEYNE

Das Buch

Abgesehen von seinem kleinen Sohn Jonah gibt es wenig Licht im Leben von Miles Ryan, Deputy Sheriff in einem kleinen Ort in North Carolina. Seine geliebte Frau Missy kam bei einem Verkehrsunfall ums Leben, seit zwei Jahren ist er auf der Suche nach dem unfallflüchtigen Fahrer. Doch denjenigen zu finden, der die Schuld an seinem tiefen Schmerz trägt, scheint aussichtslos – ebenso wie die Hoffnung auf neues Glück. Der neunjährige Jonah leidet unter dem Verlust der Mutter und der Trauer seines Vaters so schwer, dass seine schulischen Leistungen immer stärker nachlassen. Als eine neue Lehrerin an die Schule kommt und seine Klasse übernimmt, stellt sie fest, dass der Junge kaum lesen und schreiben kann. Kurz entschlossen nimmt sie Kontakt mit seinem Vater auf. Was dann passiert, hätte sich weder Miles noch Sarah, die selbst eine schwere Enttäuschung hinter sich hat, je träumen lassen: Sie verlieben sich ineinander, und es folgen Wochen der Erfüllung und des Glücks,. Doch eines Tages machen sie eine Entdeckung, die ihre Liebe ernsthaft auf die Probe stellt.

Der Autor

Nicholas Sparks wurde in Omaha/Nebraska geboren und lebt heute mit seiner Frau und seinen fünf Kindern in North Carolina. Mit seinen Bestsellern *Zeit im Wind* (01/13221), *Wie ein einziger Tag* (01/10470), *Weit wie das Meer* (01/10840) oder *Das Schweigen des Glücks* (01/13473) konnte er bereits ein Millionenpublikum begeistern. *Weit wie das Meer* ist mit Kevin Costner, Paul Newman und Robin Wright Penn in den Hauptrollen verfilmt worden. Auch *Zeit im Wind* wurde unter dem Filmtitel *Nur mit dir* erfolgreich verfilmt. Im Heyne Hardcover erschien zuletzt der Roman *Das Lächeln der Sterne*.

NICHOLAS SPARKS

Weg der Träume

Roman

Aus dem Amerikanischen
von Maja Ueberle-Pfaff

WILHELM HEYNE VERLAG
MÜNCHEN

HEYNE ALLGEMEINE REIHE
Band-Nr. 01/13664

Die Originalausgabe
A BEND IN THE ROAD
erschien 2001 bei Warner Books Inc., New York

Umwelthinweis:
Dieses Buch wurde auf
chlor-und säurefreiem Papier gedruckt.

Redaktion: lüra – Klemt & Mues GbR

Taschenbucherstausgabe 12/2002

Printed in Germany 2002
Umschlagillustration: Ferenc Regös
Umschlaggstaltung: Haumptmann und Kampa Werbeagentur,
CH–Zürich
Satz: Franzis print & media GmbH, München
Druck und Bindung: Elsnerdruck, Berlin

ISBN: 3-453-86427-1

http://www.heyne.de

Dieser Roman ist Theresa Park und Jamie Raab gewidmet.
Sie wissen, warum.

Prolog

Wo genau fängt eine Geschichte an? Im Leben gibt es selten einen eindeutigen Anfang, Momente, von denen wir rückblickend sagen können, dass mit ihnen alles begonnen hat. Aber es gibt Augenblicke, in denen das Schicksal unseren Alltag kreuzt und eine Reihe von Ereignissen in Gang setzt, deren Ergebnis wir nie hätten voraussehen können.

Es ist fast zwei Uhr nachts, und ich bin hellwach. Nachdem ich ins Bett gekrochen war, hatte ich mich fast eine Stunde lang hin- und hergewälzt, bis ich schließlich wieder aufstand. Jetzt sitze ich mit dem Stift in der Hand am Schreibtisch und denke über meine Begegnung mit dem Schicksal nach. Das ist bei mir nichts Ungewöhnliches. In letzter Zeit kann ich kaum noch an etwas anderes denken.

Abgesehen von dem steten Ticken der Uhr auf dem Bücherregal ist es still im Haus. Meine Frau schläft oben, und ich starre auf die Linien des gelben Schreibblocks, der vor mir liegt, und weiß nicht, wo ich anfangen soll. Nicht, weil ich mir über meine Geschichte im Unklaren wäre, sondern weil ich nicht weiß, was mich überhaupt dazu treibt, sie aufzuschreiben. Wozu soll es gut sein, die Vergangenheit wieder aufleben zu lassen? Schließlich ist das, was ich erzählen will, vor zwölf Jahren passiert oder eigentlich, wenn man's genau nimmt, sogar noch früher, vor vierzehn Jahren. Und doch weiß ich, dass ich versuchen muss, es zu erzählen, und sei es nur, um es alles endlich zu verarbeiten.

Meine Erinnerung an jene Zeit wird von verschiedenen Dingen unterstützt: einem Tagebuch, das ich seit meiner Jugend führe, einer Mappe mit vergilbten Zeitungsausschnitten, den Notizen über meine eigenen Nachforschungen und natürlich den offiziellen Berichten. Außerdem habe ich mir den gesamten

Ablauf der Ereignisse Hunderte von Malen in Erinnerung gerufen, er ist geradezu in mein Gedächtnis eingebrannt. Doch damit allein wäre die Geschichte noch unvollständig. Andere Menschen waren von ihr betroffen, und obwohl ich alles, was geschah, aus nächster Nähe miterlebte, war ich doch nicht bei allem selbst dabei. Natürlich ist es unmöglich, jedes Gefühl oder jeden Gedanken einer anderen Person nachzuempfinden. Dennoch will ich, so gut es mir eben gelingt, genau das hier versuchen.

Dies ist vor allem eine Liebesgeschichte, und wie so viele Liebesgeschichten ist die Geschichte von Miles Ryan und Sarah Andrews aus einer Tragödie entstanden. Gleichzeitig geht es in dieser Geschichte um Vergebung, und wenn Sie zu Ende gelesen haben, hoffe ich, dass Sie verstehen, wie schwer es Miles Ryan und Sarah Andrews damals hatten. Ich hoffe, Sie werden die Entscheidungen, die sie trafen, verstehen, die guten wie die schlechten, so wie ich hoffe, dass Sie zuletzt auch meine verstehen werden.

Aber eines möchte ich klarstellen: Dies ist nicht nur die Geschichte von Sarah Andrews und Miles Ryan. Wenn es überhaupt einen Anfang gibt, dann ist er bei Missy Ryan zu suchen, der Jugendliebe eines Deputy Sheriff in einer Kleinstadt in den Südstaaten.

Missy Ryan stammte wie Miles, ihr Mann, aus New Bern. Nach allem, was man sich über sie erzählte, war sie charmant und freundlich, und Miles liebte sie, seit er sie in der Highschool kennen gelernt hatte. Missy hatte dunkelbraune Haare und noch dunklere Augen und sprach, wie man mir versicherte, mit einem Akzent, bei dem Männern aus anderen Teilen des Landes die Knie weich wurden. Sie lachte gern, hörte aufmerksam zu und legte ihren Gesprächspartnern häufig die Hand auf den Arm, als wolle sie sie in ihre eigene Welt einladen. Und wie die meisten Frauen aus den Südstaaten war sie stärker, als man zunächst annahm. Sie, nicht Miles, war die Seele des Hauses, und die Freunde, die Miles hatte, waren in aller Regel die Männer von Missys Freundinnen, und ihr Leben drehte sich in der Hauptsache um ihre Familie.

In der Highschool war Missy Cheerleader gewesen. Im zweiten Jahr war sie beliebt und umschwärmt, und sie kannte Miles

Ryan bereits, aber er war ein Jahr älter als sie, und sie besuchten nicht die gleiche Klasse. Nicht, dass dies ein Hinderungsgrund gewesen wäre. Freunde stellten sie einander vor, und danach trafen sie sich immer häufiger in der Mittagspause, redeten nach den Footballspielen noch miteinander und verabredeten sich am letzten Wochenende der Spielsaison zu einer Party. Bald waren sie unzertrennlich, und als Miles Missy ein paar Monate später fragte, ob sie mit ihm zum Abschlussball gehen würde, waren sie bereits ein Paar.

Natürlich wird die Vorstellung, dass man so jung schon wahre Liebe empfinden könne, oft belächelt. Auf Miles und Missy traf dies aber zu, und in gewisser Weise war ihre Liebe stärker als jene, die man in späteren Jahren empfindet, weil die Realitäten des Lebens die beiden noch nicht eingeholt hatten. Sie blieben zusammen, während Miles die letzten Jahre der Highschool absolvierte, und auch als er am State College von North Carolina studierte, blieben sie sich treu. Missy lernte in dieser Zeit für ihre eigenen Prüfungen. Ein Jahr später kam sie auf sein College, und als er sie drei Jahre später beim Dinner fragte, ob sie ihn heiraten wolle, brach sie in Tränen aus, sagte »ja« und verbrachte die nächsten Stunden am Telefon, um ihrer Familie die gute Nachricht zu übermitteln, während Miles seinen Teller allein leer essen durfte. Miles blieb in Raleigh, bis Missy ihren Abschluss gemacht hatte, und bei ihrer Hochzeit in Bern war die Kirche zum Bersten voll.

Missy nahm eine Stelle in der Kreditabteilung der Wachovia Bank an, und Miles ließ sich zum Deputy Sheriff ausbilden. Missy war im zweiten Monat schwanger, als er in der Sheriffbehörde von Craven County anfing und auf jenen Straßen patrouillierte, die sie beide so gut kannten. Wie viele andere junge Paare kauften sie ein Haus, und als ihr Sohn Jonah 1981 während des Hurrikans Charlie zur Welt kam, warf Missy einen Blick auf das kleine Bündel und wusste, dass Muttersein schöner war, als sie es sich in ihren kühnsten Träumen ausgemalt hatte. Obwohl Jonah erst mit sechs Monaten durchschlief und Missy manchmal Lust hatte, ihn genauso laut anzuschreien wie er sie, liebte sie ihn mehr, als sie je für möglich gehalten hätte.

Sie war eine wunderbare Mutter. Sie hörte auf zu arbeiten, um sich ganz Jonah widmen zu können, sie las ihm Geschichten vor, sie spielte mit ihm und besuchte mit ihm Kindergruppen. Sie konnte Stunden damit zubringen, ihn einfach nur zu beobachten. Als er fünf war, wollte Missy noch ein Kind, und sie und Miles wurden sich schnell einig. Die sieben Jahre ihrer Ehe waren für beide die glücklichsten Jahre ihres Lebens.

Doch im August 1986, im Alter von neunundzwanzig Jahren, kam Missy Ryan ums Leben.

Ihr Tod trübte das Licht in Jonahs Augen, und Miles peinigte und verfolgte er zwei Jahre lang. Er bereitete zudem den Weg für alles, was danach geschah.

Deshalb ist dies, wie ich schon angedeutet habe, Missys Geschichte ebenso wie die von Miles und Sarah. Und es ist auch meine Geschichte.

Auch ich habe bei alldem eine Rolle gespielt.

Kapitel 1

An einem frühen Augustmorgen des Jahres 1988, zwei Jahre nach dem Tod seiner Frau, stand Miles Ryan auf der rückwärtigen Veranda seines Hauses, rauchte eine Zigarette und sah zu, wie die aufgehende Sonne den mattgrauen Himmel orangerot färbte. Vor ihm lag der Trent River, dessen brackiges Wasser teilweise von Zypressen verdeckt war.

Der Rauch von Miles' Zigarette schlängelte sich aufwärts, und er spürte, wie die Feuchtigkeit aus dem Boden aufstieg und sich in der Luft ausbreitete. Kurz darauf stimmten die Vögel ihr Morgenlied an. Ihr Pfeifen und Trillern erfüllte die Luft. Ein kleines Boot fuhr vorbei. Der Fischer winkte, und Miles gab den Gruß mit einem leichten Nicken zurück. Mehr Energie brachte er nicht auf.

Er brauchte einen Kaffee. Einen Schub Koffein, und er wäre für den Tag gewappnet – Jonah schulfertig machen, die Mitbürger im Zaum halten, die sich nicht um das Gesetz scherten, Räumungsklagen für das County verschicken und sich außerdem um alles kümmern, was unweigerlich noch auf ihn zukam, wie das Gespräch mit Jonahs Lehrerin am späteren Nachmittag. Abends gab es sogar noch mehr zu tun. Damit der Haushalt reibungslos lief, war immer viel zu erledigen – Rechnungen mussten bezahlt werden, er musste einkaufen, putzen, Reparaturen im Haus durchführen. Wenn Miles, was selten vorkam, unvermutet ein wenig freie Zeit hatte, bekam er gleich das Gefühl, er müsse sie schleunigst sinnvoll nutzen. Schnell, lies ein Buch! Achtung, ein paar Minuten Erholung! Mach die Augen zu, gleich ist die Zeit schon wieder um. Es konnte einen wirklich zermürben, aber was sollte man dagegen tun?

Miles brauchte jetzt wirklich einen Kaffee. Das Nikotin hatte auch nicht mehr die rechte Wirkung, und er dachte sogar daran, das Rauchen aufzugeben. Doch andererseits war es gleichgültig, ob er rauchte oder nicht. Er selbst betrachtete sich eigentlich nicht als Raucher. Natürlich kamen im Laufe des Tages ein paar Zigaretten zusammen, aber das war im Grunde kein richtiges Rauchen. Schließlich konsumierte er nicht etwa ein Päckchen Zigaretten pro Tag, und er rauchte auch nicht schon sein Leben lang. Erst nach Missys Tod hatte er damit angefangen und würde jederzeit wieder aufhören können. Aber wozu? Seine Lungen waren in Topform – erst letzte Woche hatte er einen Ladendieb verfolgt und den Jungen ohne Mühe eingeholt. Ein *Raucher* könnte das nicht.

Ganz so leicht wie mit zweiundzwanzig war ihm die Sache natürlich nicht gefallen. Aber er war ja auch schon zehn Jahre älter, und selbst wenn der Umstand, zweiunddreißig zu sein, nicht bedeutete, dass er sich nach einem Platz im Altersheim umsehen musste, so war die Jugend doch vorbei. Und eins war nicht zu leugnen – im College hatten er und seine Freunde zeitweise den Abend erst um elf begonnen und waren dann gegen Morgen nach Hause gekommen. Seit ein paar Jahren jedoch war – abgesehen von den Nächten, in denen er Dienst hatte – elf Uhr für ihn *spät*, und auch wenn er nicht einschlafen konnte, ging er dann ins Bett. Miles hätte keinen Grund nennen können, warum er aufbleiben sollte. Erschöpfung war für ihn zum Dauerzustand geworden. Selbst in den Nächten, in denen Jonah keine Albträume hatte – seit Missys Tod träumte er oft schlecht –, wachte Miles morgens auf und war … müde. Unkonzentriert. Schlapp, als müsse er sich unter Wasser vorwärts kämpfen. Die meiste Zeit gab er seinem hektischen Leben daran die Schuld, aber manchmal fragte er sich, ob nicht doch etwas Ernsthafteres dahinter steckte. Einmal hatte er gelesen, eines der Symptome einer klinischen Depression sei eine »auffällige Lethargie, ohne Grund oder Anlass«. Aber natürlich gab es einen Grund …

Was ihm wirklich fehlte, waren ein paar ruhige Tage in

einem Häuschen am Strand unten in Key West, wo er Steinbutt fischen oder sich mit einem kühlen Bier in einer sanft schaukelnden Hängematte entspannen konnte, ohne größere Entscheidungen treffen zu müssen als die, ob er Sandalen anziehen sollte oder nicht, wenn er mit einer netten Frau an seiner Seite am Strand spazieren ging.

Das gehörte im Übrigen auch dazu. Einsamkeit. Er war es zu seinem eigenen Erstaunen plötzlich leid, allein zu sein, in einem leeren Bett aufzuwachen. Bis vor kurzem hatte er noch nicht so empfunden. Im ersten Jahr nach Missys Tod konnte sich Miles überhaupt nicht vorstellen, dass er je wieder eine Frau lieben würde. Es war, als existiere das Bedürfnis nach der Gesellschaft einer Frau nicht mehr, als seien Begehren und Lust lediglich theoretisch möglich, für seine reale Welt jedoch ohne Bedeutung. Selbst als Miles den Schock und den Kummer, die ihn jede Nacht zum Weinen gebracht hatten, zu verwinden begann, fühlte sich sein Leben irgendwie falsch an – als sei es vorübergehend aus der Bahn geraten, würde sich aber bald wieder zurechtrücken lassen, sodass es keinen Grund gab, sich über alles zu viele Gedanken zu machen.

Viel hatte sich nach der Beerdigung tatsächlich nicht geändert. Rechnungen kamen immer noch, Jonah musste essen, das Gras musste gemäht werden. Miles hatte immer noch seinen Job. Einmal, nach zu vielen Gläsern Bier, hatte ihn Charlie, sein bester Freund und Vorgesetzter, gefragt, wie es sei, die Frau zu verlieren, und Miles hatte ihm erzählt, es käme ihm immer noch so vor, als sei Missy gar nicht für immer fort. Eher, als sei sie übers Wochenende mit einer Freundin weggefahren und er müsse so lange auf Jonah aufpassen.

Die Zeit verging, und schließlich schwand auch die Benommenheit, an die Miles sich schon gewöhnt hatte. An ihre Stelle trat die Wirklichkeit. So sehr er versuchte, es zu verhindern – seine Gedanken wanderten immer zu Missy zurück. Alles erinnerte ihn an sie, besonders aber Jonah, der ihr, je älter er wurde, immer ähnlicher sah. Manchmal, wenn Miles in der Tür stehen blieb, nachdem er Jonah ins Bett gebracht hatte, erblickte er in den feinen Gesichtszügen seines Sohnes seine Frau, und er musste sich abwenden, damit Jonah seine Tränen nicht bemerkte. Doch das Bild blieb anschließend noch für Stunden vor seinem inneren Auge. Er hatte es geliebt, Missy im Schlaf zu betrachten, wenn ihre langen, braunen Haare sich über das Kopfkissen ausgebreitet hatten, ein Arm über dem Kopf lag, die Lippen leicht geöffnet waren und ihre Brust sich beim Atmen sanft hob und senkte. Und ihr Duft – den würde Miles nie vergessen. Am ersten Weihnachtsmorgen nach ihrem Tod hatte er in der Kirche einen Hauch des Parfüms aufgefangen, das Missy immer benutzte, und noch lange nach dem Gottesdienst hatte er sich an den Schmerz geklammert wie ein Ertrinkender an einen Rettungsring.

Auch an anderes klammerte er sich. Als sie frisch verheiratet waren, gingen Missy und er oft ins *Fred and Clara's*, ein kleines Restaurant nicht weit von der Bank, in der sie arbeitete. Es lag etwas abseits, und seine ruhige, gemütliche Atmosphäre gab ihnen beiden das Gefühl, dass sich nie etwas zwischen ihnen ändern würde. Seit Jonahs Geburt waren sie nicht mehr so häufig dort gewesen, aber nach Missys Tod nahm Miles die alte Gewohnheit wieder auf, als hoffe er, zwischen den getäfelten Holzwänden die Spuren der Gefühle von damals wieder zu finden. Auch zu Hause organisierte er sein Leben so, wie Missy es getan hatte. Weil Missy am Donnerstagabend im Supermarkt einkaufte, fuhr auch Miles donnerstags hin. Weil Missy Tomaten an der Hauswand zog, zog auch Miles sie dort. Wenn Missy Lysol für den besten Haushaltsreiniger hielt, gab es für Miles keinen Grund, einen anderen zu kaufen. Missy war immer gegenwärtig – bei allem, was er tat.

Doch irgendwann im letzten Frühling hatte sich etwas geändert. Eine neue Empfindung überfiel Miles ohne Warnung, und er begriff bald, was mit ihm geschah. Als er in die Stadt fuhr, ertappte er sich dabei, wie er ein junges Paar anstarrte, das Hand in Hand den Gehweg entlangschlenderte. Und für einen Augenblick stellte Miles sich vor, *er* sei der Mann und die Frau gehöre zu ihm. Oder wenn nicht diese, dann eine *andere* ... eine, die nicht nur ihn, sondern auch Jonah lieben würde. Eine, die ihn zum Lachen bringen würde, eine, mit der er sich bei einem geruhsamen Abendessen eine Flasche Wein teilen konnte, eine, die er berühren und umarmen konnte und mit der er sich flüsternd unterhalten würde, wenn das Licht gelöscht war. Jemand wie Missy, dachte er, und sofort beschwor ihr Bild Schuldgefühle herauf, durch die er sich wie ein Verräter fühlte und die ihn derart überwältigten, dass er das junge Paar für immer aus seinen Gedanken verbannte.

Das glaubte er jedenfalls.

Später in der Nacht, als er im Bett lag, musste er doch wieder an die beiden denken. Und obwohl ihn das schlechte Gewissen immer noch nicht ganz losließ, war es doch weniger stark als vorher. Und in diesem Augenblick wusste Miles, dass der erste Schritt getan war – wenn auch ein kleiner –, der letztlich dazu führen würde, dass er seinen Verlust überwand.

Er begann, sich für sein neues Lebensgefühl zu rechtfertigen, indem er sich sagte, dass er schließlich Witwer sei, dass es natürlich sei, solche Gefühle zu haben, und dass niemand sie ihm verübeln würde. Niemand erwartete von ihm, dass er den Rest seines Lebens allein verbrachte. In den vergangenen Monaten hatten Freunde sogar angeboten, Verabredungen für ihn zu arrangieren. Missy hätte gewollt, dass er wieder heiratete. Das wusste er. Sie hatte es ihm mehr als einmal gesagt – wie die meisten Paare hatten auch sie das »Was-wäre-wenn«-Spiel gespielt, und obwohl keiner von ihnen beiden die Katastrophe erwartet hatte, waren sie sich einig gewesen, dass es für Jonah nicht gut wäre, mit nur einem Elternteil aufzuwachsen. Es wäre demjenigen gegenüber, der überlebte, nicht fair. Trotzdem war es vielleicht noch ein wenig zu früh.

Im Verlauf des Sommers tauchte die Frage, wie es wohl wäre, jemand Neuen zu finden, immer häufiger und intensiver in Miles Kopf auf. Missy war noch da, Missy würde immer da sein ... aber Miles dachte immer ernsthafter darüber nach, wie er jemanden finden konnte, der sein Leben mit ihm teilen würde. Spätnachts, wenn er draußen im Schaukelstuhl saß und Jonah tröstete – das war das Einzige, was bei seinen Albträumen half –, waren diese Gedanken am stärksten und folgten immer demselben Muster. ›Ich *könnte* vermutlich jemanden finden‹ wurde zu ›ich *würde* vermutlich jemanden finden‹, gefolgt von der Überlegung, dass er vermutlich jemanden finden *sollte*. An diesem Punkt jedoch kehrte sich alles um zu *vermutlich doch eher nicht* – so sehr er sich auch das Gegenteil wünschte.

Der Grund dafür befand sich in seinem Schlafzimmer.

Auf dem Regal, in einem dicken, braunen Umschlag, lag die Akte über Missys Tod, die er in den Monaten nach der Beerdigung selbst zusammengestellt hatte. Er bewahrte sie auf, damit er nicht vergaß, was geschehen war, er bewahrte sie auf, um sich daran zu erinnern, was noch zu tun blieb.

Er bewahrte sie auf als Erinnerung an sein Scheitern.

Ein paar Minuten später, nachdem Miles die Zigarette auf dem Geländer ausgedrückt hatte und ins Haus gegangen war, goss er sich den dringend benötigten Kaffee ein und ging über den Flur. Jonah schlief noch, als Miles leise die Tür öffnete und ins Zimmer spähte. Gut. Dann hatte er noch ein bisschen Zeit. Also, erst ins Badezimmer.

Miles drehte das Wasser in der Dusche auf. Die Rohre knackten und zischten eine Weile, bis das Wasser endlich hervorsprudelte. Er duschte, rasierte sich und putzte sich die Zähne. Beim Kämmen stellte er wieder einmal fest, dass seine Haare dünner geworden waren. Eilig zog er sich seine Sheriffuniform an, nahm das Pistolenhalfter aus dem abschließbaren Kasten über der Schlafzimmertür und schnallte es um. Er hörte, wie sich in Jonahs Zimmer etwas regte. Als er durch den Türspalt lugte, blinzelte ihn Jonah aus verquollenen Augen an. Er saß mit verwuschelten Haaren im Bett und war offenbar erst seit wenigen Minuten wach.

Miles lächelte. »Guten Morgen, Chef.«

Jonah hob den Kopf wie in Zeitlupe. »Hey, Dad.«

»Wie wär's mit Frühstück?«

Jonah streckte die Arme zur Seite und ächzte leise. »Kriege ich Pfannkuchen?«

»Vielleicht lieber Waffeln? Wir sind ein bisschen spät dran.«

Jonah beugte sich vor und zog seine Hosen zu sich. Miles hatte sie am Abend vorher zurechtgelegt.

»Das sagst du jeden Morgen.«

Miles zuckte die Achseln. »Du bist ja auch jeden Morgen ein bisschen spät dran.«

»Dann weck mich früher.«

»Ich habe eine bessere Idee – du schläfst abends ein, wenn ich es dir sage.«

»Dann bin ich aber nicht müde. Ich bin nur morgens müde.«

»Willkommen im Club.«

»Wie bitte?«

»Schon gut«, sagte Miles. Er deutete auf das Badezimmer. »Vergiss nicht, dir die Haare zu kämmen, wenn du angezogen bist.«

»Klar«, sagte Jonah.

Sie hatten sich morgens einen bestimmten Ablauf angewöhnt. Miles steckte zwei Waffeln in den Toaster und goss sich eine zweite Tasse Kaffee ein. Wenn Jonah mit dem Anziehen fertig war und in der Küche eintrudelte, lag seine Waffel auf dem Teller, und ein Glas Milch stand daneben. Miles hatte die Waffel schon gebuttert, aber den Sirup träufelte Jonah gern selbst darauf. Miles biss in seine Waffel, und eine Weile lang sagte keiner von beiden etwas. Jonah war noch in seiner eigenen kleinen Welt versponnen, und obwohl Miles mit ihm reden musste, wollte er wenigstens warten, bis sein Sohn klar denken konnte.

Nach einigen Minuten freundschaftlichen Schweigens räusperte sich Miles.

»Und wie läuft es so in der Schule?«

Jonah zuckte die Achseln. »Ganz gut.«

Auch diese Frage gehörte zur Routine. Miles fragte immer, wie es in der Schule lief, und Jonah antwortete immer mit »ganz gut«. Aber an diesem Morgen hatte Miles, als er Jonahs

Schulrucksack packte, eine Nachricht von Jonahs Lehrerin gefunden, in der sie sich erkundigte, ob er heute zu ihr kommen könne. Etwas an dem Brief hatte Miles das Gefühl gegeben, es handele sich um etwas Ernsteres als das übliche Eltern-Lehrer-Gespräch.

»Alles in Ordnung also?«

Jonah hob die Schultern. »Mhm.«

»Magst du deine Lehrerin?«

Jonah nickte kauend. »Mhm«, nuschelte er.

Miles wartete, ob er noch mehr sagen würde, aber Jonah schwieg. Er beugte sich vor.

»Warum hast du mir dann nichts von dem Brief erzählt, den dir deine Lehrerin mitgegeben hat?«

»Welchem Brief?«, fragte Jonah unschuldig.

»Dem Brief in deinem Rucksack – den deine Lehrerin mir geschrieben hat.«

Jonahs Schultern hüpften auf und ab wie die Waffeln im Toaster. »Vergessen.«

»Wie konntest du so etwas vergessen?«

»Weiß ich nicht.«

»Weißt du denn, warum sie mich sprechen will?«

»Nein …« Jonah zögerte, und Miles wusste sofort, dass er nicht die Wahrheit sagte.

»Sag mal, Sohnemann, hast du Ärger in der Schule?«

Jonah schaute hoch und blinzelte. »Sohnemann« sagte sein Vater sonst nur, wenn er etwas falsch gemacht hatte.

»Nein, Dad. Ich mach nie Quatsch. Ehrlich.«

»Was ist es dann?«

»Ich weiß nicht.«

»Denk nach.«

Jonah rutschte auf seinem Stuhl herum. Er wusste, dass seinem Vater in Kürze der Geduldsfaden reißen würde.

»Na ja, manche von den Aufgaben schaffe ich vielleicht nicht so gut.«

»Hattest du denn nicht gesagt, dass alles gut läuft?«

»Es läuft auch echt gut. Ms. Andrews ist wirklich nett, und ich gehe gern hin.« Jonah schwieg. »Nur manchmal verstehe ich eben nicht, was die da im Unterricht machen.«

»Dazu gehst du ja zur Schule. Damit du etwas lernst.«

»Ich weiß«, antwortete Jonah. »Aber sie ist nicht wie Mrs. Hayes im letzten Jahr. Die Aufgaben, die sie uns gibt, sind *schwer*! Manche schaffe ich einfach nicht.«

Jonah wirkte jetzt ängstlich und verlegen. Miles legte ihm die Hand auf die Schulter.

»Warum hast du mir nicht erzählt, dass du Schwierigkeiten hast?«

Jonah zögerte lange, bevor er eine Antwort gab.

»Weil ich nicht wollte, dass du böse auf mich bist«, sagte er schließlich.

Nach dem Frühstück vergewisserte Miles sich, dass Jonah alles eingepackt hatte, half ihm, den Rucksack aufzusetzen, und brachte ihn zur Tür. Jonah war nach dem Gespräch sehr still gewesen.

Miles bückte sich zu ihm herunter und küsste ihn auf die Wange. »Mach dir keine Sorgen wegen heute Nachmittag. Es wird schon alles gut werden, okay?«

»Okay«, murmelte Jonah.

»Und vergiss nicht, dass ich dich abhole. Steig nicht in den Schulbus ein.«

»Okay.«

»Ich hab dich lieb, Chef.«

»Ich hab dich auch lieb, Dad.«

Miles sah seinem Sohn nach, wie er zur Bushaltestelle an der Straßenkreuzung trottete. Missy wäre über das, was heute früh passiert war, nicht so überrascht gewesen wie er. Missy hätte längst über Jonahs Schulprobleme Bescheid gewusst. Missy kümmerte sich um solche Sachen.

Missy kümmerte sich um alles.

Kapitel 2

Am Abend vor ihrem Gespräch mit Miles Ryan durchquerte Sarah Andrews den historischen Stadtkern von New Bern, fest entschossen, ein gleichmäßiges Tempo einzuhalten. Obwohl sie großen Wert auf regelmäßige sportliche Betätigung legte – sie war seit fünf Jahren eine eifrige Walkerin –, hatte sie seit ihrem Umzug Mühe damit. Immer, wenn sie durch die Stadt lief, entdeckte sie etwas Neues, das sie interessierte, etwas, vor dem sie staunend stehen blieb.

New Bern, im Jahre 1710 gegründet, lag an den Ufern der Flüsse Neuse und Trent in North Carolina. Als zweitälteste Stadt und frühere Hauptstadt des Bundesstaates beherbergte sie den Tryon Palace, den ehemaligen Sitz des Kolonialgouverneurs. Das Gebäude, das 1798 ein Feuer zerstört hatte, war 1954 mitsamt seinen südlich gelegenen herrlichen Gartenanlagen restauriert worden. In jedem Frühling blühten Tulpen und Azaleen, wohin man nur blickte, und im Herbst folgten die Chrysanthemen. Sarah hatte bald nach ihrem Umzug an einer Führung teilgenommen. Obwohl damals gerade nichts blühte, hatte sich in ihr der Wunsch geregt, in der Nähe des Palace zu wohnen.

So war sie in die Stadtmitte gezogen, in eine hübsche Wohnung in der Middle Street. Die Wohnung lag im zweiten Stockwerk und nur drei Häuser entfernt von der Apotheke, in der Caleb Bradham 1898 »Brad's Drink« verkaufte, den berühmten Vorgänger von Pepsi Cola. Um die Ecke lag die Episkopalkirche, ein ansehnliches, von hoch aufragenden Magnolien umgebenes Backsteingebäude, dessen Türen sich 1718 zum ersten Mal geöffnet hatten. Wenn Sarah ihre Wohnung verließ und laufen ging, passierte sie diese beiden Sehenswürdigkeiten, bevor sie die Front Street erreichte. Sie war von Herrenhäusern gesäumt, die ihre eleganten Fassaden zum Teil schon seit zweihundert Jahren zur Schau stellten.

Was Sarah jedoch besonders beeindruckte, war die Tatsache, dass die meisten Häuser in den vergangenen fünfzig Jahren mit großer Sorgfalt restauriert worden waren. Anders als Williamsburg in Virginia, wo die Restaurierung aus Mitteln der Rockefeller Foundation bestritten worden war, hatte New Bern an seine Bürger appelliert, und zwar mit Erfolg. Der starke Zusammenhalt der Bürgerschaft hatte Sarahs Eltern vor vier Jahren hierher gelockt. Sie selbst hatte nichts über die Stadt gewusst, bevor sie im letzten Juni nach New Bern gezogen war.

Während Sarah ihre Runde drehte, sann sie darüber nach, wie sehr sich New Bern von Baltimore in Maryland unterschied, wo sie aufgewachsen war und bis vor wenigen Monaten gelebt hatte. Baltimore war trotz seiner fesselnden Geschichte doch in erster Linie Großstadt, New Bern dagegen eine kleine Südstaatengemeinde, relativ isoliert und nicht besonders daran interessiert, mit dem immer rasanter werdenden Tempo der großen Welt Schritt zu halten. Hier winkten die Leute Sarah zu, wenn sie sie auf der Straße sahen, und jede Frage, die sie stellte, zog eine lange, gemächliche Antwort nach sich, gewürzt mit Anspielungen auf Menschen und Ereignisse, die ihr kein Begriff waren, so als seien alle und jeder miteinander verbunden. In der Regel fand sie das nett, manchmal ging es ihr jedoch auch gehörig auf die Nerven.

Ihre Eltern waren hierher gezogen, als ihr Vater Verwaltungschef des Bezirkskrankenhauses wurde. Seit Sarahs Scheidung rechtskräftig war, hatten ihre Eltern auf sie eingeredet, doch auch nach New Bern zu kommen. In Anbetracht des Naturells ihrer Mutter hatte Sarah sich ein Jahr lang gesträubt. Nicht, dass Sarah ihre Mutter nicht liebte – sie war bloß manchmal so … *anstrengend*, ein besseres Wort fiel ihr dazu nicht ein. Um des lieben Friedens willen hatte sie jedoch schließlich nachgegeben und bislang ihre Entscheidung – Gott sei Dank – nicht bereut. Es war genau das, was sie im Moment brauchte. Doch so charmant das Städtchen auch wirkte, so wenig konnte Sarah sich doch vorstellen, ihr ganzes weiteres Leben hier zu verbringen.

New Bern, hatte sie fast sofort erfahren müssen, war keine Stadt für Singles. Es gab nicht viele Möglichkeiten, Leute zu treffen, und Sarahs Altersgenossen waren verheiratet und hatten Kinder. Wie in vielen Südstaatenstädtchen bestimmten gesellschaftliche Regeln das Alltagsleben. Umgeben von verheirateten Paaren, war es deshalb für eine alleinstehende Frau schwierig, sich zu integrieren. Besonders, wenn sie geschieden und neu zugezogen war.

New Bern war jedoch ein Paradies für Familien mit Kindern, und manchmal, wenn Sarah unterwegs war, stellte sie sich vor, wie es wäre, wenn sich ihr Leben anders entwickelt hätte. Als junges Mädchen war sie immer davon ausgegangen, dass sie später einmal genauso leben würde, wie sie es sich schon immer wünschte: verheiratet, mit Kindern, einem Haus in einer Gegend, in der sich die Familien freitagabends nach der Arbeit im Garten trafen. Aber es war ganz anders gekommen. Wie so oft im Leben.

Eine Zeit lang hatte sie allerdings geglaubt, dass ihr Wunsch in Erfüllung gehen könnte, vor allem, nachdem sie Michael kennen gelernt hatte. Sie machte gerade ihr Lehrerinnenexamen, Michael war bereits fertiger Betriebswirt. Seine Familie, eine der prominentesten von Baltimore, hatte im Bankgeschäft ein Vermögen gemacht, war nun äußerst wohlhabend und hielt zusammen. Sie gehörte zu der Sorte Familie, deren Mitglieder in den Aufsichtsräten verschiedener Firmen saßen und in den Country Clubs Regeln einführten, die all jene ausschlossen, die man als nicht standesgemäß betrachtete. Michael jedoch schien die Wertvorstellungen seiner Familie abzulehnen und galt als äußerst begehrenswerter Junggeselle. Wenn er einen Raum betrat, folgten ihm alle Blicke, und obwohl er dies wusste, war ihm das Bild, das andere von ihm hatten, scheinbar völlig gleichgültig.

Scheinbar gleichgültig, das war der Haken.

Sarah hatte gleich gewusst, wer er war, als er eines Abends auf einer Party auftauchte, und sich gewundert, als er sie später ansprach. Sie hatten sich auf Anhieb gut verstanden. Ihre kurze Unterhaltung führte zu einer längeren bei einer Tasse Kaffee am nächsten Tag und dann zu einer Einladung zum Abendessen. Bald darauf sahen sie sich regelmäßig, und Sarah verliebte sich in Michael. Nach einem Jahr bat er sie, ihn zu heiraten.

Ihre Mutter war entzückt über die Neuigkeit, nur ihr Vater sagte nicht viel, außer dass er »hoffe, sie werde glücklich werden«. Vielleicht argwöhnte er etwas, vielleicht war er nur schon lange genug auf der Welt, um zu wissen, dass Märchen selten wahr werden. Wie auch immer, er ließ sich seiner Tochter gegenüber nichts anmerken, und wenn sie ehrlich war, hätte sie seine Vorbehalte ohnehin nicht recht ernst genommen – außer an den Tag, an dem Michael sie einen Ehevertrag unterschreiben ließ.

Seine Familie, erklärte Michael, habe nun einmal darauf bestanden, doch obwohl er sich alle Mühe gab, der Familie die Schuld zuzuschieben, flüsterte eine innere Stimme ihr zu, dass er es bestimmt auch ohne seine Familie von ihr verlangt hätte. Trotzdem unterschrieb sie. An jenem Abend gaben Michaels Eltern eine prächtige Verlobungsfeier, um die Heiratsabsichten ihres Sohnes offiziell bekannt zu geben.

Sieben Monate später waren Sarah und Michael verheiratet. Ihre Flitterwochen verbrachten sie in Griechenland und in der Türkei, danach bezogen sie in Baltimore ein Haus, das keine zwei Blocks von der Villa entfernt lag, in der Michaels Eltern wohnten. Obwohl Sarah nicht hätte arbeiten müssen, fand sie eine Stelle – ihre erste – als Lehrerin. Sie sollte die zweite Klasse einer städtischen Grundschule unterrichten. Erstaunlicherweise unterstützte Michael ihren Entschluss voll und ganz. In den ersten beiden Jahren ihrer Ehe schien alles perfekt: Sie blieben am Wochenende stundenlang im Bett, redeten und liebten sich, und Michael vertraute Sarah an, dass er eines Tages in die Politik gehen wolle. Sie hatten einen großen Freundeskreis, hauptsächlich Leute, die Michael seit seiner Kindheit kannte, und an den Wochenenden mangelte es nie an Partys und Ausflügen aufs Land. Ihre übrige Freizeit verbrachten sie in Washington, D.C., wo sie Museen besuchten, ins Theater gingen und zwischen den Monumenten auf der Capitol Mall umherwanderten. Dort, im Lincoln Memorial, sagte Michael eines Tages, er sei nun bereit, eine Familie zu gründen. Sarah umarmte ihn stürmisch und wusste, dass ihr Glück in diesem Augenblick vollkommen war.

Wer kann erklären, was dann folgte? Mehrere Monate nach jenem wunderbaren Tag im Lincoln Memorial war Sarah immer noch nicht schwanger. Ihr Arzt riet ihr, sich keine Sorgen zu machen – manchmal dauere es eben länger, nachdem die Pille abgesetzt wurde –, aber er schlug vor, in einigen Monaten wiederzukommen, falls sie immer noch Schwierigkeiten hätten.

Sie hatten Schwierigkeiten, und daraufhin wurden Tests vorgenommen. Ein paar Tage später, als die Ergebnisse vorlagen, ging Sarah zu ihrem Arzt in die Praxis. Sie setzte sich ihm gegenüber. Ein Blick genügte, und sie wusste, dass etwas nicht in Ordnung war.

Sarah erfuhr, dass ihre Eierstöcke keine Eizellen produzieren konnten.

Eine Woche später hatten Sarah und Michael ihren ersten großen Streit. Michael war von der Arbeit nicht nach Hause gekommen, und Sarah war unruhig und besorgt im Haus auf und ab gelaufen und hatte sich die schrecklichsten Dinge ausgemalt. Als er endlich kam, war sie außer sich und er betrunken. »Ich bin nicht dein Eigentum«, war das Einzige, was er zur Erklärung vorbrachte, und daraufhin eskalierte der Streit. In der Hitze des Gefechts sagten sie furchtbare Dinge. Sarah tat alles gleich darauf wieder Leid, und Michael entschuldigte sich. Aber nach diesem Vorfall wirkte Michael distanziert und verschlossen. Wenn Sarah ihn bedrängte, leugnete er, dass sich seine Gefühle geändert hatten. »Es wird schon wieder«, sagte er, »wir stehen das durch.«

Stattdessen wurde die Atmosphäre immer angespannter. Mit jedem Monat häuften sich die Auseinandersetzungen, die Distanz wurde bald unüberbrückbar. Eines Nachts, als Sarah vorschlug, ein Kind zu adoptieren, winkte Michael einfach ab. »Das würden meine Eltern nie akzeptieren.«

Tief in ihrem Inneren wusste sie, dass ihre Beziehung in jener Nacht an einem Wendepunkt angelangt war. Es waren nicht seine Worte, die ihn verrieten, und auch nicht die Tatsache, dass er sich auf die Seite seiner Eltern schlug. Es war sein Gesichtsausdruck – durch ihn begriff Sarah, dass Michael das Problem plötzlich als *ihres* und nicht mehr als ihr gemeinsames sah.

Kaum eine Woche später fand sie Michael mit einem Glas Bourbon im Wohnzimmer. Sein unsteter Blick verriet ihr, dass es nicht sein erstes Glas war. Er wolle sich trennen, fing er an, das werde sie sicher verstehen. Als er zu Ende gesprochen hatte, brachte Sarah kein Wort über die Lippen – und es gab für sie auch nichts mehr zu sagen.

Die Ehe war zu Ende. Sie hatte weniger als drei Jahre gedauert. Sarah war siebenundzwanzig.

Die nächsten zwölf Monate vergingen wie im Nebel. Alle wollten wissen, was passiert war, aber Sarah sagte nur ihrer Familie die Wahrheit. »Es hat einfach nicht funktioniert«, war alles, was die anderen zur Antwort bekamen.

Weil sie nicht wusste, was sie sonst tun sollte, blieb Sarah weiter an ihrer Schule. Zwei Stunden pro Woche sprach sie mit Sylvia, einer erstklassigen Therapeutin, die ihr eine Selbsthilfegruppe empfahl. Sarah nahm an einigen Treffen teil. Meistens hörte sie nur zu, und danach ging es ihr etwas besser. Dann wieder, wenn sie allein in ihrer kleinen Wohnung saß, überfiel sie alles wie eine schwere Last, und sie konnte stundenlang nicht mehr aufhören zu weinen. In ihren schwärzesten Zeiten dachte sie sogar an Suizid, aber davon erfuhr niemand etwas, weder ihre Therapeutin noch ihre Familie. An diesem Punkt wusste sie, dass sie Baltimore verlassen musste. Sie wollte irgendwohin ziehen, wo sie neu anfangen konnte. An einen Ort, der keine schmerzhaften Erinnerungen hervorrief, einen Ort, an dem sie noch nie zuvor gelebt hatte.

Seit sie in New Bern wohnte, gab Sarah sich alle Mühe, nach vorn zu schauen. Das war immer noch ein Kampf, aber lange nicht mehr so schwierig wie zu Beginn. Ihre Eltern unterstützten sie auf ihre Weise – ihr Vater verlor kein Wort über das Vergangene, ihre Mutter schnitt Zeitungsartikel über die neuesten medizinischen Fortschritte auf dem Gebiet der Behandlung von unfruchtbaren Frauen aus – aber wirklich helfen konnte ihr nur ihr Bruder Brian, als er noch nicht an der Universität von North Carolina studierte.

Wie die meisten Heranwachsenden war er manchmal unnahbar und zurückhaltend, aber er vermochte wunderbar zuzuhören. Immer, wenn Sarah nach Reden zumute war, konnte sie auf ihn zählen, und jetzt vermisste sie ihn. Sie hatten sich stets nahe gestanden – als ältere Schwester hatte sie ihn gewickelt und gefüttert, wann immer ihre Mutter es erlaubte. Als Brian dann in die Schule kam, hatte sie ihm bei den Hausaufgaben geholfen und bei dieser Gelegenheit festgestellt, dass sie Lehrerin werden wollte.

Diese Entscheidung hatte sie nie bereut. Sarah liebte ihren Beruf, sie liebte die Arbeit mit Kindern. Immer, wenn sie ein neues Klassenzimmer betrat und dreißig kleine Gesichter erwartungsvoll auf sich gerichtet sah, war sie sich dessen bewusst. Am Anfang hatte sie wie die meisten jungen Lehrer idealistische Vorstellungen gehabt, hatte angenommen, dass jedes Kind sich öffnen würde, wenn sie sich nur genug Mühe gab. Leider hatte sie lernen müssen, dass dies unmöglich war. Manche Kinder ließen sie nicht an sich heran, ganz gleich, was sie tat. Das war der schwierigste Teil ihres Berufs, der einzige Teil, der ihr manchmal schlaflose Nächte bereitete. Aber sie gab nie auf.

Sarah wischte sich den Schweiß von der Stirn und war froh, dass die Luft sich allmählich abkühlte. Die Sonne sank immer tiefer, und die Schatten wurden länger. Als sie an der Feuerwehr vorüberlief, nickten ihr die beiden Feuerwehrleute zu, die auf Gartenstühlen vor der Wache saßen. Sarah lächelte. Soweit sie es beurteilen konnte, würde in dieser Stadt am frühen Abend bestimmt kein Feuer ausbrechen. Sie hatte die beiden jetzt seit vier Monaten jeden Abend zur gleichen Zeit an exakt derselben Stelle sitzen sehen.

New Bern.

Ihr Leben war neuerdings von erstaunlicher Einfachheit. Zwar vermisste sie gelegentlich das pulsierende Stadtleben, aber sie musste zugeben, dass ein langsameres Tempo seine Vorteile hatte. In den Sommerferien hatte sie viele Stunden in den Antiquitätengeschäften der Innenstadt gestöbert oder sich die Segelboote an den Docks hinter dem Sheraton angesehen. Selbst jetzt, seit die Schule wieder angefangen hatte, war sie nie in Eile. Sie arbeitete, lief ihre Runde, und abgesehen von Besuchen bei ihren Eltern blieb sie abends meistens allein zu Hause, hörte klassische Musik und überarbeitete den Unterrichtsplan, den sie aus Baltimore mitgebracht hatte.

Viele Schüler in ihrer neuen Klasse waren in den Kernfächern noch nicht so weit, wie sie sein sollten, deshalb musste Sarah das Tempo drosseln und mehr Übungen einbauen. Das hatte sie nicht überrascht – jede Schule ging anders vor. Am Ende des Jahres würden die meisten Schüler bestimmt aufgeholt haben. Es gab allerdings einen, der ihr Sorgen machte.

Jonah Ryan.

Er war ein netter Junge, schüchtern und unauffällig, die Art Kind, die man leicht übersieht. Am ersten Schultag saß er in der letzten Reihe und antwortete höflich, wenn sie ihn ansprach, aber ihre Arbeit in Baltimore hatte sie gelehrt, solchen Kindern besondere Aufmerksamkeit zu schenken. Manchmal hatte ihre Zurückhaltung nichts zu bedeuten, manchmal jedoch verbargen sie etwas. Als Sarah die erste Hausarbeit einsammelte, nahm sie sich vor, Jonahs besonders genau zu prüfen. Doch das war nicht notwendig gewesen.

Durch die Hausarbeit – ein kurzer Aufsatz über ein Erlebnis in den Sommerferien – hatte Sarah herausfinden wollen, wie gut die Kinder schreiben konnten. Die meisten Texte enthielten die üblichen Schreibfehler, Gedankensprünge und Schlampigkeiten, aber Jonahs hob sich hervor, weil er die gestellte Aufgabe gar nicht erfüllte. Er hatte seinen Namen oben in die Ecke geschrieben und darunter sich selbst in einem kleinen Ruderboot beim Fischen gezeichnet. Als sie ihn fragte, warum er nichts geschrieben habe, erklärte Jonah, Mrs. Hayes habe ihn immer zeichnen lassen, weil er nicht besonders gut schreiben könne.

Sofort schrillten die Alarmglocken in Sarahs Kopf. Sie lächelte und beugte sich vor, um ihm näher zu sein.

»Kannst du es mir zeigen?«, fragte sie. Nach einer Weile nickte Jonah widerstrebend. Während die anderen Schüler sich beschäftigten, saß Sarah bei Jonah. Er gab sich große Mühe, doch schnell erkannte sie, dass es keinen Sinn hatte. Jonah konnte nicht schreiben. Später am Tag fand sie heraus, dass er auch kaum lesen konnte. In Mathematik war er nicht viel besser. Wenn sie, ohne ihn zu kennen und nur aufgrund dessen, was sie vor sich sah, sein Alter hätte schätzen müssen, hätte sie ihn als Kindergartenkind eingestuft.

Ihr erster Gedanke war, er habe vielleicht eine Lernstörung, so etwas wie Legasthenie, aber nachdem sie ihn eine Woche lang beobachtet hatte, schloss sie das aus. Er brachte Buchstaben und Wörter nicht durcheinander, er verstand alles, was sie ihm sagte. Hatte sie ihm einmal etwas gezeigt, machte er es fortan richtig. Sein Problem basierte ihrer Meinung nach darauf, dass er noch nie seine Hausaufgaben hatte machen müssen, weil seine Lehrerinnen es nicht von ihm verlangt hatten.

Als Sarah andere Lehrer danach fragte, erfuhr sie die Geschichte von Jonahs Mutter, und obwohl er ihr Leid tat, wusste sie, dass es keinem nutzte – und Jonah schon gar nicht –, wenn man ihn in Ruhe ließ, wie seine Lehrer es bisher getan hatten. Andererseits konnte sie Jonah im Unterricht nicht das Maß an Aufmerksamkeit schenken, das er eigentlich brauchte. So entschloss sie sich am Ende, Jonahs Vater zu einem Gespräch zu bitten, in der Hoffnung, dass sie gemeinsam eine Lösung finden würden.

Von Miles Ryan hatte sie bereits hin und wieder etwas gehört. Nicht viel, aber sie wusste, dass die meisten Leute ihn mochten und schätzen und vor allem, dass ihm sein Sohn wichtig war. Das war gut – denn schon in der kurzen Zeit, in der sie unterrichtete, hatte sie Eltern kennen gelernt, denen ihre Kinder offenbar gleichgültig waren, mehr eine Last als ein Geschenk, und dann wieder andere Eltern, die offenbar meinten, ihr Kind sei unfehlbar. Beide waren eine Plage. Miles Ryan, sagten die Leute, sei anders.

An der nächsten Straßenecke wurde Sarah langsamer und wartete auf eine Lücke im Verkehr. Sie überquerte die Straße, winkte dem Mann in der Apotheke zu, griff nach ihrer Post und lief dann die Stufen zu ihrer Wohnung hinauf. Sie schloss die Tür auf und warf einen kurzen Blick auf die Briefe, bevor sie sie auf das Tischchen neben der Tür legte.

In der Küche goss sie sich ein Glas Eiswasser ein und trug es ins Schlafzimmer. Dann zog sie ihre verschwitzte Kleidung aus und warf sie in den Wäschekorb. Sie freute sich schon auf eine kühle Dusche.

Das Licht am Anrufbeantworter auf ihrem Nachttisch blinkte. Sarah drückte die Abfragetaste, und die Stimme ihrer Mutter ließ sie wissen, sie könne gern später noch vorbeikommen, wenn sie nichts anderes vorhabe. Wie üblich klang die Stimme etwas angespannt.

Neben dem Anrufbeantworter stand ein Bild von Sarahs Familie: Maureen und Larry in der Mitte, Sarah und Brian seitlich. Der Apparat klickte, und dann ertönte eine zweite Nachricht, ebenfalls von ihrer Mutter. »Ach, ich dachte, du wärst jetzt zu Hause. Ich hoffe, es ist alles in Ordnung …«

Sollte sie hingehen oder nicht? War sie in Stimmung?

Warum nicht?, dachte Sarah schließlich. *Ich habe doch sowieso nichts anderes vor.*

Miles Ryan fuhr in Richtung Süden auf der Madame Moore's Lane, einer engen, gewundenen Straße, die dem Trent River und dem Brices Creek von New Bern bis nach Pollocksville folgte. Benannt nach der Frau, die einst das berühmteste Bordell in North Carolina führte, schlängelte sich die Straße am Landsitz und an der Grabstätte von Richard Dobbs Spaight vorbei, einem Südstaatenhelden, der die Unabhängigkeitserklärung unterzeichnet hatte. Während des Bürgerkriegs hatten Unionssoldaten den Leichnam exhumiert und seinen Schädel als Warnung für widerspenstige Bürger auf ein Eisengitter gesteckt. Als Kind hatte diese Geschichte Miles so verschreckt, dass er immer einen weiten Bogen um die Stelle gemach hatte.

Trotz ihrer Schönheit und relativen Abgeschiedenheit war

die Straße gefährlich – vor allem für Kinder. Tag und Nacht rumpelten voll gepackte Holztransporter in beide Richtungen, und die Fahrer unterschätzten oft die Kurven. Da Miles in einer Gemeinde ansässig war, die an die Straße angrenzte, sprach er sich seit längerem dafür aus, das Tempolimit herabzusetzen.

Niemand, außer Missy, hatte auf ihn gehört.

Auf dieser Straße musste er immer an sie denken.

Miles drückte seine Zigarette aus und drehte das Fenster herunter. Während die warme Luft hereinblies, tauchten Schnappschüsse von ihrem gemeinsamen Leben vor seinem geistigen Auge auf, aber wie immer führten diese Bilder unweigerlich zu Missys letztem Tag.

Ironischerweise war er an jenem Tag, einem Sonntag, die meiste Zeit unterwegs gewesen. Er war mit Charles Curtis zum Fischen gefahren, hatte das Haus früh am Morgen verlassen, und obwohl er und Charlie mit Mahi-Mahi-Fischen zurückkamen, war seine Frau keineswegs besänftigt. Missy stemmte die Hände in die Hüften, das Gesicht mit Erde verschmiert, und funkelte ihn wütend an, kaum dass er aus dem Auto gestiegen war. Sie sagte nichts, aber das war auch nicht nötig. Ihr Blick sprach Bände.

Für den nächsten Tag hatten sich ihr Bruder und ihre Schwägerin aus Atlanta angekündigt, und sie hatte das Haus für die Gäste hergerichtet. Jonah lag mit Grippe im Bett, was die Situation nicht gerade einfacher machte, da sie sich auch noch um ihn kümmern musste. Aber das war nicht der eigentliche Grund für ihren Ärger. Der Grund war Miles.

Missy hatte zwar gesagt, sie hätte nichts dagegen, wenn er fischen ginge, aber sie hatte ihn gebeten, am Samstag die Gartenarbeit zu erledigen, damit sie sich nicht auch noch darum kümmern müsste. Es war jedoch etwas Berufliches dazwischengekommen, und anstatt Charlie abzusagen, war Miles am Sonntag trotzdem gefahren. Charlie hatte ihn den ganzen Tag damit aufgezogen – »Heute Nacht wirst du auf der Couch schlafen müssen« – und Miles fürchtete bald, dass Charlie wahrscheinlich Recht hatte. Aber Gartenarbeit war Gartenarbeit, und Fischen war Fischen, und Miles wusste mit absoluter Sicherheit, dass sich weder Missys Bruder noch dessen Frau darum scheren würden, ob ein paar Halme Unkraut mehr oder weniger im Garten sprossen.

Außerdem würde er sich um alles sofort kümmern, wenn er zurück war, und das hatte er auch fest vorgehabt. Er wollte eigentlich nicht den ganzen Tag fortbleiben, aber wie das beim Fischen so ist, hatte eins zum anderen geführt, und Miles hatte jedes Zeitgefühl verloren.

Seine kleine Rede hatte er schon parat: *Keine Sorge, ich erledige alles, und wenn ich die ganze Nacht beim Schein der Taschenlampe arbeiten muss.* Das hätte vielleicht sogar geklappt, wenn er es Missy schon am Morgen angekündigt hätte. So aber war die meiste Arbeit bereits getan. Der Rasen war gemäht, das Unkraut gejätet, und um den Briefkasten hatte Missy Stiefmütterchen gepflanzt. Es musste Stunden gedauert haben, und wütend war gar kein Ausdruck für ihren Zustand. Miles hatte kein brennendes Streichholz vor sich, sondern einen ausgewachsenen Waldbrand. Diesen Blick hatte er seit ihrer Hochzeit nur wenige Male erlebt.

»Hallo Schatz«, sagte er lahm, »tut mir Leid, dass es so spät geworden ist. Die Zeit ist einfach verflogen.« Gerade als er zu seiner vorbereiteten Rede ansetzen wollte, drehte Missy ihm den Rücken zu.

»Ich gehe joggen. Das hier schaffst du ja vielleicht gerade noch?« Sie hatte damit angefangen, die Auffahrt vom Gras zu befreien. Die Kehrmaschine stand auf dem Rasen.

Miles wusste, dass er jetzt besser nichts sagte.

Nachdem sie hineingegangen war, um sich umzuziehen, holte er die Kühlbox aus dem Kofferraum und brachte sie in die Küche. Er legte den Mahi-Mahi gerade ins Eisfach, als Missy aus dem Schlafzimmer kam.

»Ich hab nur den Fisch weggelegt ...«, setzte er an, doch Missy presste die Lippen aufeinander.

»Wie wär's, wenn du tätest, worum ich dich gebeten habe?«

»Gleich – lass mich nur den Fisch versorgen, sonst verdirbt er.«

Missy verdrehte die Augen. »Vergiss es. Ich mach's, wenn ich zurück bin.«

Der Märtyrerton. Den konnte Miles nicht ausstehen.

»Ich mach es ja«, sagte er. »Ich habe gesagt, ich erledige es, oder?«

»So, wie du den Rasen mähen wolltest, bevor du zum Fischen gefahren bist?«

Miles hätte sich auf die Lippe beißen und schweigen sollen. Stattdessen wehrte er sich. Ja, er hatte den ganzen Tag gefischt, statt ihr im Haus zu helfen. Ja, er hatte sie im Stich gelassen. Aber die ganze Sache war doch wohl nicht so furchtbar dramatisch, oder? Schließlich kamen doch nur ihr Bruder und ihre Schwägerin und nicht der Präsident! Kein Grund, ein solches Theater zu machen.

Ja, er hätte den Mund halten sollen. So, wie sie ihn ansah, nachdem er damit herausgeplatzt war, wäre das besser gewesen. Als sie beim Hinausgehen die Tür zuknallte, hörte Miles die Fenster klirren.

Nachdem Missy eine Weile lang weg war, sah Miles ein, dass er im Unrecht war, und sein Ausbruch tat ihm Leid. Er hatte sich dumm benommen. Er war ein Idiot, und sie hatte mit Recht geschimpft.

Er sollte jedoch keine Gelegenheit mehr bekommen, sich zu entschuldigen.

»Na, immer noch unter den Rauchern?«

Charlie Curtis, der County Sheriff, musterte über den Tisch hinweg seinen Freund.

»Ich rauche nicht«, antwortete Miles prompt.

Charlie hob die Hände. »Ich weiß, ich weiß – das hast du schon mal gesagt. Na, mir soll's recht sein, wenn du dir etwas vormachen willst. Aber ich stelle trotzdem den Aschenbecher raus, wenn du uns besuchst.«

Miles lachte. Charlie war einer der wenigen Menschen in der Stadt, die ihn noch genauso behandelten wie früher. Sie waren seit Jahren befreundet – Charlie war derjenige gewesen, der Miles für den Posten des Deputy Sheriff vorgeschlagen hatte, und er hatte Miles unter seine Fittiche genommen, sobald dessen Ausbildung beendet war. Er war älter – fünfundsechzig Jahre im März –, und sein Haar war grau meliert. In den letzten Jahren hatte er zwanzig Pfund zugelegt, fast alle um die Taille. Er war nicht der Typ Sheriff, der ständig versuchte, andere einzuschüchtern, aber er war scharfsinnig und gründlich und erfuhr am Ende immer, was er wissen musste. Bei den letzten drei Wahlen hatte sich niemand die Mühe gemacht, gegen ihn anzutreten.

»Ich besuche euch gar nicht erst«, sagte Miles, »wenn du nicht mit diesen lächerlichen Anschuldigungen aufhörst.«

Sie saßen in einer Nische, und die Kellnerin, gestresst durch den Ansturm der Mittagsgäste, stellte ihnen im Vorübergehen einen Krug süßen Tee und zwei Gläser mit Eiswürfeln auf den Tisch. Miles goss den Tee ein und schob Charlie ein Glas zu.

»Brenda wird enttäuscht sein«, sagte Charlie. »Du weißt, sie bekommt Entzugserscheinungen, wenn du Jonah nicht ab und zu vorbeibringst.« Er trank einen Schluck Tee. »Und, freust du dich schon auf das Treffen mit Sarah heute?«

Miles starrte ihn an. »Mit wem?«

»Jonahs Lehrerin.«

»Hat dir deine Frau das erzählt?«

Charlie grinste. Brenda arbeitete im Büro des Rektors und war über alles im Bilde, was in der Schule vor sich ging. »Natürlich.«

»Wie heißt sie noch mal?«

»Brenda«, antwortete Charlie ernsthaft.

Miles warf ihm einen entnervten Blick zu, und Charlie spielte den Begriffsstutzigen. »Ach so, die Lehrerin meinst du? Sarah. Sarah Andrews.«

Auch Miles nahm einen Schluck. »Ist sie eine gute Lehrerin?«, fragte er.

»Ich nehme es an. Brenda hält viel von ihr, und die Kinder lieben sie, aber im Grunde findet Brenda ja alle Menschen nett.« Charlie schwieg für einen Augenblick und beugte sich dann vor, als wolle er ein Geheimnis ausplaudern. »Aber sie hat gesagt, dass Sarah attraktiv ist. Eine Klassefrau, wenn du weißt, was ich meine.«

»Was hat das denn mit mir zu tun?«

»Alleinstehend ist sie auch, sagt Brenda.«

»Und?«

»Nichts und.« Charlie riss ein Zuckerpäckchen auf und schüttete den Inhalt in den schon gesüßten Tee. »Ich gebe nur weiter, was Brenda gesagt hat.«

»Na bestens«, sagte Miles. »Vielen herzlichen Dank. Ohne Brendas Urteil hätte ich den heutigen Tag wohl kaum bewältigt.«

»Reg dich nicht auf, Miles. Du weißt, sie ist immer auf der Suche für dich.«

»Sag ihr, mir geht's blendend.«

»Weiß ich doch, zum Teufel! Aber Brenda macht sich Sorgen. Auch wegen dem Rauchen.«

»Sitzen wir jetzt den ganzen Tag hier und quatschen Blödsinn, oder hast du noch einen anderen Grund, warum du mich treffen wolltest?«

»Habe ich. Aber ich musste dich erst in die richtige Stimmung bringen, damit du nicht ausrastest.«

»Wovon redest du?«

Die Kellnerin stellte zwei Teller Grillfleisch mit Krautsalat und Maisfladen vor sie hin, ihr übliches Mittagessen, und Charlie nutzte die Gelegenheit, um sich zu sammeln. Er goss reichlich Essigsauce über sein Fleisch und streute Pfeffer über den Krautsalat. Er hätte Miles die Neuigkeit gern schonend beigebracht, aber das ging nicht, deshalb machte er keine Umschweife.

»Harvey Wellman will die Anklage gegen Otis Timson fallen lassen.«

Harvey Wellman war der Bezirksstaatsanwalt von Craven County. Er hatte am Morgen mit Charlie gesprochen und ihm angeboten, es Miles selbst mitzuteilen, aber Charlie fand, das sei seine Sache.

Miles hob ruckartig den Kopf. »Was?«

»Er hat keine Zeugen mehr. Beck Swanson leidet plötzlich unter Gedächtnisschwund und erinnert sich an nichts.«

»Aber ich war doch da ...«

»Du warst da, *nachdem* es passiert ist. Du hast es nicht *gesehen*.«

»Aber ich habe das Blut gesehen! Ich habe den ramponierten Stuhl und den Tisch mitten in der Bar gesehen! Und die Leute, die da standen.«

»Ich weiß, ich weiß. Aber was soll Harvey denn tun? Beck hat zehn heilige Eide geschworen, dass er nur hingefallen ist und Otis ihm kein Haar gekrümmt hat. Er sagt, in jener Nacht sei er verwirrt gewesen, aber jetzt, wo sein Kopf wieder klar ist …«

Miles hatte plötzlich keinen Appetit mehr und schob den Teller von sich.

»Wenn ich da noch mal hingehe, finde ich bestimmt jemanden, der sich erinnert.«

Charlie schüttelte den Kopf.

»Verständlich, dass du's nicht auf sich beruhen lassen willst, aber wozu wäre das gut? Du weißt, wie viele von Otis' Brüdern an dem Abend dabei waren. Sie behaupten ebenfalls, dass nichts passiert ist – und wer weiß, vielleicht geht die Sache ja auf ihr Konto. Ohne Becks Zeugenaussage konnte Harvey nichts unternehmen. Außerdem kennst du doch Otis. Er stellt bald wieder etwas an – es wird nicht lange dauern.«

»Genau das beunruhigt mich ja.«

Miles und Otis Timson waren schon häufig aneinander geraten. Der Konflikt schwelte bereits zwölf Jahre – seit Miles Deputy geworden war. Er hatte Clyde Timson, Otis' Vater, verhaftet, weil dieser seine Frau durch die Fliegengittertür ihres Wohnwagens geworfen hatte. Clyde kam dafür ins Gefängnis – wenn auch nicht lange genug –, und in den folgenden Jahren landeten fünf seiner sechs Söhne wegen einer ganzen Reihe von Delikten ebenfalls hinter Gittern – von Drogenhandel über tätliche Angriffe bis zu Autodiebstahl.

Miles hielt Otis für den Gefährlichsten, weil er der Klügste war.

Er hegte zudem den Verdacht, dass es Otis, im Gegensatz zu den anderen Familienmitgliedern, nicht bei Kleinkriminalität bewenden ließ. Zwar sah er nicht wie ein Krimineller aus, denn anders als seine Brüder ließ er sich nicht tätowieren und trug die Haare kurz. Manchmal ging er sogar einer regulären Arbeit nach. Aber das konnte täuschen. Sein

Name tauchte in Verbindung mit verschiedenen Straftaten auf, und in der Stadt munkelte man, er sei derjenige, der den Drogenfluss ins County lenke. Doch Miles konnte es ihm nicht nachweisen. Zu seinem großen Ärger hatte keine der Hausdurchsuchungen je etwas Konkretes ergeben.

Und Otis hatte etwas gegen Miles. Das begriff Miles erst nach Jonahs Geburt.

Er hatte drei von Otis' Brüdern verhaftet, nachdem bei einem Familientreffen eine Schlägerei ausgebrochen war. Eine Woche später saß Missy mit dem vier Monate alten Jonah im Schaukelstuhl, als ein Ziegelstein mit lautem Krachen das Wohnzimmerfenster durchschlug. Eine Glasscheibe verletzte Jonah an der Wange. Miles hatte zwar keine Beweise, aber er wusste, dass der Anschlag auf Otis' Konto ging. Mit drei anderen Deputys und den Waffen im Anschlag erschien er auf dem Gelände der Timsons, einer Ansammlung von schäbigen Wohnwagen draußen vor der Stadt. Die Brüder kamen friedlich heraus, hielten ihnen schweigend die Handgelenke hin und ließen sich in Handschellen abführen.

Zuletzt wurde wegen Beweismangels keine Anklage erhoben. Harvey Wellman und Miles waren sich fast in die Haare geraten, als die Timsons freigelassen wurden.

In den folgenden Jahren gab es immer wieder ähnliche Vorfälle: In der Nähe von Miles' Haus wurden Schüsse abgefeuert, ein rätselhafter Brand entstand in seiner Garage – es hätten auch Teenagerstreiche sein können. Aber wieder gab es keine Zeugen, und Miles waren die Hände gebunden. Seit Missys Tod war jedoch Ruhe eingekehrt.

Bis zur letzten Verhaftung.

Charlie hob den Blick vom Teller. Sein Gesicht war ernst. »Hör zu, du und ich, wir wissen hundertprozentig, dass er schuldig ist, aber unternimm bloß nichts auf eigene Faust. Die Situation darf nicht noch mal eskalieren. Du musst jetzt an Jonah denken. Du kannst nicht rund um die Uhr auf ihn aufpassen.«

Miles blickte aus dem Fenster.

»Pass auf«, fuhr Charlie fort, »er wird sicher wieder eine Dummheit machen, und wenn wir etwas gegen ihn in der

Hand haben, bin ich der Erste, der sich ihn schnappt. Das weißt du. Aber lass dich nicht provozieren – er ist ein übler Kerl. Halte dich von ihm fern.«

Miles sagte immer noch nichts.

»Lass die Finger von ihm, hörst du?« Jetzt sprach nicht mehr Charlie, sein Freund, sondern Charlie, sein Vorgesetzter.

»Warum erzählst du mir das?«

»Das habe ich dir gerade erklärt.«

Miles sah Charlie in die Augen. »Aber da ist noch etwas anderes, richtig?«

Charlie erwiderte Miles Blick.

»Ja. Otis sagt, du seist etwas grob gewesen, als du ihn verhaftet hast, und er hat eine Beschwerde eingereicht ...«

Miles schlug mit der Hand so laut auf den Tisch, dass das Geräusch durch das ganze Restaurant hallte. Die Leute am Nebentisch zuckten zusammen und drehten sich nach ihm um, aber Miles merkte es nicht.

»Das ist Blödsinn ...«

Charlie hob beschwichtigend die Hand.

»Das ist mir doch klar, und ich habe es auch Harvey gesagt, und Harvey wird die ganze Sache ignorieren. Aber ihr beide seid schließlich nicht gerade die besten Kumpel, und er weiß, wie du sein kannst, wenn du dich aufregst. Er unternimmt zwar nichts, aber er hält es für möglich, dass Otis die Wahrheit sagt. Er lässt dir ausrichten, du sollst dich zusammenreißen.«

»Und was soll ich machen, wenn ich sehe, wie Otis eine Straftat verübt? Wegschauen?«

»Nein, verdammt noch mal! Red keinen Unsinn! Das wäre ganz und gar nicht in meinem Sinn. Halt dich nur eine Weile zurück, bis Gras über die Sache gewachsen ist – es sei denn, du hast keine andere Wahl. Ich sage das zu deinem eigenen Besten, verstehst du?«

Es dauerte eine Weile, bis Miles seufzend zustimmte.

»Gut«, sagte er schließlich.

Doch im selben Moment wusste er schon, dass er und Otis noch lange nicht miteinander fertig waren.

Kapitel 3

Drei Stunden nach dem Gespräch mit Charlie bog Miles auf einen Parkplatz vor der Grayton-Grundschule ein, wo der Unterricht gerade zu Ende ging. Drei Schulbusse warteten vor dem Gebäude, und die Schüler schlenderten in kleinen Grüppchen auf sie zu. Miles und Jonah entdeckten einander gleichzeitig. Jonah winkte fröhlich und rannte auf das Auto zu. Miles wusste, dass er das in ein paar Jahren nicht mehr tun würde. Jonah sprang seinem Vater in die weit geöffneten Arme, und Miles hob ihn hoch und drückte ihn an sich, solange sein Sohn diese Nähe noch zuließ.

»Hallo, mein Freund, wie war es in der Schule?«

Jonah machte sich los. »Gut. Und bei deiner Arbeit?«

»Bin froh, dass ich für heute fertig bin.«

»Hast du jemanden verhaftet?«

Miles schüttelte den Kopf. »Heute nicht. Vielleicht morgen. Hör mal, willst du ein Eis, wenn ich gleich wiederkomme?«

Jonah nickte begeistert, und Miles setzte ihn ab. »Prima.« Er beugte sich hinunter und sah seinen Sohn an. »Kannst du auf dem Spielplatz bleiben, während ich mit deiner Lehrerin spreche? Oder willst du drinnen warten?«

»Ich bin kein kleines Kind mehr, Dad. Außerdem muss Mark auch noch ein bisschen warten. Seine Mama ist beim Arzt.«

Miles schaute hinüber zu Jonahs bestem Freund, der schon ungeduldig am Basketballkorb stand. Miles steckte Jonah das Hemd in die Hose.

»Ihr zwei bleibt zusammen, okay? Und lauft nicht weg!«

»Klar doch.«

»Also gut. Sei vorsichtig.«

Jonah gab seinem Vater den Schulrucksack und sauste los. Miles warf den Rucksack auf den Beifahrersitz und schlängelte sich dann zwischen den parkenden Autos hindurch auf das Gebäude zu. Ein paar Kinder grüßten ihn lautstark, ebenso einige Mütter, die ihre Kinder abholten. Bei manchen blieb Miles stehen und sprach ein paar Worte. Er wartete, bis sich die Menge verlaufen hatte. Als die Busse und die meisten Autos abgefahren waren, kehrten die Lehrer ins Schulgebäude zurück. Miles warf einen letzten Blick in Jonahs Richtung, bevor er ihnen folgte.

Beim Betreten der Schule traf ihn ein Schwall heißer Luft. Das Gebäude war fast vierzig Jahre alt, und obwohl die Klimaanlage in den letzten Jahren mehr als einmal überholt worden war, gab es regelmäßig in den ersten Wochen nach den Schulferien, wenn die Sonne noch vom Himmel brannte, Probleme damit. Miles spürte, wie ihm der Schweiß über den Rücken rann. Während er den Flur entlangging, zog er sein Hemd von der Brust weg und fächelte sich Luft zu. Jonahs Klassenzimmer lag im hinteren Gebäudeteil. Als er eintrat, war es leer.

Zuerst glaubte er, er sei im falschen Raum, aber die Namen der Kinder auf der Liste an der Wand waren die richtigen. Miles blickte auf die Uhr, und als er feststellte, dass er einige Minuten zu früh dran war, wanderte er durch das Klassenzimmer. Auf die Tafel waren Aufgaben gekritzelt, die Pulte standen in ordentlichen Reihen nebeneinander, ein rechteckiger Tisch war mit Zeichenpapier und Klebstoff beladen. An die hintere Wand waren ein paar kurze Aufsätze geheftet, und Miles hielt gerade nach Jonahs Ausschau, als er hinter sich eine Stimme vernahm.

»Tut mir Leid, dass ich zu spät komme – ich war noch kurz im Lehrerzimmer.«

Nun sah Miles Sarah also zum ersten Mal.

Es richteten sich keine Härchen in seinem Nacken auf, keine Vorahnungen explodierten wie Feuerwerkskörper in seinem Kopf, er hatte überhaupt keine besonderen Gefühle, und wenn er später daran dachte, was auf diese erste Begegnung alles noch folgte, verblüffte ihn diese Tatsache immer wieder aufs Neue. Er würde sich allerdings stets daran erinnern, wie überrascht er war, dass Charlie Recht gehabt hatte. Sarah war wirklich attraktiv. Kein Glamourgirl, aber zweifellos eine Frau, der Männer auf der Straße nachschauten. Ihre blonden Haare waren knapp schulterlang geschnitten, und ihre Frisur wirkte elegant und praktisch zugleich. Sie trug einen langen Rock und eine gelbe Bluse, und obwohl ihr Gesicht von der Hitze gerötet war, strahlten ihre blauen Augen eine Frische aus, als hätte sie den Tag über am Strand gelegen.

»Kein Problem«, sagte Miles schließlich. »Ich war etwas zu früh hier.« Er streckte ihr die Hand hin. »Ich bin Miles Ryan.«

Sarahs Blick wanderte ganz kurz zu seinem Halfter hinunter. Diese besorgten Blicke kannte Miles, doch bevor er etwas sagen konnte, lächelte sie ihn an. Sie gab ihm ungezwungen die Hand, als sei seine Waffe für sie kein Thema. »Ich bin Sarah Andrews. Ich freue mich, dass Sie sich heute Zeit nehmen konnten. Erst nachdem ich Jonah den Brief gegeben hatte, fiel mir ein, dass ich Ihnen keinen Ausweichtermin angeboten habe.«

»Das war nicht nötig. Mein Chef konnte es einrichten.«

Sie nickte und sah ihn dabei an.

»Charlie Curtis, stimmt's? Ich kenne seine Frau Brenda. Sie hat mir geholfen, mich hier einzuleben.«

»Seien Sie vorsichtig – wenn Sie nicht aufpassen, lässt sie Sie nicht mehr zu Wort kommen.«

Sarah lachte. »Das habe ich auch schon gemerkt. Aber sie ist phantastisch, wirklich. Als Neuling ist man schnell eingeschüchtert, aber sie hat sich alle Mühe gegeben, damit ich mich dazugehörig fühle.«

»Brenda ist sehr nett.«

Sie standen dicht nebeneinander, und Miles spürte sofort, dass Sarah jetzt, wo der Smalltalk vorbei war, nicht mehr so entspannt war. Sie ging um den Schreibtisch herum und setzte ein geschäftsmäßiges Gesicht auf. Sie schob Papiere hin und her und durchstöberte suchend Blätterstapel. Draußen kam die Sonne hinter einer Wolke hervor und fiel schräg durch die Fenster ein. Sofort schien es noch wärmer zu werden, und Miles zupfte wieder an seinem Hemd. Sarah blickte auf.

»Ich weiß, es ist heiß hier … Ich wollte einen Ventilator mitbringen, aber ich hatte noch keine Zeit, einen zu kaufen.«

»Es geht schon.« Doch Miles spürte, wie ihm der Schweiß an Brust und Rücken hinunterrann.

»Also, ich kann Ihnen Folgendes vorschlagen: Entweder Sie holen sich einen Stuhl, und wir reden hier und bekommen vielleicht beide einen Hitzschlag, oder wir gehen nach draußen, wo es ein bisschen kühler ist. Im Schatten stehen Picknicktische.«

»Ginge das?«

»Wenn Sie nichts dagegen haben?«

»Nein – überhaupt nicht. Außerdem ist Jonah auf dem Spielplatz, so kann ich besser ein Auge auf ihn haben.«

Sarah nickte. »Gut. Ich will nur sehen, ob ich alles habe …«

Kurz darauf verließen sie das Klassenzimmer, gingen den Flur entlang und traten schließlich aus dem Gebäude.

»Wie lange leben Sie denn schon hier?«, fragte Miles.

»Seit Juni.«

»Und wie gefällt es Ihnen?«

Sarah sah ihn von der Seite an. »Es ist ruhig, aber schön.«

»Woher kommen Sie?«

»Aus Baltimore. Dort bin ich aufgewachsen, aber …« – sie hielt kurz inne – »… ich brauchte eine Veränderung.«

Miles nickte. »Das kann ich verstehen. Manchmal wäre ich auch gern weggezogen.«

Sie warf ihm einen verständnisvollen Blick zu, und er wusste sofort, dass sie von Missy gehört hatte. Aber sie sagte nichts.

Als sie sich an einem Picknicktisch niedergelassen hatten, betrachtete Miles Sarah heimlich etwas genauer. Aus der Nähe, im Licht der schräg durch das Blätterwerk einfallenden Sonne, wirkte ihre Haut glatt, fast durchscheinend. Sarah Andrews hatte als Teenager bestimmt nie Pickel gehabt, überlegte er.

»Ja dann …«, setzte er an, »soll ich Sie Ms. Andrews nennen?«

»Nein, lieber Sarah.«

»Gut, Sarah …« Er verstummte, und Sarah beendete den Satz für ihn.

»Sie fragen sich, warum ich mit Ihnen sprechen will?«

»Das würde mich interessieren, ja.«

Sarah schaute auf die Mappe vor sich und dann wieder hoch.

»Als Erstes möchte ich Ihnen sagen, wie gern ich Jonah in der Klasse habe. Er ist ein wunderbarer Junge – er meldet sich immer als Erster, wenn ich etwas brauche, und er versteht sich großartig mit den anderen Schülern. Er ist höflich und drückt sich für sein Alter sehr gut aus.«

Miles sah sie argwöhnisch an.

»Warum habe ich nur den Verdacht, dass die schlechte Nachricht noch kommt?«

»Bin ich so leicht zu durchschauen?«

»Irgendwie schon«, gab Miles zu, und Sarah lachte verlegen.

»Tut mir Leid, aber ich wollte Ihnen zu verstehen geben, dass es nicht ganz so schlimm ist. Hat Jonah denn erwähnt, worum es geht?«

»Erst heute beim Frühstück. Als ich ihn gefragt habe, warum Sie mich sehen wollen, hat er von Schwierigkeiten bei manchen Aufgaben geredet.«

»Aha.« Sarah schwieg, als müsse sie sich sammeln.

»Sie machen mich ein bisschen nervös«, gab Miles schließlich zu. »Hat er etwa ernsthafte Probleme?«

»Nun ja …« Sie zögerte. »Ich sage das sehr ungern, aber ich glaube schon. Jonah hat nicht Schwierigkeiten bei *manchen* Aufgaben. Jonah hat Schwierigkeiten bei *allen* Aufgaben.«

Miles runzelte die Stirn. »Bei allen?«

»Jonah ist der Schlechteste beim Lesen und Schreiben, im Diktat und in Mathematik – überall«, fuhr sie unbeirrt fort. »Um ehrlich zu sein, ich glaube nicht, dass seine Versetzung in die zweite Klasse richtig war.«

Miles starrte sie sprachlos an. Sarah sagte: »Ich weiß, das ist ein harter Brocken. Glauben Sie mir, ich würde es auch nicht gern hören, wenn er mein Sohn wäre. Deshalb wollte ich mir auch ganz sicher sein. Hier ...«

Sarah schlug die Mappe auf und reichte Miles einen Stapel Blätter. Jonahs schriftliche Leistungen. Miles warf einen kurzen Blick darauf – zwei Mathematiktests ohne eine einzige korrekte Antwort, einige Seiten, auf denen die Kinder Aufsätze schreiben sollten (Jonah hatte gerade mal ein paar unleserliche Worte hingekritzelt), und drei kurze Lesetests, an denen er laut Sarahs Notizen völlig gescheitert war. Nach einer Weile schob Sarah die ganze Mappe über den Tisch.

»Sie können das behalten. Ich brauche es nicht mehr.«

»Ich weiß nicht, ob ich es haben will«, sagte Miles, noch immer fassungslos. Sarah beugte sich leicht vor.

»Hat eine seiner früheren Lehrerinnen jemals verlauten lassen, dass er Probleme hatte?«

»Nein, nie.«

»Wirklich nicht?«

Miles wandte den Blick ab. Jonah war noch auf dem Spielplatz. Er saß auf der Rutsche, Mark direkt hinter ihm. Miles legte die Handflächen zusammen.

»Jonahs Mutter starb, kurz bevor er in die Vorschule kam. Ich wusste, dass Jonah manchmal den Kopf auf sein Pult legte und weinte, und wir haben uns alle Sorgen gemacht. Aber über die Hausaufgaben hat seine Lehrerin nie gesprochen. In den Zeugnissen stand, es sei alles in Ordnung. Auch im letzten Jahr.«

»Haben Sie seine Hausaufgaben nachgeschaut?«

»Er hatte nie welche auf. Außer manchmal Bastelarbeiten.«

Jetzt kam ihm das natürlich auch absurd vor. Warum war es ihm nicht früher aufgefallen? *Ein bisschen zu sehr mit dir selbst beschäftigt, was*?, flüsterte ihm eine innere Stimme zu.

Miles seufzte, verärgert über sich selbst, verärgert über die Schule. Sarah schien seine Gedanken lesen zu können.

»Ich weiß, Sie fragen sich, wie das passieren konnte, und Sie haben völlig Recht, wenn Sie sich ärgern. Jonahs Lehrerinnen hätten ihm etwas beibringen müssen, aber sie haben ihre Verantwortung nicht ernst genommen. Ich bin sicher, das geschah nicht aus bösem Willen – wahrscheinlich wollte niemand ihn zu sehr belasten.«

Miles dachte eine Weile lang darüber nach. »Das ist wirklich unglaublich«, murmelte er dann.

»Schauen Sie«, sagte Sarah, »ich habe Sie nicht herkommen lassen, um Ihnen das Problem allein aufzuhalsen. Dann würde ich *meiner* Verantwortung nicht nachkommen. Ich wollte mit Ihnen darüber reden, wie wir Jonah am besten helfen können. Ich will ihn die Klasse nicht wiederholen lassen, und mit etwas zusätzlichem Einsatz ist das, glaube ich, auch nicht nötig. Er kann immer noch alles aufholen.«

Es dauerte ein paar Sekunden, bis ihre Worte zu Miles durchdrangen, und als er aufblickte, nickte Sarah ihm zu.

»Jonah ist sehr intelligent. Er merkt sich, was er gelernt hat. Er braucht nur mehr Zuwendung, als ich ihm im Unterricht geben kann.«

»Und was bedeutet das?«

»Er braucht Hilfe *nach* der Schule.«

»Nachhilfe, meinen Sie?«

Sarah strich ihren langen Rock glatt. »Nachhilfe wäre eine Möglichkeit, aber das kann teuer werden, besonders wenn man berücksichtigt, dass Jonah bei den elementarsten Dingen Hilfe braucht. Wir reden hier nicht über Algebra – im Moment üben wir das Addieren im Bereich von eins bis zehn. Und beim Lesen braucht er einfach etwas Übung. Dasselbe gilt für das Schreiben – Üben ist das Wichtigste. Wenn Sie nicht gerade im Geld schwimmen, übernehmen Sie es am besten selbst.«

»Ich?«

»So schwer ist das nicht. Sie lesen mit ihm, Sie lassen ihn vorlesen, Sie helfen ihm bei den Hausaufgaben, mehr nicht. Ich nehme doch an, dass Sie meinen Hausaufgaben gewachsen sind!«

»Sie kennen meine Schulzeugnisse nicht.«

Sarah lächelte.

»Ein fester Wochenplan würde die Sache sehr erleichtern. Kinder behalten alles am besten, wenn sie ganz regelmäßig lernen. Ein Plan bietet außerdem die Gewähr, dass Sie selbst konsequent dabei bleiben, und das braucht Jonah vor allem.«

Miles wippte mit den Füßen.

»Ganz so leicht ist das nicht. Meine Arbeitszeiten wechseln – manchmal bin ich um vier zu Hause, an anderen Tagen erst, wenn Jonah schon im Bett ist.«

»Und wo ist er nach der Schule?«

»Bei Mrs. Knowlson, unserer Nachbarin. Sie ist ein Juwel, aber ich weiß nicht, ob sie ihm jeden Tag bei den Hausaufgaben helfen kann. Sie ist schon über achtzig.«

»Und sonst jemand? Großeltern oder so?«

Miles schüttelte den Kopf. »Missys Eltern sind nach ihrem Tod nach Florida gezogen. Meine Mutter starb in meinem letzten Highschooljahr, und kaum war ich auf dem College, da zog mein Vater weg. Meistens weiß ich gar nicht, wo er gerade steckt. Jonah und ich sind seit zwei Jahren ziemlich auf uns allein gestellt. Verstehen Sie mich nicht falsch – er ist ein goldiger Kerl, und manchmal bin ich froh, dass ich ihn ganz für mich allein habe. Andererseits glaube ich, es wäre leichter gewesen, wenn Missys Eltern hier geblieben wären oder mein Vater sich ein bisschen häufiger um uns kümmern würde.«

Sarah lachte wieder. Ihr Lachen gefiel ihm. Es klang irgendwie unschuldig, wie man es von Kindern kennt, die erst noch begreifen müssen, dass die Welt nicht nur aus Spiel und Spaß besteht.

»Wenigstens nehmen Sie die Sache ernst«, sagte Sarah. »Ich kann Ihnen gar nicht sagen, wie oft ich diese Unterhaltung schon mit Eltern geführt habe, die alles nicht wahrhaben oder mir die Schuld geben wollten.«

»Kommt das oft vor?«

»Häufiger, als Sie glauben. Bevor ich Ihnen den Brief schrieb, habe ich mit Brenda gesprochen, wie ich es Ihnen am besten beibringen soll.«

»Was hat sie gesagt?«

»Dass ich mir keine Sorgen machen soll – Sie würden schon richtig reagieren. Dass Sie sich in erster Linie um Jonah sorgen und dass Sie mir zuhören werden. Dann hat sie noch gesagt, ich könne ganz beruhigt sein, auch wenn Sie einen Revolver tragen.«

Miles schaute Sarah entsetzt an. »Das hat sie nicht gesagt!«

»Doch, aber Sie hat es nicht ernst gemeint.«

»Ich werde ein Hühnchen mit ihr rupfen müssen.«

»Nein, bitte nicht, sie mag Sie wirklich. Das hat sie mir übrigens auch erzählt.«

»Brenda mag jeden.«

In diesem Moment hörte Miles, wie Jonah Mark zuschrie, er solle ihn fangen. Trotz der Hitze rasten die beiden Jungen über den Spielplatz und wirbelten um mehrere Pfosten, bevor sie in eine andere Richtung davonsausten.

»Unglaublich, wie viel Energie die Kinder haben«, staunte Sarah. »Heute Mittag haben sie das auch schon gemacht.«

»Wem sagen Sie das! Ich weiß nicht, wann ich mich zum letzten Mal so fit gefühlt habe.«

»So alt sind Sie doch noch gar nicht! Sie sind – vierzig, fünfundvierzig?«

Miles riss erschrocken die Augen auf, und Sarah zwinkerte ihm zu.

»War nicht ernst gemeint.«

Miles wischte sich in gespielter Erleichterung die Stirn und war selbst überrascht, wie sehr er dieses Gespräch genoss. Es kam ihm fast so vor, als flirte sie mit ihm, und das gefiel ihm so gut, dass er fast ein schlechtes Gewissen bekam.

»Besten Dank.«

»Gern geschehen.« Sarah versuchte vergeblich, ihr Lächeln zu verbergen. »Also«, sagte sie, »wo waren wir stehen geblieben?«

»Sie haben mir gerade gesagt, dass ich ganz schön alt aussehe.«

»Vorher, meine ich ... ja richtig, wir hatten über Ihre Arbeitszeiten gesprochen, und Sie haben mir gesagt, dass Sie unmöglich einen festen Plan einhalten können.«

»›Unmöglich‹ habe ich nicht gesagt. Es wird nur nicht leicht werden.«

»Wann haben Sie nachmittags frei?«

»In der Regel mittwochs und freitags.«

Während Miles noch nachdachte, kam Sarah zu einem Entschluss.

»Also, normalerweise tue ich das nicht, aber ich biete Ihnen einen Handel an«, sagte sie langsam. »Natürlich nur, wenn Sie einverstanden sind.«

Miles hob erwartungsvoll die Augenbrauen.

»Was für einen Handel?«

»Ich arbeite mit Jonah an drei Tagen in der Woche, wenn Sie mir versprechen, dass Sie die Tage übernehmen, an denen Sie frei haben.«

Miles konnte seine Überraschung nicht verbergen. »Das würden Sie tun?«

»Nicht für jeden Schüler. Aber wie gesagt, Jonah ist lieb, und er hat schwere Zeiten hinter sich. Ich würde ihm gern helfen.«

»Wirklich?«

»Machen Sie nicht so ein erstauntes Gesicht. Die meisten Lehrer sind sehr engagiert. Außerdem bleibe ich normalerweise sowieso bis vier Uhr hier, es ist also keine große zusätzliche Mühe.«

Als Miles nicht gleich antwortete, schwieg auch Sarah.

»Ich mache dieses Angebot nur einmal, also sagen Sie ja oder nein.«

Miles wirkte fast verlegen. »Danke«, sagte er mit Nachdruck. »Ich kann Ihnen gar nicht sagen, wie dankbar ich Ihnen bin.«

»Ich tue es gern. Allerdings brauche ich noch etwas, damit ich vernünftig arbeiten kann. Nehmen Sie es als mein Honorar.«

»Was denn?«

»Einen Ventilator – und zwar einen guten.« Sie wies mit dem Kinn auf das Schulgebäude. »Das da ist der reinste Backofen.«

»Abgemacht.«

Zwanzig Minuten später, nachdem sie und Miles sich verabschiedet hatten, stand Sarah wieder im Klassenzimmer. Während sie ihre Unterlagen einsammelte, dachte sie an Jonah und daran, wie sie ihm am besten helfen konnte. Gut, dass sie dieses Angebot gemacht hatte. So konnte sie ihn im

Unterricht besser einschätzen und Miles für seine Nachhilfe gute Tipps geben. Sicher, es war zusätzliche Arbeit, aber für Jonah bestimmt das Beste, selbst wenn sie es nicht von vornherein so geplant hatte. Sie war vielmehr selbst von ihrem Angebot überrascht gewesen.

Fast gegen ihren Willen dachte sie auch an Miles. Er war anders, als sie erwartet hatte. Als Brenda ihr erzählte, er sei Sheriff, hatte Sarah sofort die Karikatur eines Südstaatenpolizisten vor Augen gehabt: übergewichtig, tief hängende Hosen, eine Sonnenbrille mit verspiegelten Gläsern, den Mund voller Kautabak. Sie hatte sich vorgestellt, wie er großspurig ins Klassenzimmer stolziert käme, die Daumen in den Gürtel gehakt, und ihr im breitesten Dialekt die Worte hinwerfen würde: *»Na, kleine Lady, was haben Sie denn auf dem Herzen?«* Nichts davon traf auf Miles zu.

Er sah gut aus. Nicht wie Michael – dunkel und auffallend attraktiv, alles immer perfekt gestylt –, sondern auf eine natürliche, bodenständige Art sympathisch. Sein Gesicht war wettergegerbt, als hätte er schon früh viele Stunden im Freien verbracht. Aber wie vierzig sah er wirklich noch nicht aus, und das hatte sie gewundert.

Andererseits war Jonah erst acht, und sie wusste, dass Missy Ryan jung gestorben war. Sarah konnte sich nicht vorstellen, dass das jemandem ihres Alters passierte. Es war nicht richtig, es passte nicht zu der natürlichen Ordnung der Dinge.

Immer noch in Gedanken versunken, warf Sarah einen letzten Blick in das Klassenzimmer. Dann nahm sie ihre Handtasche aus der untersten Schublade, schlang den Riemen über die Schulter und klemmte sich alles Übrige unter den Arm. Auf dem Weg nach draußen schaltete sie das Licht aus.

Kurz darauf musste sie mit jäher Enttäuschung feststellen, dass Miles schon losgefahren war. Sie schalt sich für ihre Unvernunft und redete sich ins Gewissen. Ein Witwer wie Miles würde wohl kaum einen zweiten Gedanken an die Lehrerin seines kleinen Sohnes verschwenden.

Sarah Andrews hatte keine Ahnung, wie falsch sie damit lag.

Kapitel 4

Im trüben Licht meiner Schreibtischlampe sehen die Zeitungsausschnitte älter aus, als sie sind. Vergilbt und zerknittert, knistern sie in meiner Hand. Sie fühlen sich erstaunlich schwer an, als trügen sie die Last meines Lebens aus jener Zeit.

Es gibt einige einfache Lebensweisheiten. Zum Beispiel diese: Wenn jemand jung und durch tragische Umstände stirbt, ist das immer eine interessante Geschichte, vor allem in einer Kleinstadt, in der jeder jeden kennt.

Als Missy Ryan starb, beherrschte dies die Schlagzeilen, und in jeder Küche von New Bern hielten die Menschen den Atem an, als sie am folgenden Morgen die Zeitung aufschlugen. Es gab einen großen Bericht mit drei Fotos. Eines war eine Aufnahme des Unglücksortes, und zwei zeigten Missy als die schöne Frau, die sie gewesen war. In den folgenden Tagen kamen immer mehr Informationen ans Licht, und zwei weitere, längere Artikel wurden gedruckt. Anfangs waren alle zuversichtlich, dass der Fall zufrieden stellend gelöst werden würde.

Etwa einen Monat nach dem Vorfall erschien erneut ein Bericht auf der Titelseite, in dem stand, die Stadtverwaltung habe eine Belohnung ausgesetzt – und das war ein Zeichen, dass die Zuversicht schwand. Wie es bei solchen Ereignissen oft der Fall ist, nahm damit auch das Interesse ab. Die Einwohner der Stadt diskutierten nicht mehr so häufig über die Geschichte, Missys Name fiel nicht mehr so oft. Nach einiger Zeit erschien dann noch ein Artikel, diesmal auf der dritten Seite, der die ersten Berichte zusammenfasste und erneut alle Bürger aufforderte, sich zu melden, falls sie etwas wüssten. Seither schwiegen die Zeitungen.

Die Berichte waren immer demselben Muster gefolgt. Sie skizzierten, was bekannt war, und stellten die Tatsachen auf einfa-

che, direkte Weise dar: An einem warmen Sommerabend im Jahre 1986 ging Missy Ryan – langjährige Ehefrau eines ortsansässigen Sheriffs und Mutter eines Sohnes – in der Dämmerung joggen. Zwei Zeugen sahen sie wenige Minuten später die Madame Moore's Lane entlanglaufen. Beide waren von der Verkehrspolizei befragt worden. Dann wurde der weitere Verlauf des Abends beschrieben. Was jedoch in keinem Artikel erwähnt wurde, war, wie Miles die letzten Stunden verbracht hatte, bevor er erfuhr, was geschehen war.

An jene Stunden wird sich Miles, da bin ich mir sicher, sein Leben lang erinnern, denn es waren die letzten Stunden der Normalität. Miles säuberte die Einfahrt und den Zugang zum Haus, wie Missy ihn gebeten hatte, dann ging er hinein. Er räumte die Küche auf, beschäftigte sich mit Jonah und brachte ihn ins Bett. Wahrscheinlich sah er alle paar Minuten auf die Uhr, weil Missy nicht zurückkam. Zuerst vermutete er, sie besuche jemanden, den sie beim Joggen getroffen hatte, was sie manchmal tat, und machte sich Vorwürfe, dass er gleich das Schlimmste annahm.

Dann wurden die Minuten zu einer Stunde, zu zwei Stunden, und Missy war immer noch nicht zurück. Inzwischen war Miles so beunruhigt, dass er Charlie anrief. Er bat ihn, die übliche Route abzufahren, die Missy beim Joggen nahm, denn Jonah schlief schon, und Miles wollte ihn nicht gern allein lassen.

Eine Stunde später – Miles hatte sämtliche Leute angerufen, die sie kannten – stand Charlie vor der Tür. Er hatte Brenda mitgebracht, damit sie bei Jonah blieb. Sie stand mit geröteten Augen hinter ihm.

»Du musst mitkommen«, sagte Charlie leise. »Es hat einen Unfall gegeben.« Aus Charlies Gesichtsausdruck konnte Miles eindeutig ablesen, was er eigentlich sagen wollte. Die Nacht verschwamm zu einem unheilvollen Nebel.

Was damals weder Miles noch Charlie wussten und was die Ermittlungen erst später ergaben, war, dass es für den Unfall mit Fahrerflucht, der Missy das Leben gekostet hatte, keine Zeugen gab. Niemand legte ein Geständnis ab. Im folgenden Monat befragte die Verkehrspolizei alle Anwohner, man suchte nach Spuren, die weiterführten, man durchforstete das Gebüsch um den Unfallort, kontrollierte Bars und Restaurants, fragte, ob alkoho-

lisierte Gäste um die fragliche Zeit mit dem Auto weggefahren waren. Am Ende war die Akte dick und schwer und umfasste alles, was man in Erfahrung gebracht hatte – und das war kein Deut mehr als das, was Miles wusste, sobald er die Tür öffnete und Charlie auf der Veranda stehen sah.

Miles Ryan war noch keine dreißig Jahre alt und bereits Witwer.

Kapitel 5

Als Miles auf dem Weg zum Mittagessen mit Charlie die Madame Moore's Lane entlanggefahren war, hatten ihn wieder einmal bruchstückhafte Erinnerungen an den Tag überfallen, an dem Missy starb. Jetzt allerdings kreisten seine Gedanken nicht mehr ständig um die letzten Stunden zwischen seinem Angelausflug, dem Streit mit Missy und all dem, was danach geschah, sondern um Jonah und Sarah Andrews.

Er war so abgelenkt, dass er nicht merkte, wie lange er schon schwieg, doch es war lange genug, um Jonah nervös zu machen. Während er darauf wartete, dass sein Vater endlich zu reden begann, stellte er sich alle möglichen Strafmaßnahmen vor, eine schlimmer als die andere. Er zog den Reißverschluss an seinem Rucksack auf und zu, auf und zu, bis Miles ihm die Hand auf den Arm legte. Doch er schwieg immer noch, und so nahm Jonah all seinen Mut zusammen und schaute seinen Vater aus großen, tränenfeuchten Augen an.

»Kriege ich Ärger, Dad?«

»Nein.«

»Du hast lange mit Ms. Andrews geredet.«

»Es gab eine Menge zu besprechen.«

Jonah schluckte. »Habt ihr über die Schule geredet?«

Miles nickte, und Jonah schaute wieder auf seinen Rucksack hinunter. Ihm war schlecht, und er wünschte, er könnte seine Hände beschäftigen. »Ich kriege einen Riesenärger«, murmelte er leise.

Später, auf einer Bank vor der Eisdiele, nagte Jonah an seinem Hörnchen. Miles hatte den Arm um ihn gelegt. Sie sprachen seit zehn Minuten miteinander, und was Jonah betraf, so fand er die Unterhaltung nicht halb so schlimm wie erwartet. Sein Vater hatte ihn nicht angeschrien, ihm nicht gedroht, und vor allem bekam er keinen Hausarrest. Stattdessen hatte Miles Jonah nur nach seinen früheren Lehrerinnen gefragt und welche Aufgaben sie ihm gegeben hatten – oder auch nicht. Daraufhin hatte Jonah ehrlich geantwortet, dass es ihm peinlich gewesen sei, um Hilfe zu bitten, als er gemerkt habe, dass er nicht mehr mitkam. Sie hatten über die Fächer geredet, die Jonah Probleme bereiteten – wie Sarah angedeutet hatte, waren das praktisch alle –, und Jonah versprach, sich von jetzt an große Mühe zu geben. Miles sagte, er werde Jonah dabei helfen, und wenn alles gut ginge, hätte er ganz schnell aufgeholt. Alles in allem war Jonah sehr erleichtert.

Doch sein Vater war noch nicht fertig.

»Weil du so große Lücken hast, wirst du ein paar Tage in der Woche nach dem Unterricht in der Schule bleiben, damit Ms. Andrews dir helfen kann«, sagte er ruhig.

Jonah brauchte ein Weilchen, bis er das verdaut hatte.

»Nach dem Unterricht?«

Miles nickte. »Sie hat gesagt, dann kommst du schneller voran.«

»Ich dachte, *du* willst mir helfen.«

»Will ich auch, aber ich kann nicht jeden Tag. Ich muss arbeiten, und deshalb hat Ms. Andrews angeboten, dass sie dir auch hilft.«

»Aber *nach* dem Unterricht?«, fragte Jonah mit einem flehenden Unterton.

»Drei Tage in der Woche.«

»Aber ... Dad ...« Er warf den Rest der Waffel in den Mülleimer. »Ich will nach dem Unterricht nicht noch in der Schule bleiben!«

»Ich habe nicht gefragt, ob du willst. Schließlich hättest du mir früher erzählen können, dass du nicht mitkommst. Dann wäre es gar nicht erst so weit gekommen.«

Jonah runzelte die Brauen. »Aber, Dad ...«

»Hör zu – ich weiß, es gibt tausend Dinge, die du lieber

tun würdest, aber jetzt musst du eben in den sauren Apfel beißen. Du hast keine Wahl. Und denk daran, es könnte noch schlimmer sein.«

»Wiesoooo?«, fragte Jonah, wobei er die zweite Silbe fast sang. Das machte er immer, wenn er nicht glauben wollte, was Miles ihm sagte.

»Sie hätte zum Beispiel auch vorschlagen können, am Wochenende mit dir zu arbeiten. Dann hättest du nicht mehr Fußball spielen können.«

Jonah stützte das Kinn auf die Hände.

»Na gut«, seufzte er schließlich verdrossen. »Geht in Ordnung.«

Miles lächelte und dachte: *Dir bleibt auch gar nichts anderes übrig.*

»Das finde ich prima, Chef.«

Später am Abend beugte sich Miles über Jonahs Bett und zog die Decke zurecht. Jonah fielen schon die Augen zu. Miles strich seinem Sohn über die Haare, bevor er ihn auf die Wange küsste.

»Es ist schon spät. Schlaf gut.«

Er sah so klein aus in seinem Bett, so zufrieden ... Miles vergewisserte sich, dass Jonahs Nachtlicht an war, dann streckte er die Hand nach der Lampe am Bett aus. Jonah öffnete mühsam noch einmal die Augen.

»Dad?«

»Ja?«

»Danke, dass du heute nicht sauer auf mich warst.«

Miles lächelte. »Schon in Ordnung.«

»Und ... Dad?«

»Ja?«

Jonah putzte sich die Nase. Neben seinem Kopfkissen lag ein Teddybär, den Missy ihm zum seinem dritten Geburtstag geschenkt hatte. Er nahm ihn immer noch jede Nacht mit ins Bett.

»Ich bin froh, dass Ms. Andrews mir helfen will.«

»Wirklich?« Miles war überrascht.

»Sie ist nett.«

Miles knipste das Licht aus. »Das fand ich auch. Jetzt schlaf aber, ja?«

»Okay. Dad?«

»Ja?«

»Ich hab dich lieb.«

Miles spürte einen Kloß im Hals. »Ich hab dich auch lieb, Jonah.«

Stunden später, kurz vor vier Uhr nachts, hatte Jonah wieder einmal Albträume.

Sein Schreien, das klang, als stürze ein Mensch von einer Klippe, riss Miles in Sekundenschnelle aus dem Schlaf. Halb blind stolperte er aus dem Schlafzimmer, fiel fast über ein Spielzeug und war immer noch wie benebelt, als er den schlaftrunkenen Jungen auf den Arm nahm. Unterwegs zur hinteren Veranda flüsterte er leise auf ihn ein. Das war das Einzige, womit er sich beruhigen ließ. Innerhalb von Minuten schwächte sich das Schluchzen zu einem Wimmern ab, und Miles war wieder einmal froh darüber, dass das Haus frei stand und Mrs. Knowlson, die am nächsten wohnte, schwerhörig war.

In der feuchten, dunstigen Luft schaukelte Miles mit Jonah auf dem Schoß vor und zurück und flüsterte ihm unentwegt leise Worte ins Ohr. Das Mondlicht goss einen hellen Pfad über das träge fließende Wasser. Die tief hängenden Eichen und die weiß glänzenden Zypressenstämme an den Flussufern verliehen dem Ausblick eine zeitlose Schönheit. Dieser Teil der Welt schien sich seit Jahrtausenden nicht verändert zu haben.

Als Jonah wieder tief und regelmäßig atmete, war es fast fünf Uhr morgens, und Miles wusste, dass er nicht mehr einschlafen würde. Deshalb brachte er Jonah zurück ins Bett, ging in die Küche und setzte eine Kanne Kaffee auf. Am Tisch sitzend, rieb er sich die Augen und das Gesicht, damit das Blut besser zirkulierte, und warf einen Blick aus dem Fenster. Der Himmel leuchtete am Horizont schon silbrig, und die Morgendämmerung sickerte allmählich durch das Laub der Bäume.

Wieder wanderten Miles' Gedanken zu Sarah Andrews.

Er fühlte sich von ihr angezogen, so viel war sicher. Er hatte seit Jahren nicht mehr so stark auf eine Frau reagiert. Auch in Missy hatte er sich natürlich verliebt, aber das war fünfzehn Jahre her. Eine Ewigkeit. Und er hatte Missy auch immer begehrt, nur hatte sich das Gefühl mit der Zeit geändert. Die anfängliche Vernarrtheit – das ungestüme, jugendliche Verlangen, alles über sie zu erfahren – war durch etwas Tieferes und Reiferes ersetzt worden. Bei Missy gab es keine Überraschungen mehr. Er wusste, wie sie aussah, wenn sie morgens aufstand, er hatte die Furchen der Erschöpfung gesehen, die Jonahs Geburt auf ihrem Gesicht hinterlassen hatte. Er kannte sie genau – ihre Gefühle, ihre Ängste, was sie mochte und was nicht. Aber diese Anziehungskraft, die Sarah auf ihn ausübte, war … *neuartig*, und durch sie fühlte auch Miles sich neu, als habe das Leben einen neuen Anfang genommen. Jetzt erst merkte er, wie sehr ihm das gefehlt hatte.

Aber was sollte daraus werden? Darüber war er sich noch nicht im Klaren. Er konnte nicht voraussagen, was geschehen würde. Er wusste nichts über Sarah – vielleicht passten sie gar nicht zusammen. Es gab tausend Dinge, die eine Beziehung zum Scheitern verurteilen konnten, dessen war er sich bewusst.

Dennoch hatte sie ihm auf Anhieb gefallen …

Miles schüttelte den Kopf, um den Gedanken zu vertreiben. Sinnlos, darüber nachzugrübeln. Und doch hatte ihn die Begegnung daran erinnert, dass er neu anfangen wollte. Er wollte wieder jemanden finden – und nicht den Rest seines Lebens allein verbringen. Manche Menschen konnten das. Es gab Menschen in der Stadt, die ihre Partner verloren und nie wieder geheiratet hatten, aber dafür war er nicht geschaffen. Während seiner Ehe hatte er nie den Eindruck gehabt, er verpasse etwas. Er hatte seine alleinstehenden Freunde nicht beneidet und sich auch nicht gewünscht, für eine Weile mit ihnen zu tauschen – Verabredungen, Affären, sich verlieben und wieder entlieben … Das passte nicht zu ihm. Er war gern Ehemann, er war gern Vater, er liebte die Sicherheit und wollte wieder in dieser Sicherheit leben.

Oder vielleicht doch eher nicht …

Miles seufzte und blickte wieder aus dem Fenster. Am unteren Himmelsrand war es noch heller geworden. Miles stand auf, ging durch den Flur zum Kinderzimmer – Jonah schlief noch – und drückte die Tür zum Schlafzimmer auf. Im Dunkeln erkannte er die Bilder, die er gerahmt hatte. Sie standen auf der Kommode und auf der Bettumrahmung. Er sah zwar keine Einzelheiten, aber er wusste trotzdem genau, was sie zeigten: Missy auf der Veranda mit einem Strauß Wiesenblumen; Missy und Jonah, breit grinsend, die Köpfe nah an der Kamera; Missy und Miles auf dem Weg zum Altar …

Miles setzte sich auf das Bett. Neben den Fotos lag der braune Aktenordner, den er in seiner Freizeit angelegt hatte. Weil Sheriffs bei Verkehrsunfällen keine rechtlichen Befugnisse haben – und man hätte ihm ohnehin nicht erlaubt zu ermitteln – hatte er sich an die Fersen der Verkehrspolizisten geheftet, dieselben Leute befragt, dieselben Fragen gestellt und dieselben Anhaltspunkte studiert. Da alle wussten, was er durchgemacht hatte, verweigerten sie ihm ihre Hilfe nicht, doch am Ende wusste er nicht mehr als die offiziellen Ermittler. Und der Ordner blieb als ständige Mahnung auf dem Bücherbord liegen, als fordere er Miles auf, endlich den Fahrer des Wagens aufzuspüren.

Aber das schien nicht mehr möglich, so gern Miles auch die Person bestraft hätte, die sein Leben zerstört hatte. Der Betreffende sollte teuer für seine Tat bezahlen, das wünschte er sich, und das war seine Pflicht als Ehemann und Gesetzeshüter. Aug um Auge … stand das nicht in der Bibel?

Wie fast jeden Morgen starrte Miles den Aktenordner an und stellte sich die Person vor, die Missy auf dem Gewissen hatte. Immer wieder liefen dieselben Szenen vor seinem inneren Auge ab, und immer wieder stellte er sich eine bestimmte Frage.

Wenn es ein Unfall gewesen war, wenn der Fahrer keine Schuld hatte, warum hatte er dann Fahrerflucht begangen?

Der einzige Grund, der Miles einfiel, war, dass der Fahrer getrunken hatte, vielleicht von einer Party nach Hause fuhr oder sich am Wochenende regelmäßig betrank. Ein Mann wahrscheinlich, um die dreißig oder vierzig. Davon war Miles überzeugt, auch wenn es keine Beweise gab. Vor seinem geistigen Auge sah Miles ihn mit überhöhter Geschwindigkeit von einer Straßenseite zur anderen schlingern und in letzter Sekunde das Lenkrad herumreißen, weil sein Verstand nur noch in Zeitlupe arbeitete. Vielleicht griff er nach dem Bier, die fast leere Flasche zwischen die Beine geklemmt, und entdeckte Missy erst in letzter Sekunde. Oder er hatte sie überhaupt nicht gesehen. Vielleicht hatte er nur den Aufprall gehört und mitbekommen, wie der Wagen ruckte. Nicht einmal da war er in Panik geraten.

Der Straßenbelag wies keine Schleuderspuren auf, obwohl der Fahrer angehalten hatte, um zu sehen, was passiert war. Das ergab die Spurensicherung – Details, die in der Zeitung nie erwähnt wurden.

Niemand sonst hatte etwas gesehen. Keine anderen Autos fuhren auf der Straße, keine Hausbeleuchtung schaltete sich an, niemand führte gerade seinen Hund aus oder stellte den Rasensprenkler ab. Selbst in seinem benebelten Zustand hatte der Fahrer begriffen, dass Missy tot war und dass er zumindest mit einer Anklage wegen fahrlässiger Tötung, wenn nicht gar wegen Totschlags zu rechnen hatte. Strafanzeige. Gefängnis. Leben hinter Gittern. Solche und noch beängstigendere Gedanken mussten ihm durch den Kopf geschossen sein und ihn zur Flucht gedrängt haben, bevor ihn jemand entdeckte. Und er floh, ohne daran zu denken, wie viel Schmerz er zurücklassen würde.

Entweder das – oder jemand hatte Missy mit Absicht umgebracht.

Irgendein Verrückter, dem das Töten Lust bereitete, solche Leute gab es.

Oder war Miles Ryan das eigentliche Ziel gewesen?

Er war Sheriff, er hatte sich Feinde gemacht. Er hatte Leute verhaftet und gegen sie ausgesagt. Er hatte Dutzende von Menschen ins Gefängnis gebracht.

Einer von denen?

Die Liste war endlos, er hätte geradezu einen Verfolgungswahn entwickeln können.

Miles seufzte, schlug den Ordner auf und ergab sich dem Sog, den er auf ihn ausübte.

Ein kleines Detail des Unfalls passte nicht in das Bild, und mit den Jahren hatte Miles zahllose Fragezeichen an den Rand gemalt. Gleich an der Unfallstelle hatte er davon erfahren.

Der Fahrer des Wagens, wer immer es gewesen war, hatte Missys Leichnam mit einer Decke zugedeckt.

Auch das hatte nie in der Zeitung gestanden.

Eine Weile hatte man gehofft, die Decke würde Hinweise auf die Identität des Fahrers offenbaren. Vergebens. Es war eine Decke, die zur Erste-Hilfe-Ausrüstung gehörte und bei jedem Autohändler und in jedem großen Supermarkt zu finden war. Es war unmöglich, festzustellen, woher sie kam.

Aber ... *warum?*

Diese Frage nagte unaufhörlich an Miles.

Warum den Leichnam zudecken und dann Fahrerflucht begehen? Das war unbegreiflich. Als er es Charlie gegenüber erwähnte, erwiderte dieser etwas, das Miles bis heute nicht aus dem Kopf ging: *Es scheint, als wollte der Fahrer sich entschuldigen.*

Oder uns auf eine falsche Fährte locken?

Miles war ratlos.

Aber er würde den Fahrer finden, so unwahrscheinlich das auch schien, weil er nicht aufgeben wollte. Dann, und erst dann, konnte er an seine Zukunft denken.

Kapitel 6

Freitagabend, drei Tage nach dem Gespräch mit Miles Ryan, saß Sarah Andrews allein im Wohnzimmer vor ihrem zweiten Glas Wein und fühlte sich grauenhaft. Der Wein würde ihr auch nicht helfen, das wusste sie, und trotzdem wollte sie sich ein drittes Glas einschenken, sobald dieses leer war. Sie hatte nie viel getrunken, aber es gab Tage, da war es nötig.

Und heute wäre sie am liebsten allem davongelaufen.

Dabei hatte der Tag gar nicht schlecht angefangen. Morgens und beim Frühstück war noch alles in Ordnung, aber danach war es rapide abwärts gegangen.

Irgendwann in der Nacht hatte der Heißwasserboiler in ihrer Wohnung den Geist aufgegeben, und so musste sie vor der Schule kalt duschen. Drei, vier Schüler in ihrer Klasse waren erkältet und niesten und husteten sie an, wenn sie nicht gerade Blödsinn machten. Die übrigen ließen sich von der Unruhe anstecken, und Sarah schaffte nur das halbe Pensum. Nach dem Unterricht blieb sie noch in der Schule und bereitete Stunden vor, und als sie schließlich nach Hause fahren wollte, war einer der Reifen platt. Die Pannenhilfe, die sie anrief, ließ eine Stunde auf sich warten. Auf dem Weg nach Hause stellte Sarah fest, dass die Straßen wegen des Chrysanthemen-Festivals abgesperrt waren und sie drei Blocks entfernt parken musste. Und zu guter Letzt hatte zehn Minuten nach ihrer Rückkehr eine Bekannte aus Baltimore angerufen und verkündet, dass Michael im Dezember wieder heiraten wollte.

In dem Moment hatte Sarah den Wein entkorkt.

Jetzt spürte sie allmählich den Alkohol und wünschte, der

Reifenwechsel hätte etwas länger gedauert, denn dann hätte sie den Anruf verpasst. Die Anruferin war keine enge Freundin – sie hatten sich über Michaels Familie kennen gelernt –, und Sarah wusste nicht, warum die Frau es für nötig befunden hatte, sie zu informieren. Und obwohl die Bekannte die Neuigkeit mit der angemessenen Mischung aus Mitgefühl und Ungläubigkeit weitergegeben hatte, konnte sich Sarah nicht des Verdachts erwehren, dass sie umgehend Michael hinterbringen würde, wie Sarah reagiert hatte. Gott sei Dank hatte sie Haltung bewahrt.

Aber das war vor den zwei Gläsern Wein gewesen, und jetzt war es nicht mehr so einfach. Sie wollte nichts über Michael wissen. Sie waren geschieden, durch Gesetz und eigene Wahl getrennt, und anders als andere geschiedene Paare hatten sie seit ihrem letzten Treffen beim Rechtsanwalt vor einem Jahr nicht mehr miteinander gesprochen. Damals hatte sie sich glücklich geschätzt, ihn los zu sein, und die Papiere kommentarlos unterzeichnet. Der Schmerz und die Wut waren einer Art Apathie gewichen, ausgelöst durch die bestürzende Erkenntnis, dass sie ihren Mann nie wirklich gekannt hatte. In der Zeit danach rief er nicht an und schrieb nicht, und für sie galt dasselbe. Sie verlor den Kontakt zu seiner Familie und den früheren Freunden, er zeigte kein Interesse an ihrem neuen Leben. Auf gewisse Weise kam es ihr bald vor, als seien sie nie verheiratet gewesen. Das jedenfalls hatte sie sich eingeredet.

Und jetzt würde er wieder heiraten.

Das konnte ihr doch gleichgültig sein! So oder so machte es für sie keinen Unterschied.

Aber es war ihr ganz und gar nicht gleichgültig, und das ärgerte sie. Sie hatte immer gewusst, dass Michael wieder heiraten würde. Er hatte es ihr gleich gesagt.

Damals hatte sie zum ersten Mal Hass auf einen Menschen empfunden.

Aber echter Hass, ein Hass, der einem den Magen zusammenkrampft, ist ohne eine gefühlsmäßige Bindung nicht denkbar. Sie hätte Michael nicht halb so sehr gehasst, wenn sie ihn nicht anfangs so sehr geliebt hätte. Vielleicht war sie naiv gewesen, aber sie hatte angenommen, sie beide würden für immer ein Paar bleiben. Sie hatten sich schließlich Treue und ewige Liebe versprochen, und Sarah stammte aus einer Familie, die dieses Versprechen seit Generationen ernst nahm. Ihre Eltern waren seit fast fünfunddreißig Jahren verheiratet, beide Großeltern seit nahezu sechzig Jahren. Auch als es in ihrer Ehe bereits kriselte, hatte Sarah noch geglaubt, sie und Michael würden ihrem Vorbild folgen. Leicht würde es nicht werden, das wusste sie, doch als er schließlich die Wünsche und Ansichten seiner Familie über sein Ehegelöbnis stellte, war Sarah sich unbedeutender vorgekommen als je zuvor in ihrem Leben.

Aber jetzt würde sie nicht die Fassung verlieren, sie war schließlich darüber hinweg …

Sarah trank den Wein aus und erhob sich von der Couch. Sie wollte es einfach nicht glauben, sie weigerte sich, es zu glauben! Sie war mit ihm fertig. Wenn er jetzt zu ihr zurückgekrochen käme und sie um Verzeihung bäte, würde sie ihn nicht mehr wollen. Nichts, was er sagen oder tun konnte, würde je wieder Liebe in ihr erwecken. Sollte er doch heiraten, wenn er wollte, zum Teufel, das war ihr nun wirklich egal!

In der Küche schenkte sie sich das dritte Glas Wein ein.

Michael wollte wieder heiraten.

Gegen ihren Willen stiegen ihr Tränen in die Augen. Sie wollte nicht mehr weinen, aber die alten Träume waren zäh. Sie spürte, wie ihre Augen nass wurden, und als sie das Glas abstellen wollte, um ein Taschentuch zu holen, stellte sie es zu dicht ans Spülbecken. Es fiel hinein und zersprang in tausend Stücke. Beim Aufsammeln der Scherben schnitt sie sich in den Finger, der zu bluten begann.

Ein grässlicher Tag! Und jetzt auch noch das!

Sarah atmete heftig aus und presste den Handrücken gegen die Augen, um die Tränen zurückzuhalten.

Es half nichts.

Es war nicht der Gedanke an Michael, der sie so umwarf. Auch nicht seine Hochzeit – die war ihr gleichgültig, ganz bestimmt. Die Tränen flossen, weil sie mit einem

Mal schmerzhaft an all das erinnert wurde, was sie verloren hatte.

»Geht es dir wirklich gut?«

Inmitten der vielen Menschen, die sich um sie drängten, waren nur Wortfetzen zu verstehen.

»Zum dritten Mal, Mom, es geht mir gut. Ehrlich.«

Maureen zupfte eine Haarsträhne aus Sarahs Gesicht. »Du siehst ein bisschen blass aus, als würdest du etwas ausbrüten.«

»Ich bin müde, das ist alles. Ich war gestern lange auf und habe gearbeitet.«

Sarah schwindelte ihre Mutter nicht gern an, aber sie hatte kein Bedürfnis, ihr von der Flasche Wein am Abend zuvor zu erzählen. Ihre Mutter verstand nicht, dass Leute überhaupt Alkohol konsumierten, vor allem Frauen, und wenn Sarah auch noch zugab, dass sie allein gewesen war, würde ihre Mutter besorgt an den Lippen nagen und dann eine Reihe von Fragen abspulen, auf die Sarah im Moment keine Lust hatte.

Es war ein strahlender Samstag, und die Innenstadt war überfüllt. Maureen wollte sich an den Ständen und in den Antiquitätengeschäften in der Middle Street umschauen. Da Larry sich lieber das Footballspiel zwischen North Carolina und Michigan State ansah, hatte Sarah angeboten, sie zu begleiten. Sie hatte sich den Bummel ganz vergnüglich vorgestellt, und das wäre er auch gewesen, hätten sie nicht schreckliche Kopfschmerzen geplagt, die auch auf Aspirin nicht reagierten. Sarah inspizierte einen antiken Bilderrahmen, der sorgfältig restauriert worden war – was den Preis allerdings nicht rechtfertigte.

»Du arbeitest am Freitagabend?«

»Ich schiebe es schon seit einer Weile vor mir her, und gestern Abend hat es sich eben angeboten.«

Ihre Mutter beugte sich vor und tat so, als würde sie ebenfalls den Bilderrahmen begutachten.

»Warst du die ganze Nacht zu Hause?«

»Mhm. Warum?«

»Weil ich dich mehrmals angerufen habe, und niemand hat abgenommen.«

»Ich habe den Stecker rausgezogen.«

»Oh. Ich dachte, du wärst vielleicht mit jemandem ausgegangen.«

»Mit wem?«

Maureen zuckte die Achseln. »Ich weiß nicht ... mit irgendjemandem.«

Sarah äugte über ihre Sonnenbrille. »Mom – fang nicht schon wieder damit an.«

»Ich fange mit überhaupt nichts an«, wehrte Maureen ab. Dann fuhr sie mit leiserer Stimme fort, als spräche sie zu sich selbst: »Ich hatte einfach angenommen, du wärst ausgegangen. Das hast du früher oft getan ...«

Neben ihrer Fähigkeit, in bodenlosem Mitgefühl zu schwelgen, besaß Sarahs Mutter auch dramatisches Talent und konnte die Rolle der Schuldzerfressenen bis zur Vollendung spielen. Zeitweise tat das Sarah gut – ein wenig Mitleid schadete nie –, aber jetzt konnte sie es nicht gebrauchen. Stirnrunzelnd stellte sie den Bilderrahmen wieder hin. Die Ladenbesitzerin – eine ältere Frau, die unter einem großen Schirm saß – verfolgte die kleine Szene mit Genuss. Sarahs Blick wurde noch finsterer. Sie trat von dem Stand zurück, während ihre Mutter weitersprach.

»Was ist denn los?« Ihr Ton veranlasste Sarah, sich umzudrehen.

»Nichts ist los. Ich bin nur nicht in der Laune, mir anzuhören, wie sehr du dich um mich sorgst. Das ist jetzt langsam nicht mehr nötig.«

Maureen sperrte den Mund auf. Als sie den gekränkten Gesichtsausdruck ihrer Mutter sah, taten Sarah ihre Worte sofort Leid, aber sie konnte einfach nicht immer beherrscht sein. Heute jedenfalls gelang es ihr nicht.

»Es tut mir Leid, Mom. Ich hätte dich nicht anschnauzen sollen.«

Maureen ergriff die Hand ihrer Tochter. »Was ist los, Sarah? Sag mir die Wahrheit. Ich kenne dich zu gut. Es ist doch etwas passiert, oder?«

Sie drückte Sarahs Hand sanft, aber Sarah entzog sie ihr. Um sie herum gingen die anderen Leute ihren Geschäften nach oder waren in ihre Gespräche vertieft.

»Michael heiratet wieder«, sagte sie leise.

Maureen vergewisserte sich, dass sie richtig gehört hatte. Dann nahm sie ihre Tochter fest in den Arm. »Oh, Sarah … es tut mir so Leid«, flüsterte sie.

Mehr gab es nicht zu sagen.

Wenige Minuten später saßen die beiden auf einer Parkbank, von der aus man den Jachthafen überblickte. Sie hatten sich unbewusst von der Menge entfernt, bis der Weg endete.

Sie sprachen lange miteinander, oder besser gesagt, Sarah sprach. Maureen hörte zu, unfähig, ihre Sorge zu verbergen. Immer wieder stiegen ihr Tränen in die Augen, und sie drückte Sarahs Hand bestimmt ein dutzend Mal.

»Oh … das ist schrecklich«, sagte sie immer wieder. »Was für ein schrecklicher Tag!«

»Das fand ich auch.«

»Würde es dir helfen, wenn du die guten Seiten an der Sache betrachtest?«

»Es gibt keine guten Seiten, Mom.«

»Doch, sicher.«

Sarah hob skeptisch die Augenbrauen. »Zum Beispiel?«

»Nun, du kannst sicher sein, dass sie nach ihrer Hochzeit nicht hier leben werden. Dein Vater würde sie teeren und federn lassen.«

Trotz ihrer düsteren Stimmung musste Sarah lachen.

»Vielen Dank. Sollte ich ihn je wiedersehen, werde ich es ihm ausrichten.«

Maureen schwieg für eine Weile. »Das hast du aber nicht vor, oder? Ihn wiedersehen, meine ich.«

Sarah schüttelte den Kopf. »Nein – nicht, wenn ich es vermeiden kann.«

»Gut. Nach allem, was er dir angetan hat, wäre das auch nicht richtig.«

Sarah nickte und lehnte sich zurück.

»Hast du in letzter Zeit etwas von Brian gehört?«, fragte

sie, um das Thema zu wechseln. »Er ist nie da, wenn ich komme.«

»Ich habe vor ein paar Tagen mit ihm gesprochen, aber du weißt ja, wie das ist. Manchmal hat man eben keine Lust, mit seinen Eltern zu reden. Am Telefon ist er immer kurz angebunden.«

»Hast er schon Freunde gefunden?«

»Bestimmt.«

Sarah blickte auf das Wasser und dachte über ihren Bruder nach. Dann fragte sie: »Und wie geht es Daddy?«

»Wie immer. Er war Anfang der Woche beim Arzt, und anscheinend ist alles in Ordnung. Er ist nicht mehr so müde.«

»Macht er noch seine Übungen?«

»Nicht regelmäßig, aber er verspricht mir ständig, dass er sich ernsthaft bemühen will.«

»Richte ihm aus, das soll er unbedingt tun.«

»Mache ich. Aber er ist stur, wie du weißt. Es wäre besser, wenn du es ihm selbst sagst. Wenn ich es tue, hält er mich nur für eine Nörglerin.«

»Bist du das?«

»Natürlich nicht. Ich mache mir nur Sorgen um ihn«, erwiderte Maureen rasch. Draußen auf dem Wasser segelte eine große Jacht langsam auf den River Neuse zu. Gleich würde die Brücke zur Seite schwenken, um sie durchzulassen, und zu beiden Seiten würde sich der Verkehr stauen. Sarah hatte gelernt, dass sie immer, wenn sie zu spät zu einer Verabredung kam, als Ausrede sagen konnte, sie sei »an der Brücke aufgehalten worden«. Alle Einwohner der Stadt – von Ärzten bis zu Richtern – akzeptierten diese Erklärung ohne weiteres, weil sie sie selbst schon benutzt hatten. Sarah musste lächeln.

»Schön, dass du wieder lachen kannst«, murmelte Maureen.

Sarah sah sie von der Seite an.

»Guck nicht so. Eine ganze Weile lang konntest du es nicht.«

Sarah blickte auf ihren Schoß hinunter und ihre Mutter legte ihr die Hand leicht aufs Knie.

»Lass nicht zu, dass Michael dich noch mehr verletzt. Du bist darüber hinweg – denk daran.«

Sarah nickte fast unmerklich, und Maureen setzte den Monolog fort, den Sarah beinahe auswendig kannte.

»Auch dir wird es wieder gut gehen. Eines Tages wirst du jemanden finden, der dich so liebt, wie du bist.«

»Mom …«, unterbrach Sarah sie kopfschüttelnd. Jedes Gespräch lief derzeit auf diesen Punkt zu.

Ausnahmsweise hatte ihre Mutter ein Einsehen und hielt sich zurück. Sie griff erneut nach Sarahs Hand und hielt sie auch gegen ihren leisen Widerstand fest, bis ihre Tochter nachgab.

»Ich kann nichts dafür, dass ich mir alles Glück der Welt für dich wünsche«, sagte sie. »Kannst du das verstehen?«

Sarah zwang sich zu einem Lächeln, in der Hoffnung, ihre Mutter wäre dann zufriedener.

»Ja, Mom, das verstehe ich.«

Kapitel 7

Am Montag begann für Jonah der neue Wochenplan, der sein Leben in den nächsten Monaten prägen sollte. Als die Schulglocke das offizielle Unterrichtsende ankündigte, lief Jonah mit seinen Freunden hinaus, aber er ließ den Rucksack im Klassenzimmer. Sarah ging wie alle anderen Lehrer auf den Hof, um darauf zu achten, dass die Kinder in die richtigen Autos und Busse einstiegen. Als schließlich alle im Bus saßen und die Autos wegfuhren, gesellte sich Sarah zu Jonah. Er sah seinen Freunden wehmütig nach.

»Du würdest bestimmt am liebsten auch nach Hause gehen, stimmt's?«

Jonah nickte.

»Es wird schon nicht so schlimm werden. Ich habe ein paar Kekse mitgebracht, damit es leichter geht.«

»Was für Kekse?«, fragte er skeptisch.

»Schokolade. Gefüllt. Als ich noch zur Schule ging, gab mir meine Mutter immer welche, wenn ich nach Hause kam. Als Belohnung für die gute Arbeit.«

»Mrs. Knowlson gibt mir Apfelschnitze.«

»Willst du morgen lieber die?«

»Nein, nein«, erwiderte er ernst. »Kekse sind viel besser.«

Sarah deutete auf das Schulhaus.

»Also gehen wir. Bist du so weit?«

»Mhmm«, nuschelte er. Sarah streckte ihm die Hand hin.

Jonah sah zu ihr hoch. »Warten Sie mal – haben Sie auch Milch?«

»Ich kann welche aus der Cafeteria holen, wenn du willst.«

Jonah nahm ihre Hand und lächelte sie kurz an, bevor sie ins Haus gingen.

Zur gleichen Zeit, als Sarah und Jonah Hand in Hand auf das Klassenzimmer zusteuerten, duckte sich Miles Ryan hinter seinen Wagen und griff nach seiner Waffe, noch bevor der letzte Schuss verklungen war. In dieser Stellung wollte er bleiben, bis er herausgefunden hatte, was dort drüben vor sich ging.

Nichts versetzt einen so in Hochspannung wie ein Schuss – Miles war immer wieder überrascht, wie zuverlässig und schnell der Selbsterhaltungstrieb funktionierte. Das Adrenalin jagte durch seinen Körper, als sei er an einen gigantischen, unsichtbaren Tropf angeschlossen. Sein Herz hämmerte, und seine Handflächen waren schweißnass.

Wenn es sein musste, konnte er über Funk Hilfe rufen, und in wenigen Minuten wäre der Ort von sämtlichen Polizisten des County umstellt, doch vorläufig verzichtete er noch darauf. Irgendwie schienen die Schüsse nicht gegen ihn gerichtet. Er hatte sie deutlich gehört, aber seltsam gedämpft, als hätte jemand im Haus gefeuert.

Bei einem Wohnhaus hätte er Verstärkung angefordert, in der Annahme, eine häusliche Krise sei eskaliert. Es handelte sich aber nur um den Gregory Place, einen windschiefen, von Gestrüpp überwucherten Holzbau am Stadtrand von New Bern. Er war mit der Zeit verfallen und hatte schon in Miles' Kindheit leer gestanden. Die meiste Zeit kümmerte sich niemand um das Gebäude – die Fußböden waren so alt und verrottet, dass sie jeden Moment einstürzen konnten, und durch riesige Löcher im Dach pladderte der Regen. Das Haus neigte sich so stark zur Seite, dass man fürchtete, ein starker Windstoß würde es eines Tages umblasen. New Bern hatte keine Probleme mit Obdachlosen, und selbst die wenigen, die es gab, hielten sich von diesem Ort fern, weil er ihnen zu gefährlich war.

Doch jetzt, im hellen Tageslicht, hörte Miles erneut Schüsse. Kein großes Kaliber – höchstwahrscheinlich eine Zweiundzwanziger. Vermutlich gab es eine einfache Erklärung, die für ihn keine Bedrohung darstellte.

Dennoch ging er lieber kein Risiko ein. Er öffnete die Autotür und glitt auf den Sitz, dann stellte er einen Schalter am

Funkgerät um, durch den seine Stimme verstärkt wurde, sodass sie auch im Haus zu hören war.

»Hier ist der Sheriff«, sagte er langsam. »Wenn ihr Jungs da drinnen fertig seid, möchte ich, dass ihr rauskommt, damit ich mit euch reden kann. Und vorher legt ihr eure Schusswaffen weg.«

Sofort war alles still. Nach ein paar Sekunden lugte ein Kopf aus einem der vorderen Fenster. Der Junge war nicht älter als zwölf.

»Sie werden uns doch nicht erschießen?«, rief er völlig verängstigt.

»Nein, ich schieße nicht. Legt eure Waffen neben die Tür und kommt raus, damit wir reden können.«

Eine Minute lang hörte Miles nichts. Vermutlich beratschlagten die Kinder, ob sie weglaufen sollten oder nicht. Es waren keine schlechten Kerle, das wusste Miles, sie waren nur etwas verwahrlost. Sie würden eher davonlaufen als sich von Miles zu ihren Eltern zurückbringen lassen.

»Jetzt kommt endlich raus!«, rief Miles ins Mikrofon. »Ich will nur mit euch reden.«

Nach einer weiteren Minute spähten zwei Jungen – der zweite war noch jünger als der erste – durch die Öffnung, in der einmal die Haustür gehangen hatte. Mit übertriebener Langsamkeit legten sie ihre Waffen zur Seite und traten mit hoch erhobenen Händen vor das Haus. Miles unterdrückte ein Grinsen. Zitternd und bleich setzten sie einen Schritt vor den anderen, als würde er sie jeden Moment zur Zielscheibe erklären. Als sie die letzte der brüchigen Stufen erreicht hatten, trat er hinter dem Wagen hervor und steckte seine Pistole ins Halfter. Die Jungen entdeckten ihn, erschraken kurz und gingen dann vorsichtig weiter. Beide trugen verwaschene Bluejeans und löchrige Turnschuhe. Ihre Gesichter und Arme waren schmutzverschmiert. Die ganze Zeit über hielten sie die Arme hoch erhoben über dem Kopf. Offensichtlich hatten sie zu viele Filme angeschaut.

Aus der Nähe sah Miles, dass sie kaum die Tränen zurückhalten konnten.

Er lehnte sich gegen sein Auto und verschränkte die Arme. »Na, Jungs, seid ihr auf der Jagd?«

Der Jüngere – Miles schätzte ihn auf zehn – sah den Älteren an. Brüder, kein Zweifel.

»Ja, Sir«, bestätigten sie einmütig.

»Was gibt's denn da im Haus zu jagen?«

Wieder sahen sie einander an.

»Spatzen«, sagten sie schließlich, und Miles nickte.

»Ihr könnt die Hände runternehmen.«

Erneut ein Blickwechsel. Dann senkten sie die Arme.

»Seid ihr sicher, dass ihr keine Eulen jagt?«

»Ja, Sir«, antwortete der Ältere eilig. »Nur Spatzen. Es sind ganz viele da drin.«

Miles nickte wieder.

»Spatzen, so so.«

»Ja, Sir.«

»Die sind ziemlich groß für Spatzen, oder?«

Diesmal sahen sie schuldbewusst aus. Miles setzte eine strenge Miene auf.

»Jetzt hört mal zu … wenn ihr Eulen jagt, finde ich das ganz und gar nicht gut. Ich mag Eulen – sie fressen Ratten und Mäuse und sogar Schlangen, und ich hätte lieber eine Eule in meinem Garten als das andere Getier. Aber nach all dem Geknalle bin ich ziemlich sicher, dass ihr sie noch nicht erwischt habt.«

Nach einer Weile schüttelte der Jüngere den Kopf.

»Dann versucht es auch nicht wieder, verstanden?«, sagte Miles mit einer Stimme, die keinen Widerspruch duldete. »Es ist gefährlich, hier draußen zu schießen, der Highway ist zu nahe. Außerdem ist es gegen das Gesetz. Und das hier ist kein Ort für Kinder. Das Haus wird bald einstürzen, und ihr könntet euch wehtun. Ihr wollt sicher nicht, dass ich mit euren Eltern rede, oder?«

»Nein, Sir.«

»Dann lasst ihr die Eulen zufrieden, in Ordnung? Und ich lasse euch laufen.«

»Ja, Sir.«

Miles sah sie streng an, um seinen Worten Nachdruck zu

verleihen. Dann deutete er in eine bestimmte Richtung. »Wohnt ihr da drüben?«

»Ja, Sir.«

»Seid ihr zu Fuß oder mit dem Fahrrad da?«

»Wir sind gelaufen.«

»Dann machen wir Folgendes. Ich hole die Waffen, und ihr setzt euch auf den Rücksitz. Ich bringe euch nach Hause und setze euch am Ende der Straße ab. Diesmal belasse ich es dabei, aber falls ich euch je wieder hier erwische, erzähle ich euren Eltern, dass ich euch schon einmal verwarnt habe und euch verhaften muss. Okay?«

Die Augen der Jungen waren schreckgeweitet, aber sie nickten dankbar.

Nachdem Miles sie abgesetzt hatte, fuhr er zur Schule. Er freute sich auf Jonah. Zweifellos würde sein Sohn haarklein erfahren wollen, was er erlebt hatte, aber Miles wollte zuerst hören, wie es bei ihm gelaufen war.

Und insgeheim verspürte er ein angenehmes Kribbeln bei dem Gedanken, Sarah Andrews wiederzusehen.

»Daddy!«, schrie Jonah und rannte auf Miles zu. Miles ging in die Knie, um ihn im Sprung aufzufangen. Aus den Augenwinkeln sah er, dass Sarah ihm etwas gemächlicher gefolgt war. Jonah beugte sich zurück und schaute ihn an.

»Hast du heute jemanden verhaftet?«

Miles grinste und schüttelte den Kopf. »Bis jetzt nicht, aber ich bin ja noch nicht fertig. Wie lief es in der Schule?«

»Gut. Ms. Andrews hat mir Kekse mitgebracht.«

»So?«, sagte er und versuchte, sie beim Näherkommen zu beobachten, ohne dass es allzu sehr auffiel.

»Schokokekse. Die guten – die mit der Füllung.«

»Na, da hast du ja das große Los gezogen«, stellte Miles fest. »Aber wie ging es mit der Nachhilfe?«

Jonah runzelte die Augenbrauen. »Mit was?«

»Ms. Andrews hilft dir doch bei den Hausaufgaben.«

»Das war lustig – wir haben Spiele gemacht.«

»Spiele?«

»Das erkläre ich Ihnen später«, ließ Sarah sich vernehmen, die jetzt neben ihm stand. »Wir hatten einen guten Start.«

Beim Klang ihrer Stimme drehte sich Miles zu ihr um und war erneut angenehm überrascht. Sie trug auch diesmal einen langen Rock und eine Bluse, nichts besonders Modisches, aber als sie lächelte, spürte Miles plötzlich ein eigenartiges Kribbeln im Bauch. Natürlich hatte er bereits registriert, dass sie attraktiv war, und ihre hellen, seidigen Haare, die feinen Gesichtszüge und die türkisfarbenen Augen hatten es ihm schon beim ersten Treffen angetan, aber heute sah sie irgendwie weicher aus. Ihr Gesichtsausdruck war herzlich und schon fast vertraut.

Miles setzte Jonah ab.

»Jonah, würdest du bitte beim Auto warten, solange ich mit Ms. Andrews rede?«

»Okay«, willigte Jonah ein. Dann ging er zu Miles' Überraschung auf Sarah zu und umarmte sie. Sie erwiderte die Umarmung. Erst danach rannte er davon.

Als Jonah fort war, sah Miles Sarah neugierig an. »Sie scheinen sich ja blendend mit ihm zu verstehen.«

»Wir hatten viel Spaß miteinander.«

»Sieht ganz so aus. Wenn ich gewusst hätte, dass ihr Kekse esst und spielt, hätte ich mir nicht so viele Gedanken gemacht.«

»Hauptsache, es funktioniert, oder?«, sagte sie. »Aber bevor Sie misstrauisch werden, sollten Sie wissen, dass es bei dem Spiel um Lesen ging. Mit Lesekärtchen.«

»So etwas Ähnliches hatte ich mir schon gedacht. Wie hat's geklappt?«

»Gut. Er hat noch viel vor sich, aber es ging gut.« Nach einem kurzen Schweigen fuhr Sarah fort: »Er ist ein auffallend netter Junge. Ich weiß, das habe ich schon einmal gesagt, aber ich möchte, dass Sie es über all den Schwierigkeiten nicht vergessen. Und Sie sind der Größte für ihn.«

»Danke«, sagte Miles aufrichtig.

»Gern geschehen.« Als sie wieder lächelte, wandte Miles sich verlegen ab. Er fürchtete, dass sein Gesichtsausdruck ihn verriet.

»Übrigens, vielen Dank für den Ventilator«, sprach Sarah nach einer kurzen Pause weiter. Am Vormittag hatte er ihr einen riesigen Ventilator ins Klassenzimmer geschleppt.

»Bitte«, murmelte er, hin- und hergerissen zwischen dem Wunsch, in ihrer Nähe zu bleiben, und dem Bedürfnis, der plötzlichen Nervosität zu entkommen, die wie eine Welle über ihm zusammenschlug.

Eine Weile lang sagten beide nichts. Das peinliche Schweigen zog sich hin, bis Miles mit den Füßen scharrte und brummte: »Mm, ich glaube, ich sollte Jonah jetzt nach Hause bringen.«

»Gut.«

»Wir haben noch viel zu erledigen.«

»Gut.«

»Gibt es noch etwas, das ich wissen sollte?«

»Mir fällt nichts ein.«

»Also dann ...« Er zwängte die Hände in die Hosentaschen. »Dann fahre ich jetzt mit Jonah nach Hause.«

Sarah nickte ernsthaft. »Das sagten Sie schon.«

»Wirklich?«

»Ja.«

Sie strich sich eine lose Haarsträhne hinter das Ohr. Aus einem Grund, den sie nicht benennen konnte, fand sie seine Verabschiedung geradezu hinreißend. Er war anders als die Männer, die sie aus Baltimore kannte, die bei Brooks Brothers einkauften und denen nie die Worte ausgingen. In den Monaten nach ihrer Scheidung waren sie ihr fast austauschbar vorgekommen, wie Pappschablonen von Mr. Perfekt.

»Also dann«, wiederholte Miles verlegen. »Nochmals vielen Dank.« Mit diesen Worten bewegte er sich rückwärts auf sein Auto zu und rief nach Jonah.

Das Letzte, was er sah, war Sarah, die gedankenverloren lächelnd auf dem Schulhof stand und winkte.

In den folgenden Wochen freute sich Miles mit einer ungehemmten Begeisterung, die er seit seiner Jugend nicht mehr erlebt hatte, darauf, Sarah nach der Schule zu sehen. Er dachte oft an sie, manchmal sogar in den merkwürdigsten Situationen – wenn er im Supermarkt stand und Schweinekoteletts in den Einkaufswagen legte, wenn er an der Ampel wartete, wenn er den Rasen mähte. Ein- oder zweimal auch, als er morgens duschte. Dabei überlegte er sich, was wohl ihre morgendlichen Gewohnheiten sein mochten. Aß sie Getreideflocken oder Toast und Marmelade? Trank sie Kaffee, oder war sie ein Fan von Kräutertees? Wickelte sie sich nach dem Duschen ein Handtuch um den Kopf, oder föhnte sie sich gleich die Haare?

Manchmal versuchte er, sie sich im Klassenzimmer vorzustellen, wie sie mit einem Stück Kreide in der Hand vor den Schülern stand. Dann wieder sann er darüber nach, wie sie wohl ihre Freizeit verbrachte. Obwohl sie sich bei jeder Begegnung kurz unterhielten, war seine Neugier noch lange nicht befriedigt. Er wusste nicht viel über ihre Vergangenheit. Manchmal war er kurz davor, sie zu fragen, aber dann ließ er es doch sein, weil er nicht wusste, wie er es anstellen sollte. Nach einem Satz wie: »*Heute habe ich mit Jonah vor allem Rechtschreibübungen gemacht, und er hat sehr gut mitgearbeitet*«, konnte er wohl kaum antworten: »*Sehr gut. Und wo wir schon über Buchstaben sprechen, sagen Sie mir doch bitte – wickeln Sie sich nach dem Duschen ein Handtuch um den Kopf?*«

Andere Männer wussten, wie man so etwas machte, aber für ihn war es zu kompliziert. Einmal, beflügelt von zwei Flaschen Bier, war er nahe daran gewesen, sie anzurufen. Er hatte zwar keinen Anlass und vor allem keine Ahnung, was er ihr sagen sollte, aber er hoffte auf eine Eingebung, einen Geistesblitz, durch den er vor Witz und Charisma nur so sprühen würde. Er stellte sich vor, wie sie über seine Bemerkungen lachen würde und von seinem Charme völlig überwältigt wäre. Er hatte sogar ihre Nummer aus dem Telefonbuch herausgesucht und die ersten drei Zahlen gewählt, bevor er die Nerven verlor und auflegte.

Und wenn sie nun nicht zu Hause war? Er konnte sie nicht betören, wenn sie gar nicht ans Telefon ging, und er würde ganz bestimmt sein hirnloses Gerede nicht für die Nachwelt auf ihrem Anrufbeantworter hinterlassen. Er konnte natürlich auflegen, sobald die Maschine ansprang, aber das wäre doch ziemlich pubertär, oder? Und was, um Himmels willen, wenn sie zu Hause war und Besuch hatte? Das war immerhin gut möglich. Die anderen alleinstehenden Männern in seiner Abteilung hatten, das verrieten ihre Andeutungen, inzwischen begriffen, dass sie nicht verheiratet war, und wenn sie es wussten, dann wussten es andere bestimmt auch. So etwas sprach sich herum, und bald war sie bestimmt von männlichen Singles umschwärmt, die sie mit ihrem Witz und Charme beeindruckten. Wenn das nicht schon längst passiert war.

Du lieber Gott, die Zeit wurde knapp.

Miles hatte noch einmal den Hörer abgenommen und war diesmal sogar bis zur sechsten Zahl gekommen, bevor er kniff.

In jener Nacht lag er lange wach und fragte sich, was zum Teufel mit ihm nicht stimmte.

An einem frühen Samstagmorgen Ende September, einen Monat, nachdem er Sarah Andrews kennen gelernt hatte, stand Miles auf dem Sportgelände der H. J. Macdonald Junior Highschool und sah Jonah beim Fußballspielen zu. Abgesehen vom Angeln liebte Jonah Fußball mehr als alles andere, und er war ein guter Spieler. Missy war sehr sportlich gewesen, und von ihr hatte Jonah die Beweglichkeit und die gute Koordination geerbt. Von Miles (wie dieser gern beiläufig erwähnte) hatte er die Geschwindigkeit. Folglich war Jonah ein gefürchteter Stürmer. Er kam nur die Hälfte der Zeit zum Einsatz, weil alle Kinder des Teams eine Chance erhalten sollten. Doch Jonah schoss für gewöhnlich die meisten Tore, wenn nicht sogar alle. In den ersten vier Spielen hatte er siebenundzwanzig Tore erzielt. Zugegeben, es waren nur drei Spieler pro Team, Torhüter waren nicht erlaubt, und die Hälfte der Jungen wusste nicht, in welche Richtung sie den Ball kicken sollte, aber trotzdem war siebenundzwanzig außergewöhnlich viel. Fast jedes Mal, wenn er an den Ball kam, rannte er mit ihm über die Länge des Feldes und kickte ihn ins Netz.

Miles kam es selbst fast lächerlich vor, wie unglaublich stolz er auf Jonah war. Er konnte sich kaum halten und machte innerlich Luftsprünge, wenn Jonah Tore schoss, obwohl er wusste, dass das womöglich ein vorübergehendes Phänomen war und absolut nichts zu bedeuten hatte. Die Kinder wuchsen unterschiedlich schnell, und manche zeigten beim Training großen Einsatz. Jonah war groß für sein Alter und trainierte nicht gern, es war also nur eine Frage der Zeit, bis andere ihn eingeholt hatten.

Aber in diesem Spiel hatte Jonah gegen Ende des ersten Viertels schon vier Tore geschossen. Im zweiten Viertel stand Jonah an der Seitenlinie, und die gegnerische Mannschaft holte mit vier Toren auf. Im dritten Viertel schoss Jonah noch zwei Tore und einer seiner Mannschaftskameraden ein drittes (das machte dreiunddreißig in dieser Saison, aber keiner außer Miles zählte mit). Zu Beginn des vierten Viertels lag Jonahs Mannschaft mit sieben zu acht zurück, und Miles warf mit verschränkten Armen einen Blick über die Menge und gab sich große Mühe, so auszusehen, als wüsste er nicht, dass die Mannschaft ohne Jonah verloren wäre. *Mann, war das ein Hochgenuss!*

In seine Tagträume vertieft, merkte er nicht gleich, dass jemand ihn ansprach.

»Haben Sie bei dem Spiel hier eine Wette laufen, Deputy Ryan?«, fragte Sarah breit grinsend und stellte sich neben ihn. »Sie wirken so hektisch!«

»Nein – keine Wette. Ich sehe mir nur das Spiel an«, erwiderte er verlegen.

»Dann geben Sie Acht – Ihre Fingernägel sind fast völlig abgenagt. Ich möchte nicht, dass Sie sich aus Versehen blutig beißen.«

»Ich habe nicht an den Nägeln gekaut.«

»Gerade eben nicht«, spöttelte sie, »aber vorhin.«

»Ich glaube, Sie haben Hirngespinste«, konterte er. »Übrigens« – er schob den Rand seiner Baseballkappe nach oben – »ich hatte nicht erwartet, Sie hier zu treffen.«

Mit Shorts und Sonnenbrille sah Sarah jünger aus als sonst. »Jonah hat mir von dem Spiel heute erzählt und mich dazu eingeladen.«

»Tatsächlich?«, fragte Miles verwundert.

»Am Donnerstag. Er sagte, es würde mir sicher gefallen, aber ich hatte irgendwie den Eindruck, er wollte mir etwas vorführen, was er gut kann.«

Gott segne dich, Jonah.

»Es ist schon fast vorbei. Sie haben das meiste verpasst.«

»Ich habe nicht gleich das richtige Spielfeld gefunden … mir war nicht klar, dass hier so viele Spiele gleichzeitig laufen. Aus der Ferne sehen die Kinder alle gleich aus.«

»Ich weiß – manchmal haben sogar wir Schwierigkeiten, das richtige Feld zu finden.«

Die Pfeife schrillte, und Jonah schoss einen gezielten Pass zu einem Mitspieler. Der Ball rollte vorbei und über die Seitenlinie ins Aus. Jemand aus der anderen Mannschaft rannte hin, und Jonah warf einen Blick zu seinem Vater hinüber. Als er Sarah entdeckte, winkte er, und sie winkte ausgelassen zurück. Dann, während er auf den Einwurf wartete, nahm Jonahs Gesicht wieder einen ganz konzentrierten Ausdruck an. Sekunden später rannte er mit allen anderen hinter dem Ball her.

»Und wie macht er sich?«, fragte Sarah.

»Er spielt nicht schlecht.«

»Mark sagt, er ist der beste Spieler auf dem Feld.«

»Na ja …«, sagte Miles, um Bescheidenheit bemüht. Sarah lachte.

»Mark hat nicht über Sie geredet – *Jonah* ist hier der Superstürmer.«

»Das weiß ich«, sagte Miles.

»Aber Sie meinen, der Apfel fällt nicht weit vom Stamm, was?«

»Na ja«, wiederholte Miles, etwas Besseres fiel ihm nicht ein. Sarah zog amüsiert eine Augenbraue hoch. *Wo, zum Kuckuck, waren jetzt sein Witz und sein Charme?*

»Haben Sie als Kind auch Fußball gespielt?«, fragte sie.

»Als ich klein war, gab es Fußball noch nicht. Ich habe die traditionellen Sportarten gespielt – Football, Basketball, Baseball. Aber Fußball wäre sowieso nichts für mich gewesen. Ich habe ein Vorurteil gegenüber Sportarten, bei denen ich einen Ball an den Kopf bekomme.«

»Aber bei Jonah sind Sie einverstanden?«

»Sicher, solange es ihm gefällt. Haben Sie je gespielt?«

»Nein. Ich war nicht sehr sportlich, aber im College habe ich mit Walking angefangen. Meine Mitbewohnerin hat mich überredet.«

Miles sah sie prüfend an. »Walking?«

»Es ist anstrengender, als man denkt, wenn man wirklich schnell geht.«

»Machen Sie das immer noch?«

»Jeden Tag. Ich habe eine Route von fünf Kilometern. Es ist gut für die Gesundheit, und ich entspanne mich dabei. Sie sollten es mal versuchen.«

»In meiner vielen Freizeit?«

»Ja, sicher. Warum nicht?«

»Wenn ich fünf Kilometer laufe, habe ich vermutlich einen solchen Muskelkater, dass ich am nächsten Tag nicht aus dem Bett komme. Falls ich es überhaupt schaffe.« Sarah musterte ihn von oben bis unten.

»Sie würden es schaffen«, sagte sie. »Sie müssten vielleicht mit dem Rauchen aufhören, aber schaffen würden Sie es.«

»Ich rauche nicht«, protestierte er.

»Ich weiß. Brenda hat's mir erzählt.« Sie grinste schelmisch, und Miles ließ sich wohl oder übel anstecken. Doch noch bevor er etwas erwidern konnte, ging ein Aufschrei durch die Zuschauer, und sie wandten sich beide dem Spielfeld zu, wo Jonah gerade seine Verfolger abschüttelte und im Alleingang ein weiteres Tor erzielte, dass den Gleichstand brachte. Seine Kameraden stürmten auf ihn zu, und alle beklatschen und bejubelten denselben kleinen Jungen – Miles, Sarah und die übrigen Zuschauer.

»Hat es Ihnen gefallen?«, fragte Miles. Er begleitete Sarah zu ihrem Auto, während Jonah sich mit seinen Freunden am Kiosk anstellte. Jonahs Mannschaft hatte das Spiel gewonnen, und nach dem Schlusspfiff war Jonah zu Sarah gerannt und hatte sie gefragt, ob sie sein Tor gesehen habe. Als sie es bestätigte, hatte er über das ganze Gesicht gestrahlt und sie stürmisch umarmt, dann war er wieder zu seinen Freunden gelaufen. Miles wurde zu seiner Überraschung nahezu ignoriert, aber die Tatsache, dass Jonah Sarah so sehr mochte – und umgekehrt – gab ihm ein Gefühl von Zufriedenheit.

»Ja, es war schön«, gab sie zu. »Ich wäre nur gern von Anfang an dabei gewesen.«

In der Nachmittagssonne leuchtete ihre Haut, die noch vom Sommer gebräunt war.

»Das macht nichts – Jonah war froh, dass Sie überhaupt gekommen sind.« Miles sah sie von der Seite an. »Und was haben Sie heute noch vor?«

»Ich treffe meine Mutter zum Mittagessen in der Stadt.«

»Wo?«

»Bei *Fred and Clara's*. Das ist ein kleines Restaurant ganz in der Nähe meiner Wohnung.«

»Ich kenne es. Es ist sehr nett dort.«

Sie standen vor ihrem Auto, einem roten Nissan Sentra, und Sarah durchwühlte ihre Handtasche nach den Schlüsseln. Miles beobachtete sie. Mit der eleganten Sonnenbrille auf der Nase sah man ihr an, dass sie aus der Stadt und nicht vom Land kam. Dazu die verblichenen Jeansshorts und die langen Beine – sie hatte wirklich nichts von dem Typ Lehrerin an sich, den Miles aus seiner Jugend kannte.

Hinter ihnen rollte ein weißer Pickup aus einer Parklücke. Der Fahrer winkte, und Miles winkte zurück.

»Sie kennen ihn?«, fragte Sarah.

»Wir leben in einem kleinen Ort. Irgendwie kenne ich alle.«

»Das muss beruhigend sein.«

»Manchmal ja, manchmal nein. Wenn man Geheimnisse hat, auf jeden Fall nicht.«

Sarah fragte sich kurz, ob er von sich selbst sprach. Aber Miles unterbrach ihre Gedanken.

»Vielen Dank noch einmal für alles, was Sie für Jonah tun.«

»Sie müssen mir nicht jedes Mal danken, wenn Sie mich sehen.«

»Ich weiß. Aber in den letzten Wochen habe ich enorme Veränderungen an ihm bemerkt.«

»Ich auch. Er macht schnelle Fortschritte, schneller, als

ich es für möglich hielt. Diese Woche hat er sogar in der Klasse laut vorgelesen.«

»Das wundert mich nicht. Er hat eine gute Lehrerin.«

Zu Miles Erstaunen errötete Sarah. »Er hat auch einen guten Vater.«

Das hörte er gern.

Und der Blick, mit dem sie ihn dabei ansah, gefiel ihm auch.

Als sei sie unsicher, wie es jetzt weitergehen sollte, klimperte Sarah mit ihrem Schlüsselbund. Schließlich schloss sie die Autotür auf. Miles trat zurück.

»Was meinen Sie denn, wie lange Jonah nach dem Unterricht noch in der Schule bleiben muss?«

Immer weiterreden. Lass sie noch nicht wegfahren.

»Das weiß ich noch nicht. Sicher noch eine Weile. Warum? Wollen Sie die Zeiten reduzieren?«

»Nein«, sagte er. »Ich war nur neugierig.«

Sarah nickte und wartete, ob noch etwas kam, aber Miles blieb stumm. »Okay«, sagte sie dann. »Wir machen einfach so weiter und schauen dann, wie es in einem Monat aussieht. Sind Sie damit einverstanden?«

Noch ein Monat. So lange würde er sie mindestens noch regelmäßig treffen. Gut.

»Klingt nicht schlecht.«

Beide schwiegen, bis Sarah auf die Uhr schaute. »Es tut mir Leid, aber ich bin spät dran«, sagte sie entschuldigend, und Miles nickte.

»Ich weiß – Sie müssen los«, sagte er, immer noch nicht willens, sie gehen zu lassen.

Sei ehrlich: Es ist an der Zeit, sich mit ihr zu verabreden.

Und diesmal keine Ausflüchte mehr. Kein Kneifen am Telefon, kein Herumdrucksen.

Sei ein Mann!

Los jetzt!

Er richtete sich auf. Natürlich war er bereit, aber … aber … wie sollte er es anpacken? Große Güte, es war ewig her, dass er eine solchen Situation meistern musste. Sollte er ein Mittagessen oder ein Abendessen vorschlagen? Oder … Während Sarah in ihren Wagen stieg, war er in Gedanken noch damit beschäftigt, die verschiedenen Möglichkeiten zu sortieren und Wege zu finden, um sie am Wegfahren zu hindern. »Warten Sie – bevor Sie losfahren, kann ich Sie etwas fragen?«, platzte er heraus.

»Sicher.« Sie sah ihn erwartungsvoll an.

Miles steckte die Hände in die Hosentaschen, spürte die Schmetterlinge im Bauch, fühlte sich wieder wie mit siebzehn. Er schluckte.

»Ähm …«, begann er. Sein Kopf fühlte sich an, als sausten hunderte kleiner Zahnräder darin herum.

»Ja?«

Sarah wusste instinktiv, was kam.

Miles holte tief Lust und sagte das Erste, was ihm in den Sinn kam.

»Wie läuft der Ventilator?«

Sie starrte ihn entgeistert an. »Der Ventilator?«

Miles fühlte sich, als hätte er eine Tonne Blei verschluckt. Der Ventilator? Was zum Teufel bedeutete das denn? Der VENTILATOR? War das alles, was er zustande brachte? Offenbar hatte sein Gehirn gerade eine Auszeit genommen, aber es konnte einfach nicht aufhören …

»Ja – Sie wissen doch … der Ventilator, den ich für das Klassenzimmer gekauft habe.«

»Er läuft gut«, sagte Sarah befremdet.

»Weil ich einen neuen besorgen könnte, wenn er Ihnen nicht reicht.«

Sie berührte ihn leicht am Arm und sah besorgt aus.

»Alles in Ordnung mit Ihnen, Miles?«

»Ja, ja, alles in Ordnung«, sagte er verwirrt. »Ich wollte nur sicher sein, dass Sie mit ihm zufrieden sind.«

»Sie haben ein gutes Gerät gekauft, da können Sie ganz beruhigt sein.«

»Prima«, sagte er und hoffte, ein Blitz würde plötzlich aus dem Himmel fahren und ihn auf der Stelle töten.

Der Ventilator?

Während Sarah aus dem Parkplatz rangierte, blieb Miles wie angewurzelt stehen. Am liebsten wäre er unter den nächsten Felsen gekrabbelt, an einen dunklen Ort, an dem er sich für immer vor der Welt verstecken konnte. Gott sei Dank hatte das niemand mitgehört!

Niemand außer Sarah.

Den Rest des Tages kreiste das Ende ihrer Unterhaltung unablässig durch seinen Kopf.

Wie läuft der Ventilator? ... Weil ich einen neuen besorgen könnte ... Ich will nur sicher sein, dass Sie mit ihm zufrieden sind ...

Es war quälend, eine geradezu körperliche Pein, sich daran zu erinnern. Und was er auch unternahm an diesem Nachmittag, immer lauerte die Erinnerung dicht unter der Oberfläche und wartete darauf, aufzutauchen und ihn zu demütigen. Am folgenden Tag war es nicht anders. Miles wachte mit dem Gefühl auf, dass etwas nicht stimmte ... etwas ... und *peng*! fiel die Erinnerung über ihn her und verhöhnte ihn. Er zuckte zusammen und zog sich das Kopfkissen über den Kopf.

Kapitel 8

Wie gefällt es Ihnen bisher?«, fragte Brenda.

Es war Montag, und Brenda und Sarah saßen im Freien am Picknicktisch, an demselben, an dem sich Miles und Sarah einen Monat zuvor unterhalten hatten. Brenda hatte aus dem Imbiss in der Pollock Street, der nach Brendas Meinung die besten Sandwichs in der Stadt machte, etwas zum Mittagessen geholt. »Dann können wir uns einmal in Ruhe aussprechen«, hatte sie augenzwinkernd gemeint, bevor sie losfuhr.

Obwohl sie nicht zum ersten Mal die Gelegenheit hatten, sich *auszusprechen*, wie Brenda es nannte, waren ihre Gespräche bisher relativ kurz und unpersönlich gewesen – wo die Schulvorräte lagerten, bei wem sie neue Pulte anfordern konnte und Ähnliches. Natürlich war Brenda auch die Erste gewesen, die sie nach Jonah und Miles gefragt hatte, und weil Sarah wusste, dass Brenda die beiden gut kannte, war ihr klar, dass Brenda durch diese Einladung zum Lunch erfahren wollte, ob sich etwas abspielte und wenn ja, was.

»Sie meinen hier an der Schule? Es ist anders als der Unterricht in Baltimore, aber mir gefällt es.«

»Sie haben in der Innenstadt gearbeitet, richtig?«

»Ich war vier Jahre an einer Schule im Zentrum von Baltimore.«

»Und wie war das?«

Sarah packte ihr Sandwich aus. »Nicht so schlimm, wie Sie es sich wahrscheinlich vorstellen. Kinder sind Kinder, gleichgültig, woher sie kommen, besonders, wenn sie noch klein sind. Es war zwar eine etwas raue Gegend, aber man gewöhnt sich daran und lernt, vorsichtig zu sein. Ich hatte nie Probleme. Und die Kollegen waren großartig. Manche Eltern schauen nur auf die Zeugnisse und sagen dann, die Lehrer geben sich keine Mühe. Aber das stimmt nicht. Es gab viele, zu denen ich wirklich aufgeblickt habe.«

»Wie kam es, dass Sie dort angefangen haben – war Ihr Ex-Mann auch Lehrer?«

»Nein«, erwiderte Sarah lapidar. Brenda sah, dass sich ihre Augen kurz vor Schmerz verdunkelten, aber dann war der Moment auch schon wieder vorüber. Sarah riss ihre Dose Pepsi light auf.

»Er ist Investmentbanker. Das *war* er zumindest ... was er jetzt macht, weiß ich nicht. Unsere Scheidung verlief nicht gerade freundschaftlich, wenn Sie wissen, was ich meine.«

»Das tut mir Leid«, sagte Brenda, »ich hätte nicht davon anfangen sollen.«

»Nein, nein. Sie konnten es ja nicht wissen.« Auf Sarahs Gesicht breitete sich ein mattes Lächeln aus. »Oder doch?«

Brenda machte große Augen. »Nein – ich habe es nicht gewusst.«

Sarah sah sie abwartend an.

»Ehrlich«, beteuerte Brenda.

»Gar nichts?«

Brenda rutschte unruhig auf der Bank herum.

»Das eine oder andere habe ich natürlich gehört«, gab sie dann verlegen zu, und Sarah lachte.

»Das dachte ich mir. Das Erste, was *ich* gehört habe, als ich hierher zog, war, dass Sie über alles Bescheid wissen.«

»Ich weiß nicht *alles*«, wehrte Brenda mit gespielter Entrüstung ab. »Und ich plaudere auch nicht alles aus, was ich weiß. Wenn jemand mich bittet, etwas für mich zu behalten, dann richte ich mich danach.« Sie tippte mit dem Finger an ihr Ohr und senkte die Stimme. »Ich weiß Dinge, da würde Ihnen Hören und Sehen vergehen und Sie würden nach einem Exorzisten rufen«, wisperte sie, »aber wenn mir etwas vertraulich erzählt wird, kann ich schweigen.«

»Sagen Sie mir das, damit ich Ihnen vertraue?«

»Natürlich«, antwortete Brenda. Sie blickte um sich und beugte sich dann über den Tisch. »Und jetzt raus damit!«

Sarah grinste, und Brenda winkte ab. »Das war natürlich ein Scherz. Und da wir zusammenarbeiten, denken Sie bitte in Zukunft daran, dass ich nicht gekränkt bin, wenn Sie mich in meine Schranken weisen. Manchmal kommt mir eine Frage über die Lippen, ohne dass ich richtig nachgedacht habe, aber ich will niemanden damit kränken. Wirklich nicht.«

»In Ordnung«, sagte Sarah besänftigt. Brenda griff nach ihrem Sandwich.

»Und da Sie hier neu sind und wir uns noch nicht so gut kennen, werde ich nichts fragen, was zu persönlich ist.«

»Das weiß ich zu schätzen.«

»Außerdem geht es mich sowieso nichts an.«

»Richtig.«

Brenda biss in ihr Sandwich.

»Aber wenn *Sie* mir Fragen über irgendjemanden stellen möchten, nur zu.«

»Gut«, sagte Sarah leichthin.

»Ich meine, ich weiß ja, wie es ist, wenn man neu ist und sich als Außenseiterin fühlt.«

»Sicher.«

Vorübergehend stockte die Unterhaltung.

»Also ...«, begann Brenda erneut.

»Also ...«, wiederholte Sarah, die genau wusste, worauf Brenda hinauswollte.

Danach schwiegen beide wieder.

»Also ... wollen Sie über *irgendjemanden* etwas wissen?«, fragte Brenda bohrend.

»Mmm«, sagte Sarah und tat so, als würde sie nachdenken. Dann schüttelte sie den Kopf. »Eigentlich nicht.«

»Oh«, sagte Brenda, unfähig ihre Enttäuschung zu verbergen.

Sarah lächelte über Brendas Versuch, feinfühlig zu erscheinen.

»Ach doch, da gibt es jemanden ...«, begann sie zögernd.

Brendas Miene erhellte sich. »Jetzt kommen wir der Sache schon näher«, sagte sie eifrig. »Was möchten Sie wissen?«

»Ja, also, ich habe mich gefragt ...«, Sarah machte eine

Pause. Brenda sah aus wie ein Kind, das ein Weihnachtsgeschenk auspackt.

»Ja?«, flüsterte sie eindringlich.

»Nun ja …«, Sarah blickte nach links und rechts. »Was können Sie mir über … Bob Bostum sagen?«

Brenda fiel der Unterkiefer herab. »Bob … der Hausmeister?«

Sarah nickte. »Er ist irgendwie süß.«

»Er ist vierundsiebzig«, ächzte Brenda wie vom Donner gerührt.

»Ist er verheiratet?«, fragte Sarah.

»Er ist seit fünfzig Jahren verheiratet! Und er hat neun Kinder.«

»Ach, wie schade«, sagte Sarah bedauernd. Brenda starrte sie mit offenem Mund an, und Sarah schüttelte niedergeschlagen den Kopf. Dann hob sie den Blick und zwinkerte Brenda zu. »Na gut, dann bleibt nur noch Miles Ryan. Was können Sie mir über ihn erzählen?«

Es dauerte ein Weilchen, bis Brenda sich gefasst hatte. Dann warf sie Sarah einen argwöhnischen Blick zu. »Wenn ich Sie nicht besser kennen würde, müsste ich glauben, Sie nehmen mich auf den Arm.«

Sarah grinste. »Sie brauchen mich nicht besser zu kennen – ich gebe es zu. Leute auf den Arm zu nehmen ist meine große Schwäche.«

»Und Sie können es großartig.« Langsam erschien wieder ein Lächeln auf Brendas Gesicht. »Aber was Miles Ryan angeht … ich habe gehört, Sie beide sehen sich ziemlich häufig. Nicht nur nach der Schule, auch am Wochenende.«

»Sie wissen doch, dass ich Jonah Nachhilfe gebe, und er hat mich gebeten, ihm beim Fußball zuzuschauen.«

»Weiter nichts?«

Als Sarah nicht gleich antwortete, fuhr Brenda mit verschwörerischem Blick fort: »Gut … dann zu Miles. Er hat seine Frau vor zwei Jahren durch einen Autounfall verloren. Fahrerflucht. Es war wirklich traurig – er hat sie sehr geliebt und war lange Zeit danach nicht er selbst. Sie kannten sich seit der Highschool.« Brenda legte ihr Sandwich beiseite. »Der Fahrer ist nie gefasst worden.«

Sarah nickte. Das meiste davon hatte sie schon gehört.

»Er war wirklich am Boden zerstört. Gerade auch als Sheriff. Er hat es als persönliche Niederlage empfunden. Der Fall wurde nicht aufgeklärt, und er macht sich Vorwürfe deswegen. Danach hat er sich sozusagen von der Welt abgekapselt.«

Brenda legte die Hände zusammen und blickte Sarah an.

»Ich weiß, es klingt schrecklich, und das war es auch. Aber in letzter Zeit kommt er aus seinem Panzer heraus, und ich kann Ihnen gar nicht sagen, wie glücklich ich darüber bin. Er ist ein wunderbarer Mann. Er ist freundlich, er ist geduldig, und er tut alles für seine Freunde. Und was das Beste ist – er liebt seinen Sohn.« Brenda zögerte.

»Aber?«, fragte Sarah schließlich.

Brenda zuckte die Achseln. »Es gibt kein Aber, was ihn betrifft. Er ist ein netter Kerl, und das sage ich nicht nur, weil ich ihn mag. Ich kenne ihn schon lange. Er ist einer der seltenen Männer, die mit dem ganzen Herzen lieben können.«

Sarah nickte. »Das ist selten«, sagte sie ernst.

»Richtig. Und denken Sie daran, falls Miles und Sie sich jemals näher kommen.«

»Warum?«

Brenda wandte den Kopf ab.

»Weil ich es nicht ertragen könnte, wenn er noch einmal verletzt wird«, sagte sie schlicht.

Später am Tag ertappte Sarah sich dabei, wie sie über Miles nachgrübelte. Es hatte sie sehr berührt, dass es in Miles' Leben Menschen gab, die sich so um ihn sorgten. Nicht etwa Verwandte, sondern Freunde.

Sie hatte gewusst, dass Miles sie nach Jonahs Fußballspiel eigentlich fragen wollte, ob sie mit ihm ausgehen würde.

Aber dann hatte er doch nicht gefragt.

Damals hatte sie sich darüber amüsiert. Sie war kichernd davon gefahren – aber sie hatte nicht über Miles gelacht, sondern darüber, wie schwer er es sich gemacht hatte. Bemüht hatte er sich, weiß Gott, aber aus irgendeinem Grund hatte er die Worte nicht über die Lippen gebracht. Jetzt, nach dem Gespräch mit Brenda, glaubte Sarah den Grund zu verstehen.

Miles hatte sie nicht gefragt, weil er nicht gewusst hatte, wie er es anstellen sollte. Seit er erwachsen war, hatte er vermutlich noch nie eine Frau um ein Date gebeten – denn er kannte seine Frau ja seit der Highschool. Sarah wiederum hatte in Baltimore nie einen Mann wie ihn kennen gelernt – einen Mann über dreißig, der noch nie eine Frau zum Essen oder ins Kino eingeladen hatte. Merkwürdigerweise fand sie das liebenswert.

Und tief in ihrem Inneren fand sie es auch beruhigend, weil sie einiges mit ihm gemeinsam hatte.

Sie hatte Michael mit dreiundzwanzig kennen gelernt, und sie hatten sich scheiden lassen, als sie siebenundzwanzig war. Seither war sie ein paar Mal ausgegangen, zuletzt mit einem Verehrer, der gleich aufs Ganze ging. Sie hatte erkannt, dass sie dazu noch nicht bereit war. Die Begegnung mit Miles Ryan hatte sie jedoch daran erinnert, dass die letzten Jahre sehr einsame Jahre gewesen waren.

Im Unterricht war es leicht, sich abzulenken. Vor der Tafel konzentrierte sie sich vollständig auf die Schüler, deren kleine Gesichter sie staunend anblickten. Sie betrachtete sie mittlerweile als *ihre* Kinder, und sie wollte sicher sein, dass sie für ihr späteres Leben so viel wie möglich lernten.

Heute allerdings war Sarah ungewöhnlich zerstreut, und als die Schulglocke mittags klingelte, blieb sie draußen stehen, bis Jonah auf sie zutrat. Er griff nach ihrer Hand.

»Geht es Ihnen gut, Ms. Andrews?«, fragte er.

»Ja, sicher«, antwortete sie geistesabwesend.

»Sie sehen aber nicht so gut aus.«

Sie lächelte. »Hast du mit meiner Mutter geredet?«

»Wie?«

»Schon gut. Können wir anfangen?«

»Haben Sie Kekse dabei?«

»Natürlich.«

»Dann legen wir los.«

Auf dem Weg ins Klassenzimmer fiel Sarah auf, dass Jonah ihre Hand nicht loslassen wollte. Als sie sie drückte, drückte er zurück. Seine kleine Hand war ganz in ihrer geborgen.

Das war fast genug, um das Leben lebenswert zu machen.

Fast.

Als Jonah und Sarah nach der Nachhilfe das Schulgebäude verließen, wartete Miles, wie üblich gegen seinen Wagen gelehnt, auf sie, aber diesmal gönnte er Sarah kaum einen Blick. Nach dem üblichen Begrüßungsritual kletterte Jonah unaufgefordert in den Wagen. Als Sarah auf Miles zutrat, wandte er den Kopf ab.

»Denken Sie darüber nach, wie Sie den Bürgern unserer Stadt Sicherheit bieten können, Officer Ryan? Sie sehen aus, als wollten Sie die Welt retten«, sagte sie leichthin.

Er schüttelte den Kopf. »Nein, ich bin nur ein bisschen durcheinander.«

»Das sehe ich.«

Es war eigentlich kein schlechter Tag gewesen. Bis er Sarah unter die Augen treten musste. Im Auto hatte er kleine Stoßgebete aufgesagt, dass sie bitte vergessen haben möge, wie unmöglich er sich am Wochenende nach dem Spiel aufgeführt hatte.

»Wie ist Jonah heute zurechtgekommen?«, fragte er, um die schwarzen Gedanken auf Abstand zu halten.

»Es lief sehr gut. Morgen gebe ich ihm ein paar Übungshefte mit, die ihm helfen könnten. Ich streiche die passenden Seiten für Sie an.«

»Okay«, erwiderte Miles kurz. Als Sarah ihn anlächelte, trat er unruhig von einem Bein aufs andere.

Was musste sie nur von ihm halten?

Er zwängte die Hände in die Hosentaschen.

»Jonah hat mich gefragt, ob ich wieder einmal zu einem Fußballspiel käme. Hätten Sie etwas dagegen?«

»Nein, überhaupt nicht«, sagte Miles. »Ich weiß nur nicht, wann er wieder spielt. Der Plan hängt zu Hause am Kühlschrank.«

Sarah sah ihn aufmerksam an und fragte sich, warum er plötzlich so distanziert wirkte.

»Wenn ich lieber nicht kommen soll, brauchen Sie es nur zu sagen.«

»Nein, nein«, wehrte er ab. »Wenn Jonah Sie eingeladen hat, dann sollten Sie unbedingt kommen. Natürlich nur, wenn Sie wollen.«

»Sind Sie sicher?«

»Ja. Morgen lasse ich Sie wissen, wann das nächste Spiel stattfindet.« Dann fügte er unvermittelt hinzu: »Außerdem würde ich mich auch freuen, wenn Sie kommen.«

Die Worte waren ihm einfach herausgerutscht. Natürlich entsprachen sie der Wahrheit, aber jetzt ging es schon wieder los mit diesem unkontrollierten Geplapper ...

»Sie würden sich freuen?«

Miles schluckte. »Ja«, sagte er, ängstlich bemüht, nicht erneut alles kaputt zu machen. »Das würde ich.«

Sarah lächelte. In ihrem Inneren breitete sich ein warmes Gefühl der Vorfreude aus.

»Dann komme ich auf jeden Fall. Nur eines noch ...«

Oh, nein ...

»Was denn?«

Sarah blickte ihm direkt in die Augen. »Wissen Sie noch, wie Sie mich nach dem Ventilator gefragt haben?«

Bei dem Wort »Ventilator« stürzten all die Gefühle vom Wochenende wieder über Miles ein, und es kam ihm vor, als hätte ihn jemand in den Magen geboxt.

»Ja?«, fragte er vorsichtig.

»Am Freitagabend hätte ich Zeit, wenn Sie noch interessiert sind.«

Es dauerte nur ein paar Sekunden, bis er verstand.

»Ich bin interessiert«, sagte er, und sein Mund verzog sich zu einem breiten Lächeln.

Kapitel 9

Am Donnerstagabend (*eine Nacht vor dem Tag X, wie Miles ihn insgeheim nannte*), lag er bei Jonah auf dem Bett, den Rücken gegen die Kopfkissen gestützt, die Decken zurückgeschlagen. Sie hatten ein Buch ausgesucht und lasen sich abwechselnd vor. Jonahs Haar war noch nass vom Baden, und Miles roch die Seife, die er benutzt hatte. Sein Sohn duftete süß und unschuldig.

Miles war gerade mitten auf einer Seite angelangt, als Jonah ihn plötzlich unterbrach.

»Vermisst du Mommy?«

Miles ließ das Buch sinken und legte den Arm um Jonah. Es war mehrere Monate her, dass er Missy von sich aus erwähnt hatte.

»Ja«, antwortete er. »Ich vermisse sie.«

Jonah zupfte an seinem Pyjama, wodurch zwei Feuerwehrautos auf dem Stoff zusammenstießen.

»Denkst du oft an sie?«

»Dauernd«, sagte Miles.

»Ich denke auch an sie«, sagte Jonah leise. »Manchmal, wenn ich im Bett bin ...« Er sah Miles stirnrunzelnd an. »Dann habe ich Bilder im Kopf ...«

»Wie im Film?«

»So ähnlich. Aber nicht richtig. Mehr wie ein Foto, weißt du? Aber ich kann es nicht immer sehen.«

Miles zog seinen Sohn an sich.

»Bist du dann traurig?«

»Ich weiß nicht. Manchmal.«

»Es macht nichts, wenn du traurig bist. Jeder ist mal traurig. Sogar ich.«

»Aber du bist schon groß.«

»Große sind auch schon mal traurig.«

Jonah dachte darüber nach, während er wieder zwei Feuerwehrautos aneinander stoßen ließ. Er knautschte den weichen Flanellstoff mit rhythmischen Bewegungen zusammen.

»Dad?«

»Ja?«

»Wirst du Ms. Andrews heiraten?«

Miles zog die Augenbrauen hoch. »Darüber habe ich noch nicht nachgedacht«, erwiderte er ehrlich.

»Aber du gehst mit ihr aus, oder? Bedeutet das, dass ihr heiratet?«

Miles musste lächeln. »Wer hat dir denn das erzählt?«

»Die älteren Kinder in der Schule. Sie sagen, zuerst geht man aus, und dann heiratet man.«

»Das mag hin und wieder stimmen«, sagte Miles, »aber nicht immer. Nur weil ich mit Ms. Andrews essen gehe, heißt das noch nicht, dass wir heiraten. Es heißt nur, dass wir uns unterhalten wollen, damit wir uns besser kennen lernen. Erwachsene machen das so.«

»Warum?«

Glaub mir, mein Sohn, in ein paar Jahren verstehst du das.

»Das ist einfach so. Wie wenn du mit deinen Freunden spielst und ihr lacht und Spaß zusammen habt. Mehr ist eine Verabredung auch nicht.«

»Oh«, sagte Jonah. Er sah jetzt richtig erwachsen aus. »Redet ihr auch über mich?«

»Vielleicht ein bisschen. Aber keine Sorge. Nur Gutes!«

»Zum Beispiel?«

»Könnte sein, dass wir über das Fußballspiel reden. Oder ich erzähle ihr, wie gut du angeln kannst. Oder wir reden darüber, wie gescheit du bist...«

Jonah schüttelte mit zusammengezogenen Brauen den Kopf. »Ich bin nicht gescheit.«

»Doch, das bist du. Du bist sehr gescheit, und Ms. Andrews findet das auch.«

»Aber ich bin der Einzige in der Klasse, der nach dem Unterricht noch bleiben muss.«

»Ja, sicher …, aber das macht nichts. Ich musste als Kind auch länger bleiben.«

Das interessierte Jonah. »Ehrlich?«

»Ja. Aber nicht nur für einige Monate, sondern zwei Jahre lang.«

»Zwei Jahre?«

Miles nickte bekräftigend. »Jeden Tag.«

»Wow«, sagte Jonah, »du musst wirklich dumm gewesen sein, wenn du zwei Jahre länger bleiben gemusst hast.«

Das wollte ich damit eigentlich nicht zum Ausdruck bringen, aber wenn du dich dadurch besser fühlst, bitte.

»Du bist ein gescheiter junger Mann, vergiss das nie, okay?«

»Hat Ms. Andrews gesagt, dass ich gescheit bin?«

»Das sagt sie mir jeden Tag.«

Jonah lächelte. »Sie ist eine nette Lehrerin.«

»Das finde ich auch, und ich bin froh, dass du sie magst.«

Jonah schwieg, und die Feuerwehrautos steuerten wieder aufeinander zu.

»Findest du sie hübsch?«, fragte er unbefangen.

Holla, wo hat er denn das alles her?

»Na ja …«

»Ich finde, sie ist hübsch«, erklärte Jonah. Er zog die Knie an und langte nach dem Buch, damit sie weiterlesen konnten.

»Manchmal muss ich bei ihr an Mom denken.«

Darauf fiel Miles beim besten Willen keine Antwort ein.

Auch Sarah suchte gerade nach einer Antwort, aber in einem ganz anderen Zusammenhang. Sie musste erst schlucken, bis sie ihre Stimme wieder fand.

»Ich habe keine Ahnung, Mom. Ich habe ihn nicht gefragt.«

»Aber er ist doch Sheriff, oder nicht?«

»Ja …, aber das war bisher wirklich kein Gesprächsthema.«

Ihre Mutter hatte sich laut gefragt, ob Miles wohl schon mal einen Menschen erschossen hatte.

»Ich bin nur neugierig, verstehst du? Man sieht so viel im

Fernsehen, da würde es mich nicht wundern. Es ist ein gefährlicher Beruf.«

Sarah schloss die Augen. Seit sie beiläufig erwähnt hatte, dass sie mit Miles ausgehen wollte, hatte ihre Mutter sie mehrmals am Tag angerufen und Sarah Dutzende von Fragen gestellt, von denen sie kaum eine beantworten konnte.

»Ich frage ihn irgendwann für dich, einverstanden?«

Ihre Mutter zog hörbar die Luft ein.

»Nein, auf keinen Fall! Ich will doch nicht von Anfang an alles für dich ruinieren!«

»Es gibt nichts zu ruinieren, Mom. Wir sind noch nicht so weit.«

»Aber du sagst doch, er ist nett?«

Sarah rieb sich entnervt die Augen.

»Ja, Mom. Er ist nett.«

»Also, dann denk daran, wie wichtig der erste Eindruck ist.«

»Ich weiß, Mom.«

»Und zieh dir etwas Hübsches an. Mir ist egal, was heutzutage in den Zeitschriften steht – man muss unbedingt wie eine Lady aussehen, wenn man mit einem Mann ausgeht. Was manche Frauen heutzutage anziehen ...«

Während ihre Mutter ihre Litanei abspulte, hatte Sarah gute Lust, den Hörer aufzulegen, doch stattdessen nahm sie sich ihre Post vor. Rechnungen, Werbeprospekte, eine Einladung zum Erwerb einer VISA-Karte. So merkte sie nicht gleich, dass ihre Mutter fertig war.

»Ja, Mom«, sagte Sarah automatisch.

»Hörst du mir überhaupt zu?«

»Natürlich höre ich zu.«

»Dann kommst du bei uns vorbei?«

Ich dachte, sie redet über meine Kleider ... Sarah überlegte krampfhaft, was ihre Mutter meinen könnte.

»Du meinst, ich soll ihn euch vorstellen?«

»Dein Vater würde ihn gerne kennen lernen.«

»Ach ... ich weiß nicht, ob wir dazu Zeit haben werden.«

»Aber du hast gerade gesagt, dass du noch nicht weißt, was ihr unternehmt.«

»Wir werden sehen, Mom. Aber macht keine Pläne, weil ich nichts garantieren kann.«

Am anderen Ende herrschte Schweigen. Dann kam ein enttäuschtes »Oh.« Und eine neue Taktik. »Ich dachte nur, ich könnte ihm wenigstens kurz hallo sagen.«

Sarah griff wieder nach der Post.

»Ich kann nichts garantieren. Wie du mir geraten hast, will ich seine Pläne nicht durcheinander bringen. Das verstehst du doch, oder?«

»Muss ich wohl«, sagte ihre Mutter leicht eingeschnappt. »Aber wenn ihr es nicht schafft, ruf mich wenigstens hinterher an, und erzähl mir, wie es war.«

»Ja, Mom, ich rufe an.«

»Und ich hoffe, du amüsierst dich.«

»Bestimmt.«

»Aber nicht *zu* sehr ...«

»Ich versteh schon«, unterbrach Sarah.

»Ich meine, es ist deine *erste* Verabredung ...«

»Ich verstehe, Mom«, wiederholte Sarah, diesmal entschiedener.

»Dann ist ja gut.« Ihre Mutter klang erleichtert. »Ich lasse dich jetzt in Frieden. Es sei denn, du möchtest noch weiterreden.«

»Nein, ich glaube, wir haben alles besprochen.«

Trotzdem dauerte das Gespräch danach noch einmal zehn Minuten.

Spätabends, als Jonah schon schlief, schob Miles eine alte Kassette in den Videorekorder und lehnte sich zurück. Er schaute zu, wie Missy und Jonah ausgelassen in der Meeresbrandung nahe Fort Macon umherhüpften. Jonah war noch klein, nicht älter als drei, und seine Lieblingsbeschäftigung war es, Spielzeuglaster über die improvisierten Straßen zu schieben, die Missy ihm im Sand baute. Missy war vierundzwanzig – in ihrem blauen Bikini wirkte sie eher wie eine Studentin und nicht wie eine Mutter.

Im Film gab sie Miles Zeichen, er solle die Kamera weglegen und mit ihnen spielen, aber an jenem Morgen, das wusste er noch, hatte er sie lieber beobachtet. Er freute sich über ihren Anblick. Es tat ihm gut, die beiden zusammen zu sehen, weil er wusste, dass Missy Jonah auf eine Art liebte, die er selbst als Kind nie erfahren hatte. Seine Eltern waren nicht sehr liebevoll mit ihm umgegangen – sie waren keine schlechten Menschen, aber sie konnten ihre Gefühle nicht gut ausdrücken, nicht einmal ihrem eigenen Kind gegenüber. Und jetzt, wo seine Mutter tot und sein Vater meistens verreist war, kam es Miles so vor, als hätte er sie gar nicht richtig gekannt. Manchmal fragte Miles sich, was wohl aus ihm geworden wäre, wenn er Missy nicht kennen gelernt hätte.

Missy grub dicht am Wasser mit einer kleinen Plastikschaufel ein Loch, dann benutzte sie die Hände, damit es schneller ging. Kniend war sie genauso groß wie Jonah, und als er sah, was sie machte, stellte er sich neben sie, dirigierte und gestikulierte, als sei er der Architekt. Missy lächelte und redete mit ihm. Ihre Stimme wurde allerdings vom endlosen Rauschen der Wellen übertönt, deshalb verstand Miles nicht, worüber sie sprachen. Der Sand, den sie um sich anhäufte, wurde klumpig, und nach einer Weile forderte sie Jonah auf, in das Loch zu steigen. Mit angezogenen Knien passte er knapp hinein, und Missy schaufelte den Sand wieder in die Grube und klopfte ihn um Jonahs kleinen Körper fest. In Minutenschnelle war er bis zum Hals eingegraben. Er sah aus wie eine Schildkröte mit dem Kopf eines kleinen Jungen.

Missy fügte hie und da noch etwas Sand hinzu und deckte auch seine Arme und Finger zu. Jonah wackelte mit den Fingern, wodurch der Sand herunter fiel, und Missy versuchte es erneut. Kaum hatte sie die letzten Hände voll Sand auf ihm verteilt, da bewegte er sich erneut, und Missy lachte. Sie legte ihm einen Klumpen nassen Sand auf den Kopf, und er hielt still. Sie beugte sich zu ihm und küsste ihn, und Miles las ihm von den Lippen die Worte »Ich hab dich lieb, Mommy« ab. »Ich dich auch«, war ihre Antwort. Weil sie wusste, dass Jonah jetzt ein paar Minuten still sitzen bleiben würde, wandte Sarah ihre Aufmerksamkeit Miles zu.

Er sagte etwas zu ihr, und sie lächelte – wieder verstand man nichts. Im Hintergrund waren nur wenige Menschen zu sehen. Es war Mai gewesen, eine Woche, bevor der Touristenansturm losging, und ein Wochentag, wenn Miles sich richtig entsann. Missy blickte nach rechts und links und stellte sich in Pose. Sie stemmte eine Hand in die Hüfte, die andere legte sie hinter den Kopf und sah ihn aus halb geöffneten Augen lasziv und verführerisch an. Dann gab sie die Pose auf, lachte verschämt und kam auf ihn zu. Sie küsste die Kameralinse.

Hier endete das Band.

Für Miles waren diese Videos ein Schatz. Er hütete sie in einer feuerfesten Box, die er nach der Beerdigung gekauft hatte, und er hatte alle schon Dutzende von Malen angeschaut. In ihnen war Missy wieder lebendig, sie bewegte sich, er hörte den Klang ihrer Stimme. Er hörte sie lachen.

Jonah hatte die Filme nie gesehen. Miles bezweifelte, dass er von ihrer Existenz wusste, denn er war noch sehr jung gewesen, als sie entstanden. Nach Missys Tod hatte Miles aufgehört zu filmen, wie er auch mit vielen anderen Dingen aufgehört hatte. Es war zu anstrengend. Er wollte an nichts erinnert werden, was mit der Zeit direkt nach ihrem Tod zu tun hatte.

Er wusste nicht, warum er sich ausgerechnet an diesem Abend die Videos anschaute. Vielleicht hatten ihm Jonahs Fragen bewusst gemacht, dass am nächsten Tag etwas Neues in sein Leben treten würde. Ganz gleich, was die Zukunft in Bezug auf Sarah bringen würde, sein Leben änderte sich. Er selbst änderte sich.

Warum machte ihm dieser Gedanke solche Angst?

Die Antwort gab ihm der flimmernde Bildschirm.

Vielleicht lag es daran, dass Miles nie herausgefunden hatte, was wirklich geschehen war.

Kapitel 10

Missy Ryans Beerdigung fand an einem Mittwochvormittag in der Episkopalkirche von New Bern statt. Die Kirche fasste an die fünfhundert Menschen, aber an jenem Tag war sie nicht groß genug. Viele Leute mussten stehen, und einige hatten sich draußen vor den Toren versammelt, um möglichst nahe dabei zu sein.

Ich weiß noch, dass es am Morgen regnete. Es war kein starker, aber ein stetiger Regen, ein Spätsommerregen, der die Erde abkühlt und die Luft reinigt. Nebel lag dicht über dem Boden, ätherisch und geisterhaft, und in den Straßen bildeten sich kleine Pfützen. Ich betrachtete die Parade schwarzer Schirme, die vielen schwarz gekleideten Menschen. Die Trauergäste schritten so langsam voran, als bewegten sie sich durch Schnee.

Ich sah, wie Miles Ryan aufrecht in der vordersten Kirchenbank saß. Er hielt Jonahs Hand. Jonah war damals erst sechs – alt genug, um zu verstehen, dass seine Mutter tot war, aber noch nicht alt genug, um zu begreifen, dass er sie nie wiedersehen würde. Er wirkte eher verwirrt als traurig. Sein Vater blickte bleich und mit zusammengepressten Lippen den Menschen entgegen, die ihm eine Hand entgegenstreckten oder ihn umarmten. Es fiel ihm offensichtlich schwer, ihnen direkt in die Augen zu sehen, aber er weinte nicht. Ich wandte mich ab und setzte mich in die letzte Reihe. Ich sagte nichts zu ihm.

Ich werde den Geruch nie vergessen, diese Mischung aus altem Holz und brennenden Kerzen. Neben dem Altar spielte jemand leise Gitarre. Eine Dame setzte sich neben mich, kurz darauf folgte ihr Mann. Sie hielt ein Papiertaschentuch in der Hand, mit dem sie sich die Augenwinkel betupfte. Ihr Ehemann hatte die Hand auf ihr Knie gelegt. Immer noch strömten Menschen in den Vorraum, aber in der Kirche war es still, man hörte nur unterdrücktes Weinen. Niemand sprach, alle waren stumm und fassungslos.

In diesem Augenblick wurde mir schlecht.

Ich kämpfte gegen die Übelkeit an, fühlte Schweißperlen auf der Stirn. Meine Handflächen waren klamm. Ich wollte nicht hier sein, ich hatte nicht kommen wollen. Am liebsten wäre ich aufgestanden und weggegangen.

Aber ich blieb.

Als der Gottesdienst begann, hatte ich Mühe, mich zu konzentrieren. Wenn Sie mich heute fragen, was der Pfarrer gesagt hat oder Missys Bruder in seiner Gedenkrede, könnte ich es nicht sagen. Ich weiß nur noch, dass mich die Worte nicht getröstet haben. Ich konnte nur an eines denken: Missy Ryan hätte nicht sterben dürfen.

Nach dem Gottesdienst bewegte sich ein langer Trauerzug zum Cedar-Grove-Friedhof. Jeder Sheriff und Polizeibeamte aus dem County schien daran teilzunehmen. Ich wartete, bis fast alle ihre Autos gestartet hatten, dann reihte ich mich ein und folgte dem Wagen vor mir. Alle Scheinwerfer waren angestellt. Wie ein Roboter schaltete ich auch meine an.

Während der Fahrt wurde der Regen stärker. Die Scheibenwischer schoben das herabrinnende Wasser hin und her.

Der Friedhof lag nur wenige Minuten entfernt.

Die Trauergäste parkten, Schirme öffneten sich, überall staksten Menschen durch die Pfützen. Ich folgte blindlings und stellte mich am Grab in die hinterste Reihe. Ich sah auch Miles und Jonah wieder. Sie hatten die Köpfe gesenkt und waren triefend nass. Die Sargträger brachten den Sarg ans Grab. Er war von Hunderten von Kränzen umrahmt.

Wieder dachte ich: Ich will nicht hier sein. Ich hätte nicht kommen sollen. Ich gehöre nicht hierher.

Aber ich war da.

Ich hatte wie unter einem Zwang gehandelt. Ich musste Miles sehen, ich musste Jonah sehen. Schon damals wusste ich, dass unser Leben für immer untrennbar verbunden sein würde.

Ich musste dabei sein, verstehen Sie.

Schließlich war ich der Fahrer des Unfallwagens.

Kapitel 11

Der Freitag brachte die erste frische herbstliche Brise. Am Morgen überzog leichter Raureif die Rasenflächen. Die Leute, die in ihre Autos stiegen und zur Arbeit fuhren, sahen ihren Atem als Wölkchen. Noch eine Woche bis Halloween. Die Eichen und Hartriegel und Magnolien waren schon seit einer Woche rot oder orangefarben gesprenkelt. Sarah stand in der Abenddämmerung am Fenster und betrachtete sie nachdenklich.

In ein paar Minuten würde Miles kommen. Sie hatte den ganzen Tag immer wieder an ihn gedacht. Die drei Nachrichten auf dem Anrufbeantworter bewiesen, dass auch ihre Mutter sich ihre Gedanken gemacht hatte – ein bisschen zu sehr, fand Sarah. Maureen hatte ohne Punkt und Komma geredet und sämtliche wichtigen Themen abgehakt. »Wegen heute Abend – vergiss nicht, eine Jacke mitzunehmen. Du willst dir doch sicher keine Lungenentzündung holen! Bei der kalten Luft ist das durchaus möglich, weißt du«, fing eine ihrer Tiraden an, und weiter ging es mit diversen interessanten Ratschlägen. So sollte Sarah zum Beispiel nicht zu viel Make-up und auffälligen Schmuck tragen (»damit er nicht den falschen Eindruck von dir bekommt«) und darauf achten, dass ihre Stumpfhosen keine Laufmasche hatte (»nichts sieht schlimmer aus …«). Die zweite Nachricht bezog sich auf die erste, klang aber deutlich aufgeregter, als wisse ihre Mutter, dass ihr nicht mehr viel Zeit blieb, die angesammelte Weisheit ihres Lebens weiterzugeben. »Als ich Jacke sagte, meinte ich etwas Schickes. Etwas Leichtes. Gegen die Kälte natürlich, aber du sollst ja auch hübsch aussehen. Und um Himmels willen nur nicht diese lange grüne, die du so magst. Sie ist vielleicht warm, aber hässlich wie die Sünde …« Als Sarah auch bei der dritten Nachricht die Stimme ihrer Mutter hörte – diesmal regelrecht panisch und ihr einschärfend, wie wichtig es sei, die Zeitung zu lesen, (»damit ihr Gesprächsstoff habt«) –, drückte sie einfach auf Löschen.

Sie musste sich schließlich für ein Date zurechtmachen.

Eine Stunde später kam Miles mit einer langen Schachtel unter dem Arm auf das Haus zu. Er blieb kurz stehen, als müsse er sich vergewissern, dass die Adresse stimmte, dann betrat er den Flur. Sarah hörte ihn die Treppe hochsteigen und strich das schwarze Cocktailkleid glatt, für das sie sich nach längerem Hin und Her entschieden hatte. Sie öffnete die Tür.

»Hallo … bin ich zu spät?«

Sarah lächelte. »Nein, genau richtig. Ich habe Sie kommen sehen.«

Miles holte tief Luft. »Sie sehen hübsch aus«, sagte er.

»Danke.« Sarah deutete auf die Schachtel. »Ist das für mich?«

Er nickte und reichte ihr die Schachtel. Sie enthielt sechs gelbe Rosen.

»Eine für jede Woche, die Sie schon mit Jonah arbeiten.«

»Das ist lieb«, sagte sie erfreut. »Meine Mutter wird beeindruckt sein.«

»Ihre Mutter?«

Sie lächelte. »Das erzähle ich Ihnen später. Kommen Sie rein, ich stelle die Blumen nur kurz in eine Vase.«

Miles trat ein und sah sich um. Es war eine schöne Wohnung – kleiner, als er angenommen hatte, aber erstaunlich gemütlich, und die meisten Möbel passten gut zu den Räumen. Eine bequem aussehende Couch mit Holzrahmen, kleine, elegante Lampentischchen, eine alte Holzbank unter einer Lampe, die hundert Jahre alt zu sein schien – und selbst der Quilt über der Stuhllehne schien aus dem letzten Jahrhundert zu stammen.

Sarah öffnete in der Küche das Schränkchen über der Spüle, schob einige Schüsseln zur Seite und holte eine Kristallvase hervor, die sie mit Wasser füllte.

»Die Wohnung ist schön«, sagte Miles.

Sarah sah hoch. »Danke. Mir gefällt sie auch.«

»Haben Sie sie selbst eingerichtet?«

»Zum größten Teil. Ein paar Sachen habe ich aus Baltimore mitgebracht, aber nachdem ich all die Antiquitätenläden hier entdeckt hatte, habe ich das meiste ersetzt. Es sind phantastische Läden.«

Miles fuhr mit der Handfläche über das alte Rollpult neben dem Fenster, dann schob er die Vorhänge beiseite und blickte hinaus. »Wohnen Sie gern mitten in der Stadt?«

Sarah zog eine Schere aus der Schublade und schnitt die Rosen an. »Ja, aber ich sage Ihnen, das Nachtleben hier hält mich ständig in Atem! Diese Horden von Menschen, die kreischend und prügelnd bis zum Morgengrauen durch die Straßen ziehen! Ein Wunder, dass ich überhaupt ein Auge zutun kann!«

Miles lachte.

Sarah arrangierte die Blumen sorgfältig in der Vase. »Ich lebe zum ersten Mal in einem Ort, wo die Leute um neun im Bett sind. Sobald die Sonne untergeht, kommt man sich vor wie in einer Geisterstadt. Aber das erleichtert Ihnen sicher den Job, oder?«

»Ehrlich gesagt, betrifft es mich kaum. Abgesehen von Räumungsbefehlen endet meine Zuständigkeit an der Stadtgrenze. In der Regel arbeite ich auf dem Land.«

»*Sie* stellen also die Geschwindigkeitsfallen auf, für die der Süden so berühmt ist?«, neckte sie.

Miles schüttelte den Kopf. »Nein, das auch nicht. Dafür ist die Verkehrspolizei zuständig.«

»Das heißt also, im Grunde tun Sie überhaupt nicht viel …«

»Genau«, stimmte er zu. »Abgesehen vom Lehrerdasein kann ich mir keinen Beruf vorstellen, der leichter und anspruchsloser ist.«

Sarah lachte, während sie die Vase in die Mitte der Anrichte schob. »Sie sind wunderschön. Vielen Dank.« Dann griff sie nach ihrer Handtasche. »Und wohin gehen wir?«

»Nur um die Ecke. Ins Harvey Mansion. Oh, und es ist

etwas kühl draußen, Sie sollten lieber eine Jacke überziehen«, sagte Miles mit einem Blick auf ihr ärmelloses Kleid.

Sarah trat an den Schrank, erinnerte sich an die Worte ihrer Mutter und wünschte, sie hätte sie nicht gehört. Sie hasste es, zu frieren – und sie fror sehr leicht –, doch statt das *»große grüne Monstrum«* vom Bügel zu nehmen, in dem sie es warm haben würde, zog sie eine dünne Jacke hervor, die zu ihrem Kleid passte. Ihre Mutter wäre zufrieden. *Schick.* Als Sarah die Jacke überzog, sah Miles sie an, als wolle er etwas sagen.

»Stimmt etwas nicht?«, fragte sie.

»Nun ja, es ist wirklich kalt draußen. Wollen Sie nicht etwas Wärmeres anziehen?«

»Sie hätten nichts dagegen?«

»Warum sollte ich?«

Erleichtert holte sie das *»große grüne Monstrum«* heraus, und Miles half ihr hineinzuschlüpfen. Kurz darauf hatte sie die Wohnungstür hinter sich abgeschlossen, und sie gingen die Treppe hinunter. Sobald Sarah ins Freie trat, spürte sie die kühle Luft auf den Wangen und vergrub instinktiv die Hände in den Jackentaschen.

»Finden Sie nicht, dass es für die andere Jacke zu kühl gewesen wäre?«

»Auf jeden Fall«, erwiderte sie, dankbar lächelnd. »Aber diese passt nicht zu meinem Kleid.«

»Mir ist es lieber, wenn Ihnen warm ist. Außerdem steht Ihnen diese Jacke auch gut.«

Sarah hätte Miles küssen können. *Da siehst du's, Mom!*

Sie gingen die Straße entlang, und nach wenigen Schritten zog Sarah spontan eine Hand aus der Tasche und hakte sich bei Miles ein.

»So«, sagte sie, »und jetzt erzähle ich Ihnen von meiner Mutter.«

Wenig später am Tisch konnte Miles sich ein Lachen nicht verkneifen. »Das hört sich alles sehr komisch an.«

»Sie haben gut reden. Ihre Mutter ist sie nicht.«

»Das ist eben ihre Art zu zeigen, dass sie Sie liebt.«

»Ich weiß. Aber es wäre leichter, wenn sie sich nicht dauernd um mich sorgen würde. Manchmal kommt es mir vor, als wollte sie mich damit absichtlich auf die Palme bringen.«

Trotz ihres offenkundigen Ärgers sah Sarah im Schein der flackernden Kerzen hinreißend aus, fand Miles.

Das Harvey Mansion gehörte zu den angesehensten Restaurants der Stadt. Beim Umbau des Privathauses aus dem Jahre 1790 beschlossen die Besitzer, die Grundmauern möglichst in der ursprünglichen Form stehen zu lassen. Miles und Sarah wurden über eine geschwungene Treppe in einen Raum geführt, der früher als Bibliothek gedient hatte. Er war stilvoll beleuchtet und von mittlerer Größe, mit einem rötlichen Eichenholzparkett und einer einfallsreich verzierten Eisendecke. Über zwei Wände zogen sich Bücherregale aus Mahagoni mit Hunderten von Bänden. An der dritten Wand verbreitete ein Kaminfeuer seinen anheimelnden Schein. Sarah und Miles setzten sich in eine Ecke am Fenster. Es gab nur fünf weitere Tische, und obwohl alle besetzt waren, hörte man lediglich gedämpftes Murmeln.

»Mhmmm ... ich glaube, Sie haben Recht«, sagte Miles. »Ihre Mutter liegt bestimmt nachts wach und denkt sich neue Quälereien für Sie aus.«

»Ich dachte, Sie kennen sie nicht.«

Miles lachte leise. »Wenigstens kümmert sie sich überhaupt um Sie. Ich habe Ihnen ja schon bei unserem ersten Treffen erzählt, dass ich mit meinem Vater kaum noch ein Wort wechsele.«

»Wo lebt er jetzt?«

»Keine Ahnung. Vor zwei Monaten kam eine Postkarte aus Charleston, aber wer weiß, ob er noch dort ist. Gewöhnlich bleibt er nicht lange an einem Ort, er ruft nicht an und kommt selten her. Er hat uns seit Jahren nicht gesehen.«

»Das kann ich mir gar nicht vorstellen.«

»So ist er eben, aber er war auch während meiner Kindheit nicht gerade ein Mustervater. Er konnte die meiste Zeit nicht viel mit uns anfangen.«

»Uns?«

»Mit mir und meiner Mutter.«

»Hat er sie nicht geliebt?«

»Weiß ich nicht.«

»Also …«

»Ich meine es ernst. Sie war schwanger, als sie geheiratet haben, und ich kann wirklich nicht behaupten, dass sie füreinander geschaffen waren. Es ging in ihrer Beziehung immer heiß her – einmal waren sie wahnsinnig verliebt, am nächsten Tag warf sie seine Kleider auf den Rasen und schrie ihn an, er solle sich nie mehr blicken lassen. Und als sie starb, verschwand er, so schnell er konnte. Er kündigte, verkaufte das Haus, kaufte ein Boot und sagte zu mir, er wolle sich die Welt ansehen. Hatte keine Ahnung vom Segeln. Sagte, er würde es mit der Zeit schon lernen, und das stimmt wohl auch.«

Sarah runzelte die Stirn. »Das ist irgendwie merkwürdig …«

»Für ihn nicht. Mich hat es, ehrlich gesagt, auch nicht überrascht, aber man muss ihn kennen, um es zu verstehen.« Miles schüttelte den Kopf.

»Wie ist Ihre Mutter gestorben?«, fragte Sarah sanft.

Sein Gesicht nahm einen verschlossenen Ausdruck an, und Sarah bedauerte ihre Frage sofort. Sie beugte sich vor. »Tut mir Leid – das war unhöflich. Ich hätte nicht fragen sollen …«

»Nein, schon gut«, sagte Miles leise. »Ich habe nichts dagegen – es fällt mir nicht mehr schwer, darüber zu sprechen. Es ist nur schon so lange her, dass jemand nach meiner Mutter gefragt hat.«

Miles trommelte geistesabwesend mit den Fingern auf den Tisch, dann richtete er sich auf. Er sprach nüchtern, als ginge es um eine entfernte Bekannte. Sarah erkannte den Ton – so sprach sie neuerdings über Michael.

»Bei meiner Mutter fing es mit Magenschmerzen an – manchmal konnte sie nachts nicht schlafen. Ganz tief im Inneren wusste sie, wie ernst es war, und als sie schließlich zum Arzt ging, hatte der Krebs schon die Bauchspeicheldrüse und die Leber erfasst. Man konnte nichts mehr tun. Kaum drei Wochen später starb sie.«

»Das tut mir Leid«, sagte Sarah, weil ihr nichts Besseres einfiel.

»Mir auch«, sagte er. »Ich glaube, sie hätte Ihnen gefallen.«

»Ganz bestimmt.«

Sie wurden vom Kellner unterbrochen, der an ihren Tisch trat und die Getränkebestellung aufnahm.

»Was kann man hier gut essen?«, fragte Sarah.

»Eigentlich alles.«

»Keine besonderen Empfehlungen?«

»Ich nehme wahrscheinlich ein Steak.«

»Das überrascht mich nicht.«

Miles blickte von der Karte hoch. »Haben Sie etwas gegen Steaks?«

»Ganz und gar nicht. Ich habe Sie nur einfach nicht als Salat-und-Tofu-Typen eingeschätzt.« Sarah klappte die Speisekarte zu. »Ich dagegen muss auf meine Figur achten.«

»Und was nehmen Sie?«

Sie lächelte. »Ein Steak.«

Miles legte die Karte beiseite. »Jetzt haben wir mein Leben abgehandelt – wie wär's, wenn Sie mir von Ihrem berichten? Wie haben Sie Ihre Kindheit erlebt?«

Sarah legte ihre Speisekarte auf seine.

»Anders als Ihre Eltern waren meine wirklich ein ideales Paar. Wir haben in einer Stadtrandsiedlung von Baltimore gelebt, in einem ganz typischen Haus – vier Schlafzimmer, zwei Badezimmer, Veranda, Blumenbeete und weißer Gartenzaun. Ich bin mit den Nachbarskindern zur Schule gefahren, habe am Wochenende im Garten gespielt und hatte die größte Barbiesammlung im ganzen Viertel. Dad arbeitete von neun bis fünf und trug jeden Tag einen Anzug. Meine Mutter war Hausfrau, und ich habe sie, glaube ich, keinen Tag ohne Schürze gesehen. In unserem Haus roch es immer wie in einer Bäckerei. Sie hat für mich und meinen Bruder jeden Tag Kekse gebacken, und wir aßen sie in der Küche und erzählten Mutter dabei, was wir in der Schule gelernt hatten.«

»Hört sich sehr harmonisch an.«

»Das war es auch. Meine Mom war toll, als wir noch klein waren – eine Mutter, zu der andere Kinder gelaufen kamen, wenn sie sich das Knie aufgeschlagen oder zu Hause Ärger hatten. Erst als mein Bruder und ich älter waren, wurde sie so neurotisch.«

Miles zog die Augenbrauen hoch.

»Hat sie sich tatsächlich geändert oder war sie schon immer neurotisch, und Sie waren nur zu jung, um es zu merken?«

»Sie reden wie Sylvia.«

»Sylvia?«

»Eine Freundin von mir«, erwiderte Sarah ausweichend, »eine gute Freundin.« Miles spürte ihr Unbehagen, ließ sich aber nichts anmerken.

Ihre Getränke kamen, und der Kellner nahm die Bestellung auf. Sobald er weg war, beugte sich Miles vor.

»Was ist Ihr Bruder für ein Mensch?«

»Brian? Er ist ein netter Kerl – und er ist erwachsener als die meisten Menschen, die ich kenne. Aber er ist schüchtern und nicht besonders kontaktfreudig. Ein bisschen introvertiert eben, aber wenn wir zusammen sind, verstehen wir uns auf Anhieb. Das ist einer der Hauptgründe, warum ich hierher gezogen bin. Er hat gerade an der Universität von North Carolina angefangen.«

Miles nickte. »Dann ist er viel jünger als Sie«, sagte er, und Sarah schaute ihn groß an.

»Nicht gerade viel jünger.«

»Doch sicher etliche Jahre. Wie alt sind Sie – vierzig? Fünfundvierzig?«, wiederholte Miles ihre Bemerkung vom ersten Treffen, und Sarah lachte.

»Bei Ihnen muss man ja höllisch aufpassen!«

»Das sagen Sie bestimmt bei jedem Date.«

»Ehrlich gesagt, bin ich nicht mehr in Übung«, gestand sie. »Nach meiner Scheidung bin ich nicht oft ausgegangen.«

Miles setzte sein Glas ab.

»Das kann doch nicht Ihr Ernst sein!«

»Doch.«

»Jemand wie Sie wird doch bestimmt häufig eingeladen.«

»Das bedeutet noch lange nicht, dass ich ja sage.«
»Spielen Sie gern die Spröde?«, neckte Miles.
»Nein«, sagte Sarah leise. »Ich will nur niemanden verletzen.«
»Dann sind Sie eine Herzensbrecherin?«
Sie antwortete nicht gleich, sondern senkte den Blick.
»Nein, ich breche keine Herzen«, sagte sie schließlich. »Meines ist gebrochen worden.«
Ihre Worte erstaunten ihn. Miles suchte nach einer Antwort, doch als er ihr Gesicht sah, schwieg er lieber. Einen Moment lang schien Sarah in ihrer eigenen Welt versunken zu sein. Schließlich lächelte sie Miles fast verlegen an.
»Entschuldigung. Ich bin keine große Stimmungskanone, was?«
»Kein Problem«, erwiderte Miles rasch. Er drückte ihre Hand. »Sie sollten wissen, dass meine Stimmung nicht so leicht zu verderben ist. Wenn Sie mir natürlich Ihren Drink ins Gesicht schütten und mich einen elenden Schuft nennen …«
Sarah musste lachen.
»Damit hätten Sie ein Problem?«, fragte sie, schon wieder ganz entspannt.
»Wahrscheinlich«, antwortete er augenzwinkernd. »Aber sogar das würde ich vielleicht durchgehen lassen – es ist ja schließlich unser erster Abend.«

Es war halb elf, als sie das Restaurant verließen, und beim Hinausgehen wünschte Sarah sich, dass der Abend noch nicht zu Ende wäre. Das Essen war hervorragend gewesen, ihr Gespräch von einer Flasche ausgezeichneten Rotweins beflügelt, und am Ende hatte Miles ihr sogar das Du angeboten. Sie wollte noch mit ihm zusammenbleiben, aber sie war noch nicht bereit, ihn zu sich einzuladen. Hinter ihnen, nur wenige Schritte entfernt, knackte ein Automotor, der gerade abkühlte.
»Würdest du gern noch rüber in die *Taverne* gehen?«, fragte Miles. »Es ist nicht weit.«
Sarah willigte mit einem Nicken ein und zog die Jacke

enger um sich. Gemächlich spazierten sie dicht nebeneinander die Straße entlang. Die Gehwege waren menschenleer, und sie passierten Kunstgalerien, Antiquitätengeschäfte, einen Immobilienmakler, eine Bäckerei und eine Buchhandlung.

»Wo genau ist denn die *Taverne*?«

»Dort entlang«, sagte Miles und deutete nach vorn. »Gleich um die Ecke.«

»Ich habe noch nie davon gehört.«

»Das wundert mich nicht«, sagte er. »Hier treffen sich die Einheimischen, und der Besitzer ist der Meinung, entweder man kennt die Kneipe oder nicht, und wenn nicht, dann gehört man sowieso nicht dazu.«

»Wie kommt er dann über die Runden?«

»Es geht«, sagte Miles geheimnisvoll.

Kurz darauf erreichten sie die Straßenecke. Einige Wagen parkten in der Nähe, sonst gab es kein Lebenszeichen. Nach einigen Häuserblocks blieb Miles am Eingang einer Gasse stehen, die zwischen zwei Gebäuden hindurchführte. Eines davon sah verlassen aus. Etwa zehn Meter weiter baumelte eine nackte Glühbirne über einer Tür.

»Da ist es«, sagte Miles. Sarah zögerte, doch er nahm sie an der Hand und führte sie bis zu dem Licht. Über der mit Nieten beschlagenen Eingangstür stand in Leuchtstift der Name des Etablissements. Von drinnen ertönte Musik.

»Eindrucksvoll«, sagte sie.

»Für dich nur das Beste.«

»Entdecke ich etwa eine Spur Sarkasmus in deinen Worten?«

Das Innere der *Taverne* wirkte ziemlich schäbig, und es roch nach verschimmeltem Holz, aber der Raum war überraschend groß. Vier Billardtische standen im hinteren Teil unter großen Lampenschirmen, die für verschiedene Biersorten warben. An einer Wand befand sich die Bar. Neben dem Eingang stand eine altmodische Jukebox, und etwa ein Dutzend Tische verteilten sich über den Raum. Der Fußboden war aus Beton, und die Holzstühle passten nicht zueinander, aber das schien niemanden zu stören.

Es war brechend voll.

Menschentrauben drängten sich um die Tische und die Bar, alle Billardtische waren umlagert. Zwei stark geschminkte Frauen lehnten an der Jukebox, und ihre in enge Kleider gezwängten Körper wippten zum Rhythmus der Musik. Sie lasen die Songtitel und überlegten sich, was sie als Nächstes hören wollten.

Miles warf Sarah einen amüsierten Blick zu. »Da staunst du, was?«

»Kaum zu glauben. Wie voll es hier ist!«

»Jedes Wochenende.« Er hielt Ausschau nach freien Plätzen. »Da hinten sind Stühle frei«, sagte sie.

»Die sind für Leute, die Poolbillard spielen.«

»Und – willst du spielen?«

»Billard?«

»Warum nicht? Ein Tisch wäre frei. Und dort drüben ist es wahrscheinlich nicht so laut wie hier.«

»Einverstanden. Ich regle das mit dem Barkeeper. Willst du etwas trinken?«

»Ein Coors Light, wenn sie haben.«

»Das haben sie sicher. Wir treffen uns am Tisch, okay?«

Miles bahnte sich mühsam einen Weg an die Bar. Er zwängte sich zwischen zwei Barhocker und hob die Hand, um den Barkeeper auf sich aufmerksam zu machen. Angesichts der vielen Menschen machte er sich auf eine längere Wartezeit gefasst.

In der Kneipe war es warm, und Sarah zog die Jacke aus. Während sie sie unter den Arm klemmte, hörte sie, dass hinter ihr die Tür aufging. Mit einem Blick über die Schulter trat sie beiseite, um zwei Männern Platz zu machen. Der erste, tätowiert und langhaarig, sah regelrecht gefährlich aus, der zweite trug Jeans und ein Polohemd. Er und sein Begleiter unterschieden sich wie Tag und Nacht. Sarah fragte sich, was die beiden wohl gemeinsam hatten.

Bis sie etwas genauer hinschaute und feststellen musste, dass der zweite ihr noch viel unheimlicher war. Etwas in seinem Gesicht und seiner Körperhaltung ließ sie erschauern.

Sie war froh, dass der erste an ihr vorbeiging, ohne sie zur

Kenntnis zu nehmen. Der andere Mann dagegen blieb stehen, und sie spürte seinen Blick auf ihrem Körper.

»Ich habe Sie hier noch nie gesehen. Wie heißen Sie?«, fragte er abrupt. Kühl taxierte er sie von oben bis unten.

»Sylvia«, log sie.

»Kann ich Ihnen etwas zu trinken holen?«

»Nein, danke.« Sie schüttelte den Kopf.

»Wollen Sie sich zu mir und meinem Bruder setzen?«

»Ich bin mit jemandem hier.«

»Ich sehe niemanden.«

»Er ist an der Bar.«

»Komm schon, Otis!«, rief der Tätowierte. Otis ignorierte ihn, den Blick fest auf Sarah geheftet. »Wollen Sie bestimmt nichts trinken, Sylvia?«

»Ganz bestimmt nicht.«

»Warum nicht?«, fragte er. Obwohl er ganz ruhig und höflich sprach, spürte Sarah instinktiv seine unterschwellige Wut.

»Ich habe es Ihnen doch gesagt – ich bin mit jemandem hier.«

»Komm endlich, Otis. Ich habe Durst!«

Otis Timson blickte kurz in Richtung seines Bruders, dann drehte er sich wieder zu Sarah um und lächelte höflich, als befänden sie sich auf einer Cocktailparty und nicht in einer Kneipe. »Ich bin in der Nähe, falls Sie es sich noch anders überlegen, Sylvia«, sagte er verbindlich.

Als er weg war, stieß Sarah die Luft aus und schob sich durch die anderen Gäste zu den Billardtischen, um sich so weit wie möglich von dem Mann zu entfernen. Sie legte ihre Jacke auf einen der unbesetzten Hocker, und kurz darauf erschien Miles mit zwei Bierflaschen. Ein Blick genügte, und er sah, dass etwas passiert war.

»Was ist?«, fragte er und gab ihr die Flasche Coors.

»Irgendein Ekel hat versucht, mich anzumachen. Der Mann war mir richtig unheimlich. Ich hatte ganz vergessen, wie es in solchen Kneipen zugeht.«

Miles Gesicht verfinsterte sich. »Hat er dir etwas getan?«

»Nein, natürlich nicht.«

Er zögerte. »Bist du sicher?«

Sarah sah ihn offen an und erwiderte: »Ja, ich bin sicher.« Gerührt von seiner Besorgnis, stieß sie mit ihrer Flasche leicht gegen seine und zwinkerte ihm zu. »Und was jetzt – soll ich das Dreieck legen oder du?«

Miles zog sein Jackett aus und krempelte die Ärmel hoch. Dann nahm er zwei Queues von einem Wandgestell.

»Die Regeln sind ziemlich einfach«, begann er. »Die Kugeln eins bis sieben sind die Vollen, neun bis fünfzehn die Halben …«

»Ich weiß«, unterbrach Sarah.

Er sah überrascht auf. »Du hast schon mal gespielt?«

»Jeder Mensch hat doch schon mal Billard gespielt!«

Miles reichte ihr das Queue. »Dann können wir ja loslegen. Willst du eröffnen? Oder soll ich?«

»Nein – fang du an.«

Sarah sah zu, wie Miles zum Kopfende des Tisches ging und die Spitze seines Queue mit Kreide einrieb. Dann beugte er sich vor, setzte die Hand auf, zog das Queue zurück und stieß es gekonnt gegen den Pulk.

Ein lautes Klacken ertönte, die Bälle verteilten sich auf dem Tisch, Ball vier rollte auf die Ecke zu und verschwand in einer Tasche. Miles blickte auf.

Sarah bemerkte plötzlich, wie sehr er sich von Michael unterschied. Michael spielte kein Poolbillard, und er hätte Sarah nie an einen solchen Ort mitgenommen. Er hätte sich hier nicht wohlgefühlt und nicht hierher gepasst – so wenig wie Miles in die Welt passte, in der sich Sarah bisher bewegt hatte.

Doch als er jetzt ohne Jackett und in Hemdsärmeln vor ihr stand, musste Sarah sich eingestehen, dass er ihr gefiel. Im Gegensatz zu vielen Männern, die ihre Pizza mit etlichen Flaschen Bier hinunterspülten, war Miles fast schlank. Er hatte eine schmale Taille, sein Bauch war flach, und seine Schultern waren beruhigend breit. Aber darum ging es nicht allein. Etwas in seinen Augen, in seinem Gesicht verriet, was er in den letzten beiden Jahren durchgemacht hatte, und diesen Ausdruck kannte Sarah von ihrem eigenen Spiegelbild.

Die Jukebox verstummte und setzte dann wieder mit *Born in the USA* von Bruce Springsteen ein. Trotz des Deckenventilators war die Luft rauchgeschwängert. Sarah registrierte das dunkle, röhrende Gelächter und die Witze von den Nachbartischen, aber sie ließ Miles nicht aus den Augen, und es kam ihr fast so vor, als wären sie allein. Miles versenkte die nächste Kugel.

Mit geübtem Blick nahm er den Tisch ins Visier. Er trat auf die andere Seite und spielte, aber diesmal verfehlte er sein Ziel. Da Sarah jetzt an der Reihe war, stellte sie ihr Bier ab und nahm ihr Queue. Miles reichte ihr die Kreide.

»Die Neun liegt günstig«, sagte er, zur Ecke weisend. »Direkt vor der Tasche.«

»Das sehe ich«, murmelte sie, kreidete das Leder ein und legte die Kreide dann zur Seite. Sie betrachtete die Kugeln, entschied sich aber nicht gleich für eine Position. Als spüre er ihr Zögern, lehnte Miles sein Queue gegen einen der Hocker.

»Soll ich dir zeigen, wie du deine Hand am besten auf den Tisch legst?«, bot er an.

»Ja, bitte.«

»Gut«, sagte er. »Bilde einen Kreis mit Zeigefinger und Daumen, und stütz die anderen Finger auf den Tisch.« Er machte es ihr vor.

Sie befolgte seine Anweisungen. »So?«, fragte sie.

»Fast ...« Miles trat näher zu ihr, und in dem Augenblick, als er sich leicht gegen sie lehnte, um ihre Hand zu korrigieren, spürte sie, dass etwas ihren Körper wie ein leichter Stromstoß durchzuckte und von ihrem Bauch aus nach allen Seiten ausstrahlte. Miles' Hände waren warm. Trotz der verbrauchten Luft roch Sarah sein Aftershave, eine klare, männliche Duftnote.

»Nein – die Finger noch etwas näher beieinander. Wenn du sie zu sehr spreizt, verlierst du die Kontrolle über den Stoß«, sagte Miles.

»Gut so?«, fragte sie erneut. Es gefiel ihr, ihn so dicht bei sich zu spüren.

»Schon besser«, erwiderte er ernsthaft, nicht ahnend, was in ihr vorging. Er trat einen Schritt zurück. »Und jetzt zieh langsam zurück und versuche, das Queue gerade zu halten, wenn du die Kugel triffst. Denk daran, du brauchst nicht viel Kraft. Der Ball liegt nahe an der Bande, und du willst ja den Filz nicht aufreißen.«

Sarah tat, wie geheißen. Sie spielte einen geraden Stoß, und wie Miles vorausgesagt hatte, fiel die Neun in die Tasche. Die weiße Kugel kam etwa in der Mitte des Tisches zum Stillstand.

»Das ist sehr gut«, sagte er. »Jetzt hast du gute Chancen auf die Vierzehn.«

»Wirklich?«, fragte sie.

»Ja, hier drüben. Mach es einfach noch einmal genauso wie eben.«

Sarah ließ sich Zeit. Nachdem sie die Vierzehn versenkt hatte, kam die Weiße an einer optimalen Position für den nächsten Stoß zum Stillstand. Miles machte große Augen. Sarah schaute ihn an und sehnte sich nach seiner Nähe. »Dieser Stoß lief nicht so glatt wie der letzte. Würdest du es mir noch mal zeigen?«

»Natürlich ... sicher«, erwiderte er sofort. Wieder lehnte Miles sich gegen sie, korrigierte ihre Hand auf dem Tuch, und wieder roch sie sein Aftershave. Erneut war es ein Moment voller Spannung, und diesmal spürte Miles es auch und blieb unnötig lange hinter Sarah stehen. Ihre Berührung war prickelnd wie ein Glas Sekt ... *einfach wundervoll*. Miles holte tief Luft.

»Gut – versuch es jetzt allein«, sagte er und trat abrupt zur Seite.

Mit einem geraden Stoß versenkte Sarah die Elf.

»Ich glaube, jetzt weißt du, wie es geht«, stellte Miles fest und griff nach seinem Bier. Sarah suchte sich die richtige Position für den nächsten Stoß.

Er betrachtete sie fasziniert. Er ließ alles auf sich wirken – ihren anmutigen Gang, die sanften Rundungen ihres Körpers, die märchenhaft glatte Haut. Als Sarah sich die Haare aus dem Gesicht strich, nahm er einen Schluck und fragte sich, warum um alles in der Welt ihr Ex-Mann sie hatte gehen lassen. War er blind gewesen – oder ein Idiot? Vermutlich beides. Eine Sekunde später fiel die Zwölf in die Tasche. Hübscher Rhythmus, dachte Miles und versuchte, sich wieder auf das Spiel zu konzentrieren.

Sarah versenkte die Zehn, die haarscharf an der Bande entlangsauste.

Dann kam die Fünfzehn, für die nur ein leichtes seitliches Effet notwendig war.

Miles lehnte mit übereinander geschlagenen Beinen an der Wand, zwirbelte sein Queue und wartete.

Die Dreizehn verschwand in der Mitteltasche.

Merkwürdig, dass sie noch nicht eine verfehlt hat ...

Die Fünfzehn folgte mit einem Stoß, den man nur als absolut gekonnt bezeichnen konnte, und Miles musste sich beherrschen, um nicht nach dem Zigarettenpäckchen in seiner Jackentasche zu greifen.

Nun war nur noch Nummer Acht übrig, und Sarah richtete sich auf und nahm die Kreide in die Hand. »Und jetzt versuche ich es mit der Acht, in Ordnung?«

Miles verlagerte sein Gewicht. »Ja, aber du musst sagen, in welche Tasche.«

»Okay«, erwiderte sie. Sie ging um den Tisch herum, bis sie Miles den Rücken zuwandte, und deutete mit dem Queue nach vorn. »Ich nehme die Ecktasche da drüben.«

Ein langer Ball mit einem ungünstigen Winkel. Machbar, aber schwer. Sarah beugte sich über den Tisch.

»Pass auf, dass du nicht kratzt«, warnte er. »Sonst gewinne ich.«

»Das wirst du nicht«, murmelte sie unhörbar.

Sarah führte den Stoß aus. Die Acht fiel in die Tasche, und Sarah drehte sich breit grinsend um.

Miles starrte immer noch auf die Ecktasche. »Ein Superstoß«, sagte er ungläubig.

»Anfängerglück«, behauptete sie abwehrend. »Willst du sie diesmal in den Rahmen legen?«

»Ja ... von mir aus«, sagte er unsicher. »Du hast wirklich gut gespielt ...«

»Danke«, erwiderte sie.

Miles trank sein Bier aus, bevor er die Kugeln in die Triangel legte. Er machte den Eröffnungsstoß, versenkte eine Kugel, verfehlte aber die zweite.

Mit einem mitfühlenden Achselzucken lochte Sarah ohne einen einzigen Fehler erneut alle Kugeln ein. Als sie fertig war, starrte Miles sie sprachlos an. Er hatte nach der Hälfte des Spiels das Queue weggelegt und bei der Kellnerin noch zwei Bier bestellt.

»Ich glaube, du hast mich reingelegt«, erklärte er.

»Ich glaube, da hast du Recht«, sagte sie und trat auf ihn zu. »Wenigstens haben wir nicht gewettet. Sonst hätte ich's nicht so leicht ausgehen lassen.«

Miles schüttelte verblüfft den Kopf. »Wo hast du das gelernt?«

»Von meinem Dad. Wir hatten immer einen Billardtisch zu Hause. Wir beide haben oft gespielt.«

»Warum hast du dann zugelassen, dass ich dir die Handstellung zeige und mich zum Narren mache?«

»Ach ... du warst so eifrig, ich wollte dich nicht verletzen.«

»Oh, wie reizend.« Er gab ihr das Bier, und als sie es nahm, berührten sich ihre Finger leicht. Miles schluckte.

Sie ist so hübsch, verdammt noch mal!

Durch eine Bewegung hinter sich wurde Miles aus seinen Betrachtungen gerissen und drehte sich um.

»Na, wie geht's uns so, Deputy Ryan?«

Als Miles Otis Timsons Stimme hörte, spannte er automatisch die Muskeln an. Otis' Bruder stand mit glasigen Augen daneben und hielt sich an seiner Bierflasche fest. Otis salutierte spöttisch vor Sarah, und sie trat einen Schritt von ihm weg auf Miles zu.

»Und wie geht es *Ihnen*? Schön, Sie wiederzusehen.«

Miles folgte Otis' Blick zu Sarah.

»Das ist der, von dem ich dir vorhin erzählt habe.«

Otis hob die Augenbrauen, gab aber keinen Kommentar ab.

»Was zum Teufel wollen Sie von mir, Otis?«, fragte Miles argwöhnisch, weil er sich an Charlies Worte erinnerte.

»Ich will überhaupt nichts«, antwortete Otis. »Ich will nur hallo sagen.«

Miles wandte sich Sarah zu. »Willst du an die Bar gehen?«

»Gern«, stimmte sie zu.

»Ja, geht nur. Ich will euch euer Stelldichein nicht verderben«, sagte Otis. »Sie haben sich wirklich eine nette Kleine aufgegabelt«, fügte er hinzu. »Sieht ganz so aus, als hätten Sie wieder jemanden gefunden.«

Miles zuckte zusammen, und Sarah merkte, wie sehr ihn dieser Satz getroffen hatte. Miles öffnete den Mund, aber er schwieg. Seine Hände ballten sich zu Fäusten, doch dann holte er tief Luft und wandte sich demonstrativ Sarah zu.

»Gehen wir.« In seiner Stimme schwang eine Erbitterung mit, die sie an ihm nicht kannte.

»Ach, übrigens ...«, begann Otis erneut. »Diese Sache mit Harvey ... Keine Sorge. Ich habe ihn gebeten, Sie nicht zu hart ranzunehmen.«

Spannung lag in der Luft, und allmählich hatten einige Leute einen Kreis um sie gebildet. Miles sah Otis starr in die Augen, und dieser erwiderte den Blick regungslos. Otis' Bruder stand dicht neben ihnen, als hielte er sich bereit, Miles zu attackieren.

»Lass uns gehen«, bat Sarah eindringlich. Sie fasste Miles am Arm. »Komm ... bitte, Miles«, beschwor sie ihn.

Das genügte, um ihn abzulenken. Sarah schnappte sich beide Jacken, klemmte sie sich unter den Arm und zog Miles durch das Getümmel. Die Leute machten ihnen Platz, und kurz darauf standen sie im Freien. Miles schüttelte Sarahs Hand ab, immer noch wütend auf Otis und wütend auf sich selbst, dass er beinahe die Beherrschung verloren hätte. Er stürmte aus der Gasse auf die Hauptstraße. Sarah folgte ihm in mehreren Schritten Abstand und blieb schließlich stehen, um ihre Jacke anzuziehen.

»Miles ... warte doch ...«

Es dauerte etwas, bis er reagierte, dann jedoch blieb er stehen und sah zu Boden. Als sie ihn eingeholt hatte und ihm sein Jackett hinhielt, schien er sie gar nicht wahrzunehmen.

»Es tut mir alles so Leid«, sagte er, unfähig, ihr in die Augen zu sehen.

»Du hast doch nichts getan, Miles«, wehrte sie ab. Als er nicht antwortete, trat Sarah näher an ihn heran. »Alles in Ordnung?«, fragte sie leise.

»Ja, ja, alles in Ordnung.« Er sprach so leise, dass sie ihn kaum verstand. Einen Moment lang sah er genauso aus wie Jonah, wenn sie ihm zu viele Hausaufgaben gab.

Auf der Straße rollte langsam ein Auto vorbei. Eine Zigarette segelte aus dem Fenster und landete im Rinnstein. Es war kälter geworden, zu kalt, um auf der Stelle zu stehen, und Miles zog sein Jackett an. Wortlos gingen sie nebeneinander her. An der Ecke brach Sarah das Schweigen.

»Kann ich dich fragen, worum es ging?«

Miles hob die Schultern.

»Das ist eine lange Geschichte.«

»Das ist meistens so.«

Ihre Schritte durchbrachen als einzige Geräusche die Stille der Nacht.

»Wir hatten schon häufiger miteinander zu tun«, erklärte Miles endlich. »Auf unerfreuliche Weise.«

»Das war mir schon klar«, sagte Sarah. »Ich bin nicht dumm, weißt du.«

Miles antwortete nicht.

»Hör mal, wenn du lieber nicht darüber reden möchtest ...«

Sie ermöglichte ihm den Rückzug, und Miles hätte ihn fast angetreten. Doch dann steckte er die Hände in die Hosentaschen und schloss sekundenlang die Augen. Kurz darauf erzählte er ihr alles – von den vielen Verhaftungen, dem Vandalismus an seinem Haus, der Narbe auf Jonahs Wange – und kam schließlich zur letzten Verhaftung und Charlies Warnung. Während er sprach, durchquerten sie auf gewundenen Straßen den Stadtkern, spazierten an den geschlossenen Geschäften und der Episkopalkirche vorbei und erreichten schließlich die Front Street und den Park am Union Point. Sarah hörte die ganze Zeit über still zu. Als Miles fertig war, sah sie zu ihm hoch.

»Tut mir Leid, dass ich dich vorhin zurückgehalten habe«, sagte sie ruhig. »Du hättest ihn zu Brei schlagen sollen.«

»Nein – ich bin froh, dass du das gemacht hast. Er ist es nicht wert.«

Sie passierten das Gebäude des ehemaligen Frauenclubs, einst ein malerischer Treffpunkt, doch nun seit langem schon verlassen. Jahrelange Überschwemmungen durch die Neuse hatten das Haus unbewohnbar gemacht. Nur Vögel und andere Tiere hielten sich darin auf.

Miles und Sarah näherten sich dem Ufer, blieben stehen und blickten auf die teerfarbenen Fluten. Wasser schwappte in gleichmäßigem Rhythmus gegen den Mergel an der Uferböschung.

»Erzähl mir von Missy«, bat sie, die Stille durchbrechend, die sich über sie gesenkt hatte.

»Missy?«

»Ich möchte gern wissen, wie sie war«, erklärte Sarah offen. »Sie ist ein großer Teil dessen, was du bist, aber ich weiß nichts über sie.«

Miles schüttelte den Kopf. »Ich wüsste nicht, wo ich anfangen soll.«

»Dann sag mir ... was fehlt dir am meisten?«

Jenseits des Flusses, etwa einen Kilometer entfernt, blinkten Lampen, die wie Glühwürmchen in heißen Sommernächten in der Luft zu schweben schienen.

»Sie fehlt mir überall«, sagte er. »Wenn ich nach der Arbeit heimkomme, wenn ich aufwache oder sie in der Küche oder im Garten sehe – überall. Auch wenn wir nicht viel Zeit füreinander hatten, gab es mir ein gutes Gefühl, dass sie da war, wenn ich sie brauchte. Wir waren lange genug verheiratet und hatten die typischen Phasen hinter uns, die Ehepaare durchlaufen – gute wie schlechte, und wir hatten uns wunderbar zusammengerauft. Wir waren ja noch Kinder, als unsere Partnerschaft begann, und wir kannten Paare, die etwa zur selben Zeit geheiratet hatten wie wir. Doch nach zehn Jahren waren viele von unseren Freunden geschieden, und manche hatten schon wieder geheiratet.« Er wandte sich Sarah zu. »Aber wir hatten es geschafft, verstehst du? Wenn ich zurückschaue, bin ich stolz darauf, weil ich weiß, wie selten das ist. Ich habe nie bereut, dass ich sie geheiratet habe. Nie.«

Miles räusperte sich.

»Wir konnten stundenlang über alles reden. Oder gemeinsam schweigen. Sie liebte Bücher und hat mir die Geschichten erzählt, die sie gerade las, und sie machte das so interessant, dass ich Lust bekam, sie auch zu lesen. Sie las oft vor dem Einschlafen, und manchmal wachte ich mitten in der Nacht auf, und sie schlief, das Buch auf dem Nachttisch und die Lampe noch an. Ich musste aufstehen und sie ausknipsen. Das passierte häufiger, nachdem Jonah geboren war – Missy war ständig müde, aber sie machte kein Drama daraus. Sie war eine wunderbare Mutter. Ich weiß noch, wie Jonah laufen lernte. Er war ungefähr sieben Monate alt, das war viel zu früh … ich meine, er konnte noch nicht mal krabbeln, aber er wollte unbedingt laufen. Wochenlang ging sie vornüber gebeugt durch das Haus, damit er sich an ihren Fingern festhalten konnte. Abends hatte sie so verkrampfte Muskeln, dass sie sich am nächsten Tag kaum rühren konnte. Es sei denn, ich massierte sie abends. Aber weißt du …«

Miles verstummte und blickte Sarah in die Augen.

»… sie hat sich nie beklagt. Ich glaube, sie war dafür geschaffen. Sie hat immer gesagt, dass sie vier Kinder will, aber nach Jonah habe ich mir Ausreden ausgedacht, warum es nicht der richtige Zeitpunkt für ein weiteres Kind sei, bis sie schließlich energisch wurde. Sie wollte, dass Jonah Geschwister hat, und das hat mich überzeugt. Ich weiß aus Erfahrung, wie schwer man es als Einzelkind hat, und ich wünschte, ich hätte früher auf sie gehört. Wegen Jonah, meine ich.«

Sarah schluckte und drückte mitfühlend Miles' Arm. »Sie muss eine wunderbare Frau gewesen sein.«

Auf dem Fluss kämpfte sich ein Schlepper mit brummenden Motoren Meter um Meter vorwärts. Als der Wind die Richtung wechselte, stieg Miles der kaum wahrnehmbare Duft von Sarahs Honigshampoo in die Nase.

Eine Weile standen sie in freundschaftlichem Schweigen nebeneinander, von der Gegenwart des anderen wie von einer tröstlichen, warmen Decke umhüllt.

Es war spät geworden. Zeit, den Abend zu beenden. So

sehr Miles sich auch wünschte, er würde immer weitergehen … Doch Mrs. Knowlson erwartete ihn um Mitternacht zu Hause.

»Wir sollten zurückgehen«, sagte er.

Fünf Minuten später, vor ihrem Haus, ließ Sarah seinen Arm los, damit sie den Schlüssel suchen konnte.

»Es war ein sehr schöner Abend«, sagte sie.

»Das finde ich auch.«

»Sehe ich dich morgen?«

Es dauerte einen Moment, bis ihm einfiel, dass sie zu Jonahs Spiel kommen wollte. »Vergiss nicht – es fängt um neun an.«

»Weißt du, auf welchem Spielfeld?«

»Keine Ahnung, aber wir sind schon vorher da. Ich halte nach dir Ausschau.«

In der kurzen Gesprächspause, die folgte, erwartete Sarah, dass Miles sie küssen würde, aber überraschenderweise trat er einen Schritt zurück.

»Also dann … ich muss jetzt los.«

»Ich weiß«, sagte sie, froh und enttäuscht zugleich. »Fahr vorsichtig.«

Während er auf den kleinen silbernen Pickup zusteuerte, die Tür aufschloss und sich hinter das Steuerrad setzte, sah Sarah ihm nach. Er winkte noch einmal, dann ließ er den Motor an.

Noch lange, nachdem er außer Sicht war, stand sie auf dem Gehweg.

Kapitel 12

Am nächsten Morgen schaffte es Sarah gerade noch rechtzeitig vor dem Anpfiff zu Jonahs Spiel. In Jeans und Stiefeln, einem dicken Rollkragenpulli und mit Sonnenbrille stand sie zwischen den aufgeregten Eltern.

Jonah, der mit einer Gruppe von Freunden kickte, sah sie von weitem und kam auf sie zugerannt. Er umarmte sie, fasste sie an der Hand und zog sie zu Miles.

»Guck mal, wen ich gefunden habe, Dad«, sagte er atemlos. »Ms. Andrews ist hier.«

»Das sehe ich«, antwortete Miles und verwuschelte Jonah die Haare.

»Sie hat so allein ausgesehen«, erklärte Jonah. »Da hab ich sie geholt.«

»Was täte ich nur ohne dich, Chef!« Er blickte zu Sarah hinüber.

Du bist schön und bezaubernd, und ich muss unaufhörlich an gestern Abend denken.

Nein, das brachte er nicht über die Lippen. Nicht wortwörtlich jedenfalls. Was Sarah zu hören bekam, war: »Hey, wie geht's dir?«

»Gut«, antwortete sie. »Es ist allerdings noch ziemlich früh für einen Samstag. Kommt mir vor, als müsste ich gleich zur Schule.«

Miles bemerkte, dass sich die Mannschaften sammelten, und er ergriff die Gelegenheit, Sarahs Blick auszuweichen. »Jonah, ich glaube, dein Trainer ist gerade gekommen ...«

Jonah wirbelte herum und verfing sich vor lauter Eile in seinem Sweatshirt, bis Miles ihm half, es auszuziehen. Als er es geschafft hatte, klemmte Miles den Pulli unter den Arm.

»Wo ist mein Ball?«

»Habt ihr nicht gerade damit gekickt?«

»Stimmt.«

»Und wo ist er dann?«

»Weiß ich nicht.«

Miles ließ sich auf ein Knie hinunter und steckte Jonah das Trikot in die Hose. »Wir finden ihn später. Ich glaube, du brauchst ihn jetzt sowieso nicht.«

»Aber der Trainer hat gesagt, wir sollen einen zum Aufwärmen mitbringen …«

»Dann leih dir einen aus.«

Endlich rannte Jonah auf seine Mannschaft zu. Sarah hatte die kleine Szene mit einem belustigten Lächeln verfolgt.

Miles deutete auf die Tasche. »Willst du einen Kaffee? Ich habe eine Thermosflasche mitgebracht.«

»Nein, danke. Ich habe gerade Tee getrunken.«

»Kräutertee?«

»Nein, Earl Grey.«

»Mit Toast und Marmelade?«

»Nein, mit Müsli. Warum?«

Miles zuckte mit den Schultern. »Ich bin nur neugierig.«

Ein Pfiff ertönte, und die Mannschaften liefen aufs Spielfeld.

»Kann ich dich etwas fragen?«

»Solange es nicht um mein Frühstück geht«, konterte sie.

»Es klingt vielleicht merkwürdig.«

»Was für eine Überraschung.«

Miles räusperte sich.

»Ähm, ich würde nur gern wissen, ob du dir nach dem Duschen ein Handtuch um den Kopf wickelst.«

Sarah blieb der Mund offen stehen. »Wie bitte?«

»Du weißt schon … Wickelst du dir ein Handtuch um den Kopf, oder föhnst du dir gleich die Haare?«

Sie musterte ihn verwundert. »Du bist wirklich ein komischer Kauz.«

»So sagt man, ja.«

»Wer sagt das?«

»Die anderen.«

»Aha.«

Noch ein Pfiff, und das Spiel begann.

»Also … machst du's?«

»Ja«, antwortete sie mit einem verwunderten Lachen. »Ich wickle mir ein Handtuch um den Kopf.«

Miles nickte zufrieden. »Das hab ich mir gedacht.«

»Hast du schon mal dran gedacht, weniger Kaffee zu trinken?«

Miles schüttelte den Kopf. »Nie.«

»Solltest du aber.«

Er nahm einen Schluck, um seine Freude zu verbergen. »Ich glaube, ich weiß, was du meinst.«

Vierzig Minuten später war das Spiel vorbei, und trotz Jonahs Einsatz hatte seine Mannschaft verloren. Die Jungen wirkten jedoch nicht sehr niedergeschlagen. Jonah klatschte die anderen Spieler ab und rannte mit seinem Freund Mark im Schlepptau auf seinen Vater zu.

»Ihr zwei habt prima gespielt«, versicherte Miles den beiden Jungen.

Sie bedankten sich, doch sie waren mit den Gedanken offenbar schon woanders. Jonah zupfte seinen Vater am Pullover.

»Dad?«

»Ja?«

»Mark fragt, ob ich heute Abend bei ihm schlafen darf.«

Miles sah Mark an. »Ist das in Ordnung?«

Mark nickte. »Meine Mom ist einverstanden, aber Sie können mit ihr reden, wenn Sie wollen. Sie ist da drüben. Zach kommt auch.«

»Oh bitte, Dad! Ich räum auch zu Hause gleich mein Zimmer auf«, bettelte Jonah. »Und ich helf dir beim Putzen.«

Miles zögerte. Natürlich hatte er im Grunde nichts dagegen, doch das Haus war so leer ohne Jonah. »Also gut – wenn du unbedingt willst …«

Jonah unterbrach ihn aufgeregt: »Danke, Dad! Du bist der Größte.«

»Danke, Mr. Ryan«, schloss Mark sich an. »Komm, Jonah, wir sagen meiner Mom, dass es klar geht.«

Sie liefen schubsend und lachend durch die Zuschauer. Miles drehte sich zu Sarah um, die den Jungen nachblickte.

»Man hat wirklich den Eindruck, dass es ihn ziemlich fertig macht, wenn er heute Abend nicht bei mir ist.«

»Er wirkt völlig verstört«, pflichtete Sarah bei.

»Wir wollten uns eigentlich ein Video ausleihen.«

Sarah zuckte die Achseln. »Es muss schrecklich sein, so abserviert zu werden.«

Miles lachte. Er war hingerissen von ihr, kein Zweifel. »Ja ... da ich nun schon allein bin und so ...«

»Ja?«

»Ich meine ...«

Sie hob die Augenbrauen und warf ihm einen verschmitzten Blick zu. »Willst du mich wieder nach dem Ventilator fragen?«

Miles grinste. Das würde sie ihn nie vergessen lassen. »Wenn du nichts anderes vorhast ...«, begann er erneut.

»Was hattest du denn im Sinn?«

»Kein Billard, so viel ist sicher.«

Sarah lachte. »Wie wäre es, wenn ich dich zum Essen einlade?«

»Zu Tee und Müsli?«, warf er ein.

Sie nickte. »Natürlich. Und ich verspreche, ich schlinge mir ein Handtuch um den Kopf.«

Miles lachte. Das hatte er nicht verdient. Wirklich nicht.

»Hey, Dad?«

Miles schob die Baseballkappe aus der Stirn und sah auf. Sie waren im Garten und harkten das erste Herbstlaub zusammen. »Ja?«

»Tut mir Leid wegen dem Video heute Abend. Ich hatte es ganz vergessen. Bist du deshalb sauer?«

Miles lächelte. »Nein, ich bin überhaupt nicht sauer.«

»Leihst du trotzdem eins aus?«

Miles schüttelte den Kopf. »Wahrscheinlich nicht.« »Und was machst du dann?«

Er stellte den Rechen weg und wischte sich mit dem Handrücken die Stirn.

»Ich werde heute Abend wahrscheinlich Ms. Andrews treffen.«

»Schon wieder?«

Miles fragte sich, wie viel er preisgeben sollte.

»Wir hatten gestern einen schönen Abend.«

»Was habt ihr gemacht?«

»Wir waren essen. Haben geredet und sind spazieren gegangen.«

»Das ist alles?«

»So ungefähr.«

»Das klingt aber langweilig.«

»Man muss es selbst erleben.«

Darüber dachte Jonah kurz nach.

»Ist das heute wieder eine Verabredung?«

»Ja, ich glaube schon.«

»Oh«, sagte Jonah. Er sah zur Seite. »Das bedeutet, du magst sie, oder?«

Miles kauerte sich hin, bis er auf Jonahs Augenhöhe war. »Wir sind nur Freunde, mehr nicht.«

Jonah sagte nichts. Miles nahm ihn in die Arme und drückte ihn an sich. »Ich hab dich lieb, Jonah«, sagte er.

»Ich dich auch, Dad.«

»Du bist ein guter Junge.«

»Ich weiß.«

Miles lachte und stand auf. Er griff nach dem Rechen.

»Hey, Dad?«

»Ja?«

»Ich hab langsam Hunger.«

»Was willst du essen?«

»Können wir zu McDonald's gehen?«

»Sicher. Wir waren lange nicht mehr da.«

»Krieg ich ein Happy Meal?«

»Bist du nicht ein bisschen zu alt dafür?«

»Ich bin doch erst acht, Dad.«

»Ach, richtig«, sagte Miles, als wäre es ihm entfallen. »Komm, wir gehen rein und waschen uns die Hände.«

Auf dem Weg zum Haus legte er Jonah den Arm um die Schulter. Jonah sah zu ihm hoch.

»Dad?«

»Ja?«

Jonah ging ein paar Schritte weiter. »Es ist okay, wenn du Ms. Andrews magst.«

»So?«, sagte Miles überrascht.

»Ja«, antwortete Jonah ernsthaft. »Weil ich glaube, dass sie dich auch mag.«

Die Gefühle zwischen ihnen wurden immer stärker, je häufiger sie sich sahen.

Im Oktober gingen Miles und Sarah gut ein Dutzend Mal miteinander aus, und er sah sie weiterhin nach der Schule. Sie redeten stundenlang, und er nahm inzwischen ihre Hand, wenn sie spazieren gingen. Doch auch wenn dies bisher ihr einziger körperlicher Kontakt war, spürten beide gegenseitig eine heftige erotische Anziehungskraft.

In der Woche vor Halloween – nach dem letzten Fußballspiel der Saison – fragte Miles Sarah, ob sie am Abend mit zur Geistertour kommen wolle. Mark hatte Geburtstag, und Jonah übernachtete bei ihm.

»Was ist das?«, fragte sie.

»Man besucht die historischen Gebäude der Stadt und hört sich Geistergeschichten an.«

»So wird Halloween in einer Kleinstadt begangen?«

»Entweder so, oder wir sitzen auf der Veranda, kauen Tabak und spielen Banjo.«

Sarah lachte. »Dann doch lieber Nummer eins.«

»Hab ich mir gedacht. Soll ich dich um sieben abholen?«

»Ich kann's kaum erwarten. Und danach essen wir bei mir?«

»Mit Vergnügen. Aber weißt du, wenn du mir ständig Essen kochst, werde ich noch ein verwöhnter Nichtsnutz.«

»Das macht nichts«, sagte sie. »Ein bisschen Verwöhntwerden hat noch niemandem geschadet.«

Kapitel 13

Ich wüsste gerne, was dir vom Großstadtleben am meisten fehlt«, begann Miles, als sie am Abend Sarahs Haus verließen.

»Galerien, Museen, Konzerte. Restaurants, die nach neun Uhr noch offen sind.«

Miles lachte. »Aber was davon vermisst du am meisten?«

Sarah hakte sich bei ihm ein.

»Die Bistros. Du weißt schon – die kleinen Cafés, in denen ich draußen sitzen und meinen Tee trinken und die Sonntagszeitung lesen konnte. Es war schön, dass es mitten in der Innenstadt welche gab. Wie kleine Oasen im Getriebe. Die Passanten auf der Straße sahen nämlich immer aus, als müssten sie dringend irgendwo hin.«

Sie gingen schweigend nebeneinander her.

»Du weißt, dass du das hier auch haben kannst?«, nahm Miles den Faden wieder auf.

»Tatsächlich?«

»Ja. Auf der Broad Street gibt es so was.«

»Das habe ich noch nie gesehen.«

»Nun ja, es ist nicht direkt ein Bistro.«

»Was dann?«

Er zuckte die Achseln. »Eine Tankstelle, aber davor steht eine hübsche Bank, und wenn du deinen eigenen Teebeutel mitbringst, brühen sie dir bestimmt eine Tasse heißes Wasser auf.«

Sarah kicherte. »Klingt verlockend.«

Beim Überqueren der Straße gerieten sie hinter eine Gruppe von Menschen, die offensichtlich aktiv an den Festlichkeiten teilnahmen. Sie trugen historische Kostüme und sahen aus, als kämen sie direkt aus dem 18. Jahrhundert –

die Frauen hatten dicke, schwere Röcke an, die Männer schwarze Hosen und hohe Stiefel, und alle trugen hohe Krägen und breitkrempige Hüte. An der Ecke teilten sie sich in zwei Gruppen, die in entgegengesetzte Richtungen weitergingen. Miles und Sarah folgten der kleineren Gruppe.

»Du hast immer hier gelebt, nicht wahr?«, fragte Sarah.

»Ja, abgesehen von den Jahren auf dem College.«

»Wolltest du nie wegziehen? Etwas Neues erleben?«

»Wie Bistros?«

Sie stieß ihm spielerisch den Ellenbogen in die Rippen. »Nein, nicht nur das. Großstädte haben einen pulsierenden Rhythmus, eine erregende Atmosphäre, die in einer Kleinstadt fehlt.«

»Das bezweifle ich nicht. Aber um ehrlich zu sein, hat mich das nie interessiert. Ich brauche es nicht, um glücklich zu sein. Ein netter Ort, an dem man sich abends entspannen kann, eine schöne Gegend, ein paar gute Freunde ... Was braucht man mehr?«

»Wie war es, hier aufzuwachsen?«

»Hast du je die Andy-Griffith-Show gesehen? Diese Serie, die in Mayberry spielt?«

»Natürlich.«

»So ungefähr war es. New Bern ist nicht ganz so winzig, aber es hatte diese Kleinstadtatmosphäre, verstehst du? Man fühlte sich sicher. Als ich noch klein war – sieben oder acht Jahre – ging ich mit meinen Freunden angeln oder stromerte bis zum Abendessen draußen herum. Meine Eltern machten sich überhaupt keine Sorgen, weil das nicht nötig war. Manchmal haben wir über Nacht am Fluss gezeltet, und uns wäre nie im Leben der Gedanke gekommen, dass uns etwas passieren könnte. Ich bin in großer Freiheit aufgewachsen, und ich möchte, dass Jonah diese Chance auch hat.«

»Du würdest Jonah über Nacht am Fluss zelten lassen?«

»Auf keinen Fall«, sagte Miles. »Die Zeiten haben sich geändert, selbst in New Bern.«

An der Straßenkreuzung hielt ein Auto. Vor ihnen schlenderten kleine Grüppchen von Menschen zwischen den verschiedenen Gebäuden umher.

»Wir sind doch Freunde, oder?«, fragte Miles.
»Wenn es nach mir geht, ja.«
»Darf ich dich etwas fragen?«
»Das kommt darauf an.«
»Wie war dein Ex-Mann?«
Sarah sah ihn verdutzt an. »Mein Ex-Mann?«
»Das beschäftigt mich schon lange. Du hast ihn noch nie erwähnt.«
Sie schwieg und schien plötzlich sehr am Straßenbelag interessiert.
»Du musst nicht antworten, wenn du nicht willst«, sagte Miles. »Allerdings würde das meine Meinung über ihn nicht ändern.«
»Und welche Meinung ist das?«
»Ich mag ihn nicht.«
Sarah lachte. »Wie kommst du darauf?«
»Weil *du* ihn nicht magst.«
»Du bist ziemlich scharfsinnig.«
»Deshalb bin ich ja auch ein Gesetzeshüter.« Miles tippte sich an Schläfe und zwinkerte Sarah zu. »Ich entdecke Hinweise, die andere Leute übersehen.«
Sie lächelte und drückte liebevoll seinen Arm. »Also gut … mein Ex-Mann. Sein Name ist Michael Andrews, und wir haben uns gleich nach seinem BWL-Examen kennen gelernt. Wir waren drei Jahre verheiratet. Er ist reich, gebildet und gut aussehend …« Sie zählte sämtliche Qualitäten der Reihe nach auf, und als sie schwieg, nickte Miles.
»Mhmm. Ich verstehe, warum du den Typ nicht magst.«
»Du hast mich nicht ausreden lassen.«
»Kommt noch mehr?«
»Willst du es jetzt hören oder nicht?«
»Entschuldigung. Sprich weiter.«
Sie zögerte einen Moment.
»In den ersten Jahren waren wir glücklich. Zumindest *ich* war es. Wir hatten eine schöne Wohnung, wir verbrachten unsere Freizeit zusammen, und ich hatte das Gefühl, ihn gut zu kennen. Aber ich kannte ihn nicht. Nicht richtig jedenfalls. Am Ende haben wir die ganze Zeit gestritten und kaum

noch miteinander gesprochen, und … und es hat eben nicht funktioniert«, schloss sie abrupt.

»Einfach so?«

»Einfach so.«

»Triffst du ihn noch?«

»Nein.«

»Würdest du ihn denn gern sehen?«

»Nein.«

»So schlimm war es?«

»Noch schlimmer.«

»Tut mir Leid, dass ich davon angefangen habe.«

»Es braucht dir nicht Leid zu tun. Ohne ihn geht's mir besser.«

»Wann hast du gewusst, dass es vorbei war?«

»Als er mir die Scheidungspapiere zukommen ließ.«

»Du hattest vorher keine Ahnung von seinen Absichten?«

»Nein.«

»Ich wusste doch, dass ich ihn nicht mag.« Und er wusste zudem, dass Sarah ihm nicht alles erzählt hatte.

Sie lächelte anerkennend. »Vielleicht verstehen wir uns deshalb so gut. Wir sehen vieles auf dieselbe Weise.«

»Abgesehen von den Vorzügen des Kleinstadtlebens, oder?«

»Ich habe nie gesagt, dass es mir hier nicht gefällt.«

»Könntest du dir vorstellen, für immer hier zu leben? Komm schon – du musst doch zugeben, es ist nett hier.«

»Ist es auch. Das habe ich nie bestritten.«

»Aber nichts für dich? Auf lange Sicht, meine ich?«

»Das kommt darauf an.«

»Worauf?«

Sarah lächelte ihn an. »Welchen Grund ich zum Bleiben hätte.«

Diese Worte ließen sich für ihn nur auf zwei Arten interpretieren: als Einladung oder als Versprechen.

Der Mond stieg langsam am Abendhimmel auf, leuchtete erst gelb, dann orangefarben über dem Dachfirst des Travis-Banner-Hauses, ihrer ersten Station auf der Geistertour. Es war ein altes, zweistöckiges, viktorianisches Gebäude, umgeben von einer Veranda, die dringend gestrichen werden musste. Dort hatte sich eine kleine Menschenmenge um zwei als Hexen verkleidete Frauen versammelt, die in einem großen Kessel rührten und Apfelcider verteilten. Sie gaben vor, den ersten Besitzer des Hauses heraufzubeschwören, der angeblich beim Holzfällen durch einen Unfall enthauptet worden war. Die Haustür stand offen. Von innen drangen Geräusche wie aus einer Geisterbahn – schrilles Kreischen, quietschende Türen, seltsames Poltern und gackerndes Gelächter. Plötzlich senkten die beiden Hexen den Kopf. Die Lampen auf der Veranda erloschen, und in der Tür erschien mit dramatischer Gebärde ein kopfloser Geist – eine schwarze Gestalt, in einen Umhang gehüllt, mit ausgestreckten Armen und bleichen Knochen dort, wo die Hände hätten sein sollen. Eine Frau schrie auf und ließ ihr Ciderglas fallen. Sarah schmiegte sich unwillkürlich an Miles und umklammerte seinen Arm mit einer Heftigkeit, die ihn überraschte. Aus der Nähe sah ihr Haar ganz weich aus, und obwohl es eine andere Farbe hatte als Missys, erinnerte er sich plötzlich daran, wie es sich angefühlt hatte, wenn er seiner Frau abends zärtlich mit den Fingern durch das Haar gefahren war. Wenige Sekunden später murmelten die Hexen Zaubersprüche. Daraufhin verschwand der Geist, und die Beleuchtung ging wieder an. Unter nervösem Gelächter zerstreuten sich die Zuschauer.

In den nächsten beiden Stunden besichtigten Miles und Sarah noch mehrere Häuser. In manchen wurden sie zu einem kleinen Rundgang eingeladen, in anderen standen sie im Foyer oder bekamen im Garten die Geschichte des Hauses erzählt. Miles hatte schon einmal an der Geistertour teilgenommen und machte Sarah auf besonders interessante Orte aufmerksam oder unterhielt sie mit Geschichten über Häuser, die in diesem Jahr nicht zur Route gehörten.

Später spazierten sie über die rissigen Wege und unterhielten sich leise miteinander. Beide genossen den Abend in vollen Zügen. Als Sarah fragte, ob Miles jetzt Lust auf das angekündigte Essen habe, schüttelte er den Kopf.

»Eines fehlt noch.«

Er führte sie die Straße entlang, hielt dabei Sarahs Hand und strich mit dem Daumen sanft über ihren Handrücken. Von einem der hoch aufragenden Hickorybäume rief eine Eule zu ihnen herunter, dann war alles wieder still. Vor ihnen kletterten mehrere Leute in Geisterkostümen in einen Kombi. Kurz darauf wies Miles auf ein großes, zweistöckiges Haus, vor dem zu Sarahs Überraschung niemand stand. Die Fenster waren tiefschwarz, als seien sie von innen verdunkelt worden. Das einzige Licht stammte von einem Dutzend Kerzen auf dem Verandageländer und auf einer kleinen Holzbank neben der Haustür. Auf einem Schaukelstuhl neben der Bank saß eine alte Frau mit einer Wolldecke über den Knien. In dem gespenstischen Licht sah sie fast wie eine Schaufensterpuppe aus. Ihr spärliches Haar war weiß, ihr Körper zart und gebrechlich. Die flackernden Kerzen ließen ihre Haut durchsichtig erscheinen, und ihr Gesicht war von Linien durchzogen wie altes Porzellan. Miles und Sarah setzten sich auf die Hollywoodschaukel, während die alte Frau sie prüfend betrachtete.

»Hallo, Ms. Harkins«, begann Miles langsam, »hatten Sie heute viele Besucher?«

»Wie immer«, erwiderte Ms. Harkins. Ihre Stimme war heiser, als habe sie ihr Leben lang geraucht. »Sie wissen ja, wie das ist.« Sie blickte Miles aus zusammengekniffenen Augen an, als könne sie ihn nicht gut erkennen. »Sie wollen sicher die Geschichte von Harris und Kathryn Presser hören?«

»Ich finde, meine Begleiterin sollte sie hören«, sagte Miles feierlich und deutete auf Sarah.

In Ms. Harkins' Augen stahl sich ein Funkeln, und sie griff nach der Teetasse, die neben ihr stand.

Miles legte den Arm um Sarahs Schulter und zog sie an sich. Sarah spürte, wie sie sich bei seiner Berührung entspannte.

»Es wird dir gefallen«, flüsterte Miles ihr zu. Sein Atem an ihrem Ohr verursachte ein Kribbeln auf ihrer Haut.

Es gefällt mir jetzt schon, dachte sie.

Ms. Harkins setzte die Teetasse ab. Als sie sprach, war ihre Stimme nur noch ein Wispern.

»Geister gibt es, und es gibt Liebe,
Sie weilen hier seit Jahr und Tag.
Lauscht der Geschichte, denn sie erzählet
Von wahrer Liebe und was sie vermag.«

Sarah gab Miles verstohlen einen Kuss auf die Wange.

»Harris Presser«, begann Ms. Harkins, »wurde 1843 geboren. Seine Eltern besaßen in New Bern einen kleinen Kerzenladen. Wie viele junge Männer jener Zeit wollte sich Harris im Unabhängigkeitskrieg den Konföderierten anschließen. Aber seine Mutter und sein Vater flehten ihn an, nicht wegzugehen, denn er war ihr einziger Sohn. Indem er ihren Wunsch befolgte, besiegelte Harris Presser sein Schicksal.«

Ms. Harkins machte eine Pause und sah zu ihnen herüber.

»Er verliebte sich.«

Für den Bruchteil einer Sekunde fragte sich Sarah, ob Ms. Harkins damit auch sie beide meinte. Ms. Harkins hob die Augenbrauen, als hätte sie ihre Gedanken gelesen, und Sarah wandte den Blick ab.

»Kathryn Purdy war erst siebzehn, und wie Harris ein Einzelkind. Ihre Eltern besaßen das Hotel und das Sägewerk und waren die reichsten Leute der Stadt. Sie verkehrten nicht mit den Pressers, aber beide Familien gehörten zu denen, die in der Stadt blieben, als New Bern 1862 an die Union fiel. Trotz des Krieges und der Besatzung trafen sich Harris und Kathryn an den Frühsommerabenden am River Neuse, bis Kathryns Eltern dahinter kamen. Sie waren ärgerlich und verboten ihrer Tochter, Harris wiederzusehen, denn die Pressers gehörten zu den ärmeren Leuten. Doch das Verbot schmiedete das junge Paar nur noch enger zusammen. Es war allerdings nicht leicht für die beiden, sich zu treffen. Bald entwarfen sie einen Plan, wie sie den wachsamen Augen von Kathryns Eltern entgehen konnten. Harris blieb im Kerzenladen seiner Eltern und wartete auf ein Zeichen. Wenn Kathryns Eltern schliefen, stellte sie eine brennende Kerze auf das Fensterbrett, und dann stahl sich Harris zu ihr. Er kletterte den massiven Eichenstamm vor ihrem Fenster hoch und half ihr herunter. Auf diese Weise trafen sie sich, so oft sie konnten.«

Ms. Harkins nippte an ihrem Tee und kniff die Augen zusammen. Dann senkte sie ihre Stimme erneut.

»Inzwischen hielten die Unionstruppen den Süden immer fester im Griff. Aus Virginia kamen schlimme Nachrichten, und man hörte Gerüchte, dass General Lee mit seiner Armee aus Nordvirginia kommen und versuchen würde, North Carolina für die Konföderierten zurückzugewinnen. Eine Ausgangssperre wurde verhängt, und alle, die abends draußen erwischt wurden, besonders junge Männer, liefen Gefahr, erschossen zu werden. Weil Harris Kathryn nicht mehr sehen konnte, arbeitete er absichtlich noch spätabends im Geschäft seiner Eltern und zündete im Fenster eine Kerze an, damit Kathryn wusste, dass er sich nach ihr sehnte. Wochenlang ging es gut, bis er eines Tages Kathryn durch einen mitfühlenden Pfarrer einen Brief zuschmuggelte und sie bat, mit ihm durchzubrennen. Wenn ihre Antwort ja lautete, sollte sie zwei Kerzen ins Fenster stellen – eine für ihr Einverständnis und die zweite, wenn er ungefährdet zu ihr kommen konnte.

In jener Nacht brannten zwei Kerzen, und gegen alle Widerstände wurden sie bei Vollmond noch in derselben Nacht von dem freundlichen Geistlichen getraut, der den Brief befördert hatte. Sie hatten für die Liebe ihr Leben riskiert.

Doch unglücklicherweise entdeckten Kathryns Eltern einen anderen geheimen Brief, den Harris geschrieben hatte. Wutentbrannt forderten sie von Kathryn eine Erklärung. Kathryn erwiderte trotzig, sie könnten nichts mehr gegen ihre Verbindung tun. Leider behielt sie nur teilweise recht.

Wenige Tage später trat Kathryns Vater, der den Colonel der Besatzungstruppen kannte, mit diesem in Kontakt und informierte ihn, dass es einen konföderierten Spion gäbe, der mit General Lee in Kontakt stünde und ihm Geheiminformationen über die Verteidigung der Stadt zuspiele. In Anbetracht der Gerüchte über Lees angebliche Vorstoßpläne dauerte es nicht lange, bis Harris Presser im Laden seiner Eltern verhaftet wurde. Bevor man ihn zum Galgen führte, äußerte er noch eine Bitte – im Fenster des Ladens solle eine Kerze entzündet werden. Die Bitte wurde gewährt. In jener Nacht wurde Harris Presser an einem Ast der großen Eiche vor Kathryns Fenster aufgehängt. Kathryn war verzweifelt, und sie wusste, dass ihr Vater die Schuld trug.

Sie ging zu Harris' Eltern und bat um die Kerze, die in der Nacht von Harris' Tod im Fenster gebrannt hatte. Von Kummer überwältigt wussten die Eltern nicht, was sie von dieser merkwürdigen Bitte halten sollten, doch Kathryn erklärte, sie wünsche sich etwas zur Erinnerung an den jungen Mann, der immer so höflich zu ihr gewesen war. Die Eltern gaben ihr die Kerze, und in jener Nacht zündete sie beide Kerzen an und stellte sie auf das Fensterbrett. Kathryn wurde am nächsten Tag von ihren Eltern gefunden. Sie hatte sich ebenfalls an der Eiche vor ihrem Fenster erhängt.«

Miles zog Sarah näher an sich heran. »Was sagst du dazu?«, flüsterte er.

»Pssst«, gab sie zurück, »wir kommen jetzt zu dem Teil mit den Geistern, glaube ich.«

»Die Kerzen brannten die ganze Nacht und auch den folgenden Tag, obwohl sie nur noch kleine Wachsstummel waren. Und immer noch brannten sie, bis zum nächsten und zum übernächsten Tag. Sie brannten drei Tage lang, so lange, wie Kathryn und Harris verheiratet gewesen waren. Dann gingen sie aus. Im folgenden Jahr, als sich der Hochzeitstag zum ersten Mal jährte, brach in Kathryns ungenutztem Zimmer auf mysteriöse Weise ein Feuer aus, aber das Haus wurde gerettet. Die Familie Purdy war in der folgenden Zeit vom Pech verfolgt – das Hotel wurde durch eine Überschwemmung zerstört, und das Sägewerk musste verkauft werden, damit Schulden abbezahlt werden konnten. Finanziell ruiniert zogen Kathryns Eltern von hier fort. Aber …«

Ms. Harkins beugte sich vor und blinzelte geheimnisvoll. Ihre Stimme war ganz leise.

»… hin und wieder schwören Leute, sie hätten in dem oberen Fenster des Hauses zwei Kerzen gesehen. Andere behaupteten, es sei nur eine gewesen, und die zweite brenne in einem verlassenen Gebäude am Ende der Straße. Und selbst heutzutage, über hundert Jahre später, beteuern immer noch Leute, sie hätten in den Fenstern leer stehender Häuser Kerzen brennen sehen. Doch es ist merkwürdig – die einzigen, die sie sehen, sind junge, verliebte Paare. Ob Sie beide die Kerzen sehen werden, hängt davon ab, was Sie füreinander empfinden.«

Ms. Harkins schloss die Augen, als hätte das Erzählen sie ermüdet. Eine Minute lang regte sie sich nicht, und auch Sarah und Miles blieben bewegungslos sitzen, um den Bann nicht zu brechen. Dann öffnete Ms. Harkins die Augen wieder und griff nach der Teetasse.

Nachdem sie sich verabschiedet hatten, stiegen Miles und Sarah die Verandastufen hinab und betraten den Kiesweg. Miles nahm Sarahs Hand. Wie verzaubert von Ms. Harkins' Geschichte schwiegen beide für eine Weile. Dann sagte Sarah:

»Ich bin froh, dass wir hingegangen sind.«

»Es hat dir also gefallen?«

»Alle Frauen lieben romantische Geschichten.«

Sie bogen um die Ecke und näherten sich der Front Street. Vor ihnen lag der Fluss, geräuschlos, schwarz glänzend.

»Hast du jetzt Lust, etwas zu essen?«

»Gleich«, sagte Miles zögernd und blieb stehen.

Sie sah ihn an. Hinter ihm schwirrten Motten um eine Straßenlaterne. Miles starrte auf den Fluss, und Sarah folgte seinem Blick, aber sie sah nichts Außergewöhnliches.

»Was ist?«, fragte sie.

Miles schüttelte den Kopf, als müsse er seine Gedanken ordnen. Er wollte weitergehen, doch er konnte nicht. Stattdessen trat er auf Sarah zu und zog sie sanft an sich. Sarah ließ ihn gewähren. Sie spürte ein Flattern in der Magengrube. Als Miles ganz nahe war, schloss sie die Augen, und als ihre Lippen sich berührten, war es, als sei nichts anderes auf der Welt mehr von Bedeutung.

Der Kuss dauerte endlos lange, und als sie sich voneinander lösten, nahm Miles Sarah fest in die Arme. Er vergrub sein Gesicht in ihrem Hals, dann küsste er sie erneut. Sie erschauerte unter der feuchten Berührung seiner Zunge und lehnte sich an ihn, geborgen in der Wärme seiner Arme. Die Welt um sie herum versank.

Kurze Zeit später schlenderten sie, Hand in Hand in ein leises Gespräch vertieft, zur Wohnung zurück.

Im Wohnzimmer hängte Miles seine Jacke über die Stuhllehne, während Sarah in die Küche ging.

»Was gibt's zu essen?«, fragte er.

Sarah nahm eine große, mit Alufolie bedeckte Auflaufform aus dem Kühlschrank.

»Lasagne, Baguette und Salat. Magst du das?«

»Klingt toll. Kann ich dir helfen?«

»Es ist schon fast fertig«, antwortete Sarah, während sie die Form in den Herd schob. »Eine halbe Stunde im Backofen dürfte reichen. Aber wenn du willst, kannst du Feuer anzünden.«

»Mach ich«, sagte er.

»Ich bin gleich wieder da!«, rief Sarah ihm zu und verschwand im Schlafzimmer.

Dort nahm sie die Bürste und kämmte sich die Haare. So gern sie es geleugnet hätte – die Küsse hatten sie ziemlich aufgewühlt. Der heutige Abend war der Wendepunkt ihrer Beziehung, das spürte sie, und sie hatte Angst. Sie wusste, dass sie Miles den wahren Grund für das Scheitern ihrer Ehe beichten musste, aber das fiel ihr nicht leicht. Besonders gegenüber jemandem, den sie so mochte.

So sehr sie davon überzeugt war, dass auch er sie wirklich gern hatte, so wenig konnte sie voraussehen, wie er reagieren würde und ob sich seine Gefühle für sie dadurch ändern würden. Hatte er nicht gesagt, er wünsche sich Geschwister für Jonah? Würde er darauf verzichten können?

Sarah betrachtete sich im Spiegel.

Sie wusste, dass sie mit ihm reden musste, auch wenn es ihr widerstrebte. Doch sie wollte nicht, dass sich die Geschichte mit Michael wiederholte. Das würde sie nicht noch einmal ertragen.

Sarah legte die Bürste beiseite, prüfte ihr Make-up und ging mit dem festen Vorsatz zur Tür, Miles mit der Wahrheit zu konfrontieren. Doch statt das Zimmer zu verlassen, saß sie plötzlich wieder auf der Bettkante. War sie wirklich schon so weit?

Die Antwort auf diese Frage jagte ihr große Angst ein.

Als sie schließlich die Schlafzimmertür öffnete, brannte im Kamin ein helles Feuer. Miles kam mit einer offenen Weinflasche aus der Küche zurück.

»Ich fand, wir können das jetzt gebrauchen«, sagte er, die Flasche hoch haltend.

»Das ist eine gute Idee«, stimmte Sarah zu.

Ihr Tonfall erschien Miles irgendwie fremd, und er stutzte. Sarah machte es sich auf dem Sofa bequem. Miles reichte ihr ein Glas Wein und setzte sich neben sie. Sarah trank schweigend. Schließlich nahm Miles ihre Hand.

»Ist etwas passiert?«, fragte er.

Sarah schwenkte unschlüssig den Wein in ihrem Glas.

»Es gibt etwas, das ich dir noch nicht erzählt habe.«

Miles registrierte das dumpfe Geräusch der vorüberfahrenden Autos. Das Holz im Kamin knackte, und ein Funkenregen stob in die Höhe. Auf den Wänden tanzten Schatten.

Sarah zog ein Bein an sich. Miles merkte, dass das Sprechen ihr nicht leicht fiel. Er sah sie schweigend von der Seite an und drückte ermutigend ihre Hand.

Das schien sie in die Gegenwart zurückzuholen. Die flackernden Flammen spiegelten sich in ihren Augen.

»Du bist ein netter Mann, Miles«, begann Sarah, »und die letzten Wochen haben mir sehr viel bedeutet.« Sie stockte.

Dieser Anfang behagte Miles gar nicht, und er fragte sich, was wohl in den wenigen Minuten im Schlafzimmer passiert sein mochte. Sein Magen krampfte sich zusammen.

»Du hast mich nach meinem Ex-Mann gefragt …«

Miles nickte.

»Ich habe dir nicht alles erzählt. Es gibt noch etwas Wichtiges, und … und ich weiß nicht, wie ich es dir beibringen soll.«

»Warum?«

Sie blickte in die Flammen. »Weil ich Angst vor deiner Reaktion habe.«

Als Sheriff fielen ihm gleich mehrere Möglichkeiten ein – dass ihr Ex sie missbraucht hatte, dass er sie irgendwie verletzt hatte, dass die Beziehung bei ihr Wunden hinterlassen hatte. Eine Scheidung war immer schmerzlich, aber so, wie sie jetzt darüber sprach, musste noch mehr dahinter stecken.

Er lächelte ihr zu, aber sie blieb stumm.

»Sarah«, sagte er endlich, »du musst mir nicht alles erzählen, wenn du nicht willst. Ich werde nicht mehr danach fragen. Es ist deine Sache, und ich habe in den letzten Wochen über dich genug erfahren, um zu wissen, was du für ein Mensch bist. Und nur das zählt für mich. Ich muss nicht alles über dich wissen – und ich bezweifle, ehrlich gesagt, dass irgendetwas, das du sagen könntest, meine Gefühle für dich ändern würde.«

Sarah lächelte, aber sie wich seinem Blick aus.

»Weißt du noch, wie ich dich nach Missy gefragt habe?«

»Ja.«

»Weißt du noch, was du geantwortet hast?«

»Ja, das auch.« Zum ersten Mal sah sie ihm in die Augen. »Du sollst wissen, dass ich nie wie sie sein kann.«

Miles runzelte die Stirn. »Das weiß ich doch«, sagte er. »Und ich erwarte auch nicht …«

Sarah hob die Hände. »Nein, Miles, du verstehst mich nicht. Ich glaube nicht, dass du mich nur liebst, weil ich Missy ersetzen soll. Ich weiß, dass es so nicht ist. Aber ich habe mich nicht klar ausgedrückt.«

»Was ist es dann?«

»Du hast mir erzählt, dass sie eine gute Mutter war. Und wie sehr ihr euch gewünscht habt, dass Jonah Geschwister bekommt …« Sie verstummte, erwartete aber keine Antwort. »Ich kann nie so sein. Das ist der Grund, warum Michael mich verlassen hat.«

Erneut suchte sie seinen Blick. »Ich wurde nicht schwanger. Aber es lag nicht an ihm, Miles. Bei ihm war alles in Ordnung. Es lag an *mir.*«

Und damit er auch wirklich alles genau verstand, sprach sie es noch einmal in aller Deutlichkeit aus.

»Ich kann keine Kinder bekommen. Niemals.«

Miles schwieg, und nach einer Weile fuhr Sarah fort: »Du kannst dir nicht vorstellen, was das für mich bedeutet hat. Es kam mir so verrückt vor, verstehst du? Mit Anfang zwanzig hatte ich versucht, nicht schwanger zu werden. Ich geriet in Panik, wenn ich mal die Pille vergessen hatte. Es kam mir nie in den Sinn, dass ich gar keine Kinder bekommen könnte.«

»Wie hast du's herausgefunden?«

»Das Übliche. Es klappte einfach nicht. Schließlich haben wir Tests machen lassen. Und dann wusste ich es.«

»Es tut mir Leid.« Das war alles, was Miles jetzt einfiel.

»Mir auch.« Sarah stieß heftig den Atem aus, als könne sie es immer noch nicht recht glauben. »Und Michael tat es auch Leid. Aber er kam nicht damit zurecht. Ich schlug vor, ein Kind zu adoptieren, aber er hat es abgelehnt wegen seiner Familie.«

»Das ist nicht dein Ernst ...«

Sarah schüttelte den Kopf. »Schön wär's. Im Nachhinein denke ich, es hätte mich nicht so überraschen dürfen. Am Anfang hat er oft gesagt, ich sei die perfekteste Frau, die er je kennen gelernt habe. Doch sobald diese Sache geschah, die seinem Bild nicht entsprach, warf er alles weg, was wir hatten.« Sarah starrte in ihr Weinglas und schien zu sich selbst zu sprechen. »Er hat mich um die Scheidung gebeten, und eine Woche später bin ich ausgezogen.«

Miles nahm ihre Hand, ohne ein Wort zu sagen, und forderte sie mit einem Nicken zum Weiterreden auf.

»Danach ... es war nicht leicht. Das ist kein Smalltalk für Cocktailpartys, verstehst du. Meine Familie weiß es und Sylvia auch. Sie war meine Therapeutin und hat mir sehr geholfen, aber diese vier Menschen sind die einzigen, die es wissen. Und jetzt du ...«

Sie verstummte. In Miles' Augen hatte sie nie schöner ausgesehen. Ihr Haar reflektierte winzige Lichtfragmente und leuchtete wie von einem Glorienschein umkränzt.

»Und warum erzählst du es mir jetzt?«, fragte Miles.

»Ist das nicht klar?«

»Nicht richtig.«

»Ich finde einfach, du solltest es wissen. Bevor ... wie gesagt, ich will nicht, dass es noch einmal passiert ...« Sarah wandte den Blick ab.

Miles drehte ihr Gesicht sanft wieder zu sich her.

»Glaubst du wirklich, ich würde auch so reagieren?«

Sarah blickte ihn traurig an. »Oh, Miles ... jetzt kannst du leicht sagen, dass es keine Rolle spielt. Ich mache mir Sorgen über später, wenn du Zeit hattest, darüber nachzudenken. Nehmen wir an, wir bleiben zusammen und alles läuft so gut wie bisher. Kannst du ehrlich behaupten, dass es dir gleichgültig ist? Dass es dir nichts ausmachen würde, keine weiteren Kinder zu bekommen? Dass nie ein kleiner Bruder oder eine kleine Schwester von Jonah durch das Haus tobt?«

Sie räusperte sich. »Ich weiß, ich bin voreilig. Wenn ich dir all das erzähle, heißt das nicht, dass ich auf eine Heirat spekuliere. Aber ich musste die Wahrheit loswerden, damit du weißt, worauf du dich einlässt – bevor es mit uns weitergeht. Ich kann mich nicht weiter vorwagen, bevor ich nicht sicher bin, dass du nicht genauso reagierst wie Michael. Wenn es aus einem anderen Grund nicht funktioniert – gut. Damit kann ich leben. Aber das andere ...«

Miles betrachtete sein Glas, in dem sich das Licht spiegelte. Er fuhr mit dem Zeigefinger am Rand entlang.

»Du solltest auch etwas über mich erfahren«, sagte er schließlich. »Es ging mir sehr schlecht nach Missys Tod. Nicht nur, dass sie starb – ich fand auch nie heraus, wer in jener Nacht der Fahrer des Wagens war. Und das wäre doch mein Auftrag gewesen, als Ehemann und Sheriff. Und lange hatte ich tatsächlich nur eins im Sinn – zu erfahren, wer dieses Auto fuhr. Ich habe meine eigenen Ermittlungen durchgeführt, mit vielen Leuten geredet, aber der Verantwortliche ist mir entwischt, und das hat mich fertig gemacht. Eine Weile dachte ich, ich müsste verrückt werden, aber in letzter Zeit ...«

Er sprach mit leiser, zärtlicher Stimme und sah Sarah in die Augen.

»Was ich meine, ist – ich brauche keine Zeit zum Nachdenken, Sarah … ich weiß nur, dass mir in meinem Leben etwas gefehlt hat, und bevor ich dich kannte, wusste ich nicht, was es ist. Wenn du willst, dass ich in Ruhe darüber nachdenke, tue ich das. Aber es wäre nur dir zuliebe – nicht für mich. Du hast nichts gesagt, was meine Gefühle für dich ändern könnte. Ich bin nicht wie Michael. Ich könnte nie so sein wie er.«

In der Küche klingelte der Timer, und beide schreckten zusammen. Die Lasagne war fertig, aber sie rührten sich nicht. Sarah hatte plötzlich das Gefühl zu schweben – ob es am Wein lag oder an Miles' Worten, wusste sie nicht. Vorsichtig stellte sie ihr Glas auf den Tisch und stand mit einem tiefen Atemzug auf.

»Ich hole schnell die Lasagne raus, sonst brennt sie an.«

In der Küche lehnte sie sich gegen die Anrichte und ließ Miles' Worte auf sich wirken.

Ich brauche keine Zeit zum Nachdenken, Sarah.

Du hast nichts gesagt, was meine Gefühle für dich ändern könnte.

Es spielte für ihn keine Rolle. Und was das Beste war: Sie glaubte ihm. Was er gesagt hatte, wie er sie angeschaut hatte …

Sie stellte die Lasagne auf den Herd. Als sie ins Wohnzimmer zurückkam, starrte Miles ins Feuer. Sarah setzte sich neben ihn auf die Couch, lehnte ihren Kopf an seine Schulter und ließ es zu, dass Miles sie an sich zog. Eng aneinander geschmiegt schauten sie in die Flammen, und Sarah spürte, wie sich seine Brust leise hob und senkte. Seine Hand streichelte sie ruhig und hinterließ ein wohliges Kribbeln auf ihrer Haut.

Sarah kuschelte sich an ihn und lauschte seinem gedämpften Herzschlag.

»Danke für dein Vertrauen«, sagte er.

»Ich hatte keine Wahl.«

»Man hat immer eine Wahl.«

»Diesmal nicht. Bei dir nicht.«

Sie hob das Gesicht und küsste ihn. Ihre Lippen berührten seine einmal, zweimal, dann vereinten sie sich. Seine Hände strichen ihr über den Rücken, während sie die Lippen öffnete, und dann spürte sie seine Zunge warm und sanft an ihrer. Sie hob die Hand zu seinem Gesicht, fühlte die rauen Stoppeln unter ihren Fingerspitzen und fuhr mit den Lippen über seine Wangen. Miles legte seinen Mund an ihren Hals und knabberte zärtlich daran. Sein Atem strich heiß über ihre Haut.

Sarah und Miles liebten sich eine lange Zeit, bis das Feuer heruntergebrannt war und dunkle Schatten ins Zimmer malte. Miles flüsterte leise mit ihr, und seine Hand streichelte unablässig ihren Körper, als müsse er sich vergewissern, dass sie wirklich existierte. Zweimal stand er im Laufe der Nacht auf und legte Holz aufs Feuer. Sarah holte eine Decke aus dem Schlafzimmer und legte sie über ihn und sich, und gegen Morgen stellten sie fest, dass sie beide völlig ausgehungert waren. Vor dem Kamin sitzend, teilten sie sich einen Teller Lasagne, und aus irgendeinem Grund kam ihnen das gemeinsame Essen – nackt, unter einer Decke – ebenso sinnlich vor wie das, was zuvor geschehen war.

Kurz vor der Morgendämmerung schlief Sarah ein, und Miles trug sie ins Bett, zog die Vorhänge zu und kroch zu ihr unter die Decke. Der Morgenhimmel war wolkenverhangen und grau, und sie schliefen fast bis mittags, was beiden seit einer kleinen Ewigkeit nicht mehr passiert war. Sarah wachte als Erste auf. Miles lag dicht neben ihr und hatte einen Arm um sie geschlungen. Sie bewegte sich vorsichtig, doch es genügte, um Miles zu wecken. Er hob den Kopf vom Kissen, und sie rollte auf den Bauch und wandte ihm ihr Gesicht zu. Miles fuhr mit dem Zeigefinger ihre Wangenlinie entlang und versuchte, den Kloß zu ignorieren, der sich in seiner Kehle bildete.

»Ich liebe dich«, sagte er, unfähig, die Worte zurückzuhalten.

Sie umschloss seine Finger mit beiden Händen und legte sie sich auf die Brust.

»Oh, Miles …«, flüsterte sie. »Ich liebe dich auch.«

Kapitel 14

In den nächsten Tagen verbrachten Sarah und Miles so viel Zeit wie nur möglich zusammen – sie gingen aus, aber sie blieben auch oft zu Hause. Jonah nahm die Veränderung wortlos hin. Er zeigte Sarah seine Baseballkartensammlung, er erklärte ihr, wie man angelt und eine Schnur auswirft. Immer wieder ergriff er ihre Hand und führte sie irgendwohin, wo er ihr noch etwas Neues zeigen wollte.

Miles beobachtete dies, ohne sich einzumischen, weil er wusste, dass Jonah dabei war, zu testen, wie Sarah in seine Welt passte und was er für sie empfand. Zum Glück war Sarah keine Fremde. Trotzdem konnte Miles seine Erleichterung darüber, dass sie sich so gut verstanden, kaum verbergen.

An Halloween, das auf einen Samstag fiel, fuhren sie an den Strand und verbrachten den Nachmittag mit Muschelsammeln. Dann zogen sie durch die Nachbarschaft, um »Süßes oder Saures« zu verlangen, Jonah mit seinen Freunden voran, Miles und Sarah mit anderen Eltern hinterdrein.

Brenda bombardierte Sarah natürlich in der Schule mit Fragen, seit sich die Neuigkeit in der Stadt herumgesprochen hatte. Auch Charlie erwähnte das Gerücht. »Ich liebe sie, Charlie«, erklärte Miles einfach, und obwohl Charlie insgeheim fand, es sei doch alles etwas schnell gegangen, klopfte er Miles auf die Schulter und lud beide zum Abendessen ein.

Die Beziehung zwischen Miles und Sarah wurde von Tag zu Tag intensiver. Wenn sie getrennt waren, sehnte sich einer nach der Gegenwart des anderen, und wenn sie zusammen waren, kam ihnen die Zeit viel zu kurz vor. Sie trafen sich zum Mittagessen, telefonierten oft und liebten sich, wann immer sie einen ruhigen Moment fanden.

Obwohl Miles sich so viel mit Sarah beschäftigte, achtete er darauf, möglichst häufig mit Jonah allein zu sein. Auch Sarah gab sich Mühe, dass alles so normal wie möglich blieb. Wenn sie mit Jonah nachmittags im Klassenzimmer saß, behandelte sie ihn genauso wie früher – wie einen Schüler, der Hilfe brauchte. Manchmal kam es ihr so vor, als hielte er bei seinen Aufgaben inne und betrachte sie nachdenklich, aber sie verlor darüber kein Wort.

Mitte November, zwei Wochen nach ihrer ersten Liebesnacht, reduzierte Sarah die Anzahl der Tage, an denen Jonah in der Schule bleiben musste, von drei auf einen. Er hatte das meiste aufgeholt, Lesen und Buchstabieren waren kein Problem mehr, und die Hilfe in Mathematik, die er noch brauchte, war an einem Tag zu leisten. Abends gingen Sarah und Miles zur Feier des Tages mit ihm Pizza essen.

Später jedoch, als Miles Jonah ins Bett brachte, merkte er, dass sein Sohn stiller war als sonst.

»Warum dieses finstere Gesicht, Chef?«

»Ich bin irgendwie traurig.«

»Warum?«

»Weil ich nicht mehr so oft in der Schule bleiben muss«, erwiderte Jonah schlicht.

»Ich dachte, du bist nicht gern länger geblieben?«

»Zuerst nicht, aber jetzt gefällt's mir.«

»Wirklich?«

Jonah nickte. »Bei Ms. Andrews fühle ich mich wie etwas Besonderes.«

»Das hat er gesagt?«

Miles nickte. Er und Sarah saßen auf den Treppenstufen vor dem Haus und sahen zu, wie Jonah und Mark mit ihren Fahrrädern über eine Holzrampe ratterten. Sarah hatte die Beine angezogen und die Arme um die Knie geschlungen.

Jonah sauste an ihnen vorbei und Mark hinterdrein, damit sie auf dem Rasen wieder Anlauf nehmen konnten.

»Ehrlich gesagt, war ich gespannt, wie er es aufnehmen

würde, dass wir zusammen sind, aber es scheint ihm gut zu bekommen.«

»Das ist schön.«

»Wie kommt er in der Schule zurecht?«

»Ich habe keine große Veränderung festgestellt. In den ersten Tagen haben ihn manche Klassenkameraden ausgefragt, aber das hat nachgelassen.«

Jonah und Mark preschten an ihnen vorüber, ohne sie zu beachten.

»Willst du Thanksgiving mit uns verbringen?«, fragte Miles unvermittelt. »Ich muss später am Abend noch arbeiten, aber wir könnten früh essen, wenn du noch nichts vorhast.«

»Das geht nicht. Mein Bruder kommt aus dem College nach Hause, und meine Mom kocht für uns alle ein großes Essen. Sie hat unzählige Leute eingeladen – Tanten, Onkel, Kusinen und die Großeltern. Sie würde es bestimmt nicht verstehen, wenn ich ihr absage.«

»Nein, sicher nicht.«

»Aber sie möchte dich kennen lernen. Ständig bedrängt sie mich, dich doch mal mitzubringen.«

»Und warum auch nicht?«

»Ich dachte, dir wäre das noch ein bisschen zu früh.« Sarah zwinkerte ihm zu. »Ich wollte dich nicht verschrecken.«

»So schlimm kann sie doch nicht sein.«

»Sei dir da nicht so sicher. Aber wenn du Lust hast, kannst du an Thanksgiving gern zu uns kommen. So wären wir wenigstens zusammen.«

»Ja? Es hört sich so an, als wäre das Haus schon voll.«

»Ach, zwei Leute mehr machen keinen Unterschied. Und dann lernst du gleich den ganzen Klan kennen. Es sei denn, du hast noch keine Lust dazu.«

»Doch, ich habe Lust.«

»Dann kommst du?«

»Sehr gern.«

»Gut. Aber hör mal, wenn meine Mutter dir komische Fragen stellt, denk bitte daran, dass ich mehr nach meinem Vater geraten bin.«

Spätabends – Jonah übernachtete wieder einmal bei Mark – folgte Sarah Miles in sein Schlafzimmer. Es war das erste Mal, bisher hatten sie die Nächte immer in Sarahs Wohnung verbracht. Nun waren sie sich beide bewusst, dass sie in einem Bett lagen, das Miles früher mit Missy geteilt hatte. Als sie sich liebten, taten sie es mit einer Dringlichkeit, einer fast verzweifelten Leidenschaft, die sie beide bis zur Erschöpfung trieb.

Hinterher sprachen sie nicht viel.

Sarah lag neben Miles und hatte den Kopf auf seine Brust gelegt, während er ihr zärtlich durch die Haare strich.

Sarah spürte, dass Miles mit seinen Gedanken allein sein wollte. Sie sah sich im Schlafzimmer um und bemerkte zum ersten Mal, dass sie von Fotos von Missy umgeben waren und dass auch in ihrer Reichweite auf der Bettumrandung eines stand.

Mit plötzlichem Unbehagen entdeckte sie den braunen Ordner, den er schon erwähnt hatte – den Ordner mit den Informationen, die er nach Missys Tod zusammengestellt hatte. Er lag auf dem Regal, prall gefüllt und abgegriffen, und Sarah konnte den Blick nicht von ihm abwenden. Als das Schweigen zwischen ihnen lastend wurde, ließ sie den Kopf auf ihr Kissen zurücksinken und wandte Miles das Gesicht zu.

»Alles in Ordnung?«, fragte sie.

»Ja, sicher«, erwiderte er, ohne sie anzusehen.

»Du bist so ruhig.«

»Ich denke nur nach«, murmelte er.

»Über Angenehmes, hoffe ich.«

»Nur das Beste.« Er strich mit dem Finger über ihren Arm. »Ich liebe dich«, sagte er sehr leise.

»Ich liebe dich auch.«

»Bleibst du heute Nacht bei mir?«

»Willst du das denn?«

»Ja, sehr.«

»Sicher?«

»Vollkommen.«

Immer noch etwas unruhig, ließ Sarah sich von ihm umarmen. Er küsste sie noch einmal, dann hielt er sie fest, bis sie einschlief.

Als sie morgens aufwachte, brauchte sie einen Moment, bis sie wusste, wo sie war. Miles fuhr mit dem Finger ihr Rückgrat entlang, und sie spürte, wie ihr Körper auf ihn reagierte.

Diesmal liebten sie sich anders als am Abend, eher so wie bei ihrem ersten Mal. Zärtlich und mit viel Zeit küsste Miles sie und sprach leise mit ihr, aber es war vor allem die Art, wie er sie ansah, als er sich über ihr bewegte, die ihr verriet, wie vertraut ihr Beziehung bereits geworden war.

Das – und die Tatsache, dass Miles, während Sarah schlief, leise die Fotos und den braunen Ordner weggeräumt hatte, die in der Nacht ihre Schatten über sie geworfen hatten.

Kapitel 15

Ich weiß wirklich nicht, warum ich ihn immer noch nicht kennen gelernt habe.«

Maureen und Sarah liefen im Supermarkt an den Regalen entlang und packten alles Notwendige in ihren Einkaufswagen. Sarah kam es vor, als plane ihre Mutter die Verpflegung mehrerer Dutzend Menschen für mindestens eine Woche.

»Bald, Mom, in ein paar Tagen. Wie gesagt, er und Jonah kommen zum Essen.«

»Aber würde er sich nicht wohler fühlen, wenn er vorher schon einmal bei uns gewesen wäre? Damit wir uns beschnuppern können?«

»Du wirst noch genug Zeit haben, ihn zu beschnuppern, Mom. Du weißt doch, wie es an Thanksgiving zugeht.«

»Aber wenn alle anderen dabei sind, kann man sich nicht so intensiv miteinander beschäftigen, wie ich es gern tue.«

»Das wird er bestimmt verstehen.«

»Und hast du nicht gesagt, er muss früher gehen?«

»Er muss ungefähr um vier Uhr zur Arbeit.«

»An einem Feiertag?«

»Er arbeitet an Thanksgiving, damit er Weihnachten frei hat. Er ist Sheriff, verstehst du? Sie können nicht allen den Tag freigeben.«

»Und wer passt auf Jonah auf?«

»Ich. Wahrscheinlich bringe ich ihn abends zu Miles zurück. Du kennst Dad – er schläft um sechs tief und fest, und dann bringe ich Jonah nach Hause.«

»So früh?«

»Keine Sorge. Wir sind den ganzen Nachmittag da.«

»Du hast Recht«, sagte Maureen. »Ich bin eben ein bisschen mit den Nerven fertig.«

»Mach dir keine Sorgen, Mom. Es kann überhaupt nichts schief gehen.«

»Sind da auch andere Kinder?«, fragte Jonah.

»Das weiß ich nicht«, erwiderte Miles. »Vielleicht.«

»Jungen oder Mädchen?«

»Weiß ich nicht.«

»Und ... wie alt sind sie?«

Miles schüttelte den Kopf. »Wie gesagt, ich weiß es nicht. Ich bin nicht mal sicher, ob überhaupt andere Kinder eingeladen sind. Ich habe vergessen zu fragen.«

Jonah runzelte die Stirn. »Aber wenn ich das einzige Kind bin, was soll ich dann machen?«

»Mit mir das Footballspiel anschauen?«

»Das ist langweilig.«

Miles zog seinen Sohn an sich.

»Wir sind immerhin nicht den ganzen Tag dort, weil ich noch arbeiten muss. Aber wir müssen wenigstens eine Weile lang bleiben. Ich meine, sie waren so nett, uns zum Essen einzuladen, und es wäre nicht höflich, gleich anschließend wieder zu gehen. Aber vielleicht können wir spazieren gehen oder so.«

»Mit Ms. Andrews?«

»Wenn du willst.«

»Okay.« Jonah schwieg und wandte den Kopf zum Fenster. Sie fuhren an einem Wäldchen aus Weihrauchkiefern vorbei. »Dad, glaubst du, es gibt Truthahn?«

»Ziemlich sicher. Warum?«

»Wird er so komisch schmecken wie letztes Jahr?«

»Soll das heißen, du magst meine Kochkünste nicht?«

»Er hat echt komisch geschmeckt.«

»Hat er nicht.«

»Doch.«

»Dann kochen die bestimmt besser als ich.«

»Hoffentlich.«

»Hast du's heute auf mich abgesehen?«

Jonah grinste. »Kann sein. Aber komisch geschmeckt hat er trotzdem.«

Miles und Jonah hielten vor einem zweistöckigen Backsteingebäude. Der Vorgarten ließ deutlich erkennen, dass hier jemand mit Begeisterung gärtnerte. Längs des Weges blühten Stiefmütterchen, um die Baumstämme waren Holzspäne gestreut, und die einzigen Blätter auf dem Rasen waren offensichtlich gerade erst von den Bäumen gefallen. Sarah schob den Vorhang zur Seite und winkte ihnen durchs Fenster zu. Kurz darauf öffnete sie die Tür.

»Wow, du siehst super aus«, sagte sie.

Miles griff sich unwillkürlich an die Krawatte. »Danke.«

»Ich habe eigentlich Jonah gemeint«, sagte sie augenzwinkernd, und Jonah warf seinem Vater einen triumphierenden Blick zu. Er trug dunkelblaue Hosen und ein weißes Hemd und sah aus, als käme er gerade aus der Kirche. Er fiel Sarah um den Hals.

Sie holte hinter ihrem Rücken eine Schachtel mit Matchboxautos hervor und gab sie ihm.

»Wofür ist das?«, fragte er.

»Damit du etwas zum Spielen hast, solange du hier bist«, sagte sie. »Gefallen sie dir?«

Er starrte die Autos an. »Die sind toll! Dad ... schau mal!« Er hielt die Schachtel hoch.

»Ich seh's. Hast du danke gesagt?«

»Danke, Ms. Andrews.«

Als Miles näher trat, richtete Sarah sich auf und begrüßte ihn mit einem Kuss. »Ich hab nur Spaß gemacht. Du siehst auch gut aus. Ich bin nicht gewöhnt, dich mitten am Nachmittag in Jackett und Krawatte zu sehen.« Sie strich über sein Revers. »Aber ich könnte mich glatt daran gewöhnen.«

»Danke, Ms. Andrews«, imitierte er seinen Sohn. »Du siehst auch sehr hübsch aus.«

Das stimmte. Je länger er sie kannte, desto hübscher erschien sie ihm, ganz gleich, was sie anhatte.

»Wollt ihr jetzt hereinkommen?«

»Wann immer du willst.«

»Und du, Jonah?«

»Sind noch andere Kinder da?«

»Nein. Tut mir Leid. Nur ein Haufen Erwachsene. Aber sie sind wirklich nett und freuen sich auf dich.«

Er nickte, und sein Blick wanderte wieder zu der Schachtel. »Kann ich die gleich aufmachen?«

»Wenn du magst. Sie gehören dir, du kannst sie auspacken, wann du willst.«

»Dann kann ich auch draußen damit spielen?«

»Sicher«, sagte Sarah. »Dafür habe ich sie ja besorgt ...«

»Aber zuerst kommst du mit herein und sagst allen guten Tag«, unterbrach Miles das Gespräch. »Und wenn du draußen spielst, mach dich bitte nicht vor dem Essen schmutzig.«

»Klar«, stimmte Jonah sofort zu und machte ein Gesicht, als glaube er fest daran, dass seine Kleider sauber bleiben würden. Miles hingegen machte sich keine Illusionen.

»Also, dann«, sagte Sarah. »Auf geht's. Nur eine kleine Warnung noch ...«

»Wegen deiner Mutter?«

Sie lächelte. »Wie hast du das geahnt?«

»Keine Sorge. Ich benehme mich untadelig und Jonah sicher auch, stimmt's?«

Jonah nickte, ohne aufzublicken.

Sarah nahm Miles' Hand und legte die Lippen an sein Ohr. »Euch beide habe ich damit auch nicht gemeint.«

»Da seid ihr ja!«, rief Maureen durch die Küchentür.

Sarah gab Miles einen leichten Stoß. Miles folgte ihrem Blick und stellte überrascht fest, dass Sarah ihrer Mutter überhaupt nicht ähnlich sah. Sarah war blond, Maureens Haare dagegen waren auf eine Art ergraut, die ahnen ließen, dass sie einmal schwarzhaarig gewesen war. Sarah war groß und schlank, ihre Mutter wirkte matronenhaft. Sarahs Gang hatte etwas Schwebendes, Maureen dagegen hüpfte fast auf sie zu. Sie trug eine weiße Schürze über ihrem blauen Kleid und streckte Miles und Jonah beide Arme entgegen, als begrüße sie verloren geglaubte Freunde. »Ich habe schon so viel von euch beiden gehört!«

Maureen drückte erst Miles und dann Jonah an sich, noch bevor Sarah sie offiziell vorgestellt hatte. »Ich bin so froh, dass ihr kommen konntet! Wir haben das Haus voll, wie Sie sehen, aber ihr beide seid die Ehrengäste.« Sie war schier außer sich vor Begeisterung.

»Was heißt das?«, fragte Jonah.

»Das bedeutet, dass alle auf euch warten.«

»Ehrlich?«

»Aber ja doch.«

»Sie kennen mich doch gar nicht«, sagte Jonah verwundert, während er sich im Raum umsah und die vielen Blicke auf sich spürte. Miles legte ihm beruhigend die Hand auf die Schulter.

»Schön, Sie kennen zu lernen, Maureen. Und danke für die Einladung.«

»Oh, ganz meinerseits.« Sie kicherte. »Wir freuen uns auch schrecklich, dass Sie kommen konnten. Und ich weiß, dass Sarah sich auch gefreut hat ...«

»Mom ...«

»Aber das stimmt doch! Kein Grund, es zu leugnen.« Sie wandte ihre Aufmerksamkeit wieder Miles und Jonah zu, plauderte und scherzte mit ihnen ein paar Minuten lang. Danach stellte sie die beiden den Großeltern und anderen Verwandten vor, insgesamt etwa einem Dutzend Leuten. Miles schüttelte Hände, Jonah folgte seinem Beispiel, und Sarah zuckte jedes Mal zusammen, wenn sie hörte, wie ihre Mutter Miles vorstellte. »Das ist Sarahs Freund«, erklärte sie, aber ihr Ton – eine Mischung aus Stolz und mütterlicher Befriedigung – ließ keinen Zweifel daran, was sie wirklich meinte. Anschließend wirkte sie fast erschöpft von ihrem Auftritt. Sie wandte sich Miles zu. »Was kann ich Ihnen zu trinken bringen?«

»Ein Bier vielleicht?«

»Kommt sofort. Und für dich, Jonah? Wir haben Malzbier oder Seven-up.«

»Malzbier.«

»Ich komme mit, Mom«, sagte Sarah und fasste ihre Mutter am Ellenbogen. »Ich glaube, ich brauche auch etwas zu trinken.«

Auf dem Weg in die Küche sagte Maureen strahlend. »Oh, Sarah, ich freue mich so für dich!«

»Danke.«

»Er macht einen großartigen Eindruck. So ein nettes Lächeln! Ich glaube, er ist jemand, dem du vertrauen kannst.«

»Ich weiß.«

»Und dieser kleine Junge ist ein Schatz.«

»Ja, Mutter …«

»Wo sind denn Daddy und Brian?«, fragte Sarah wenige Minuten später. Ihre Mutter hatte sich endlich so weit beruhigt, dass sie sich wieder auf die Essensvorbereitungen konzentrieren konnte.

»Im Lebensmittelladen«, antwortete Maureen. »Wir brauchten noch Brötchen und eine Flasche Wein. Ich war nicht sicher, ob wir genug da haben.«

Sarah klappte die Backofentür auf und sah nach dem Truthahn. Sofort zog der Geruch durch die Küche.

»Wann ist Brian gekommen? Ich habe ihn noch gar nicht gesehen.«

»Er hat lange geschlafen. Er war erst nach Mitternacht hier. Er hatte Mittwochnachmittag eine Prüfung, deshalb konnte er nicht früher weg.«

In diesem Augenblick öffnete sich die Gartentür, und Larry und Brian erschienen mit zwei Plastiktüten, die sie auf die Anrichte legten. Brian, der irgendwie schmaler und älter aussah als vor seinem Umzug im vorigen August, entdeckte Sarah und umarmte sie.

»Wie geht's dir? Ich habe ewig nichts von dir gehört!«

»Nicht schlecht. Du weißt ja, wie es ist.«

Sarah spähte über Brians Schulter. »Hallo, Daddy.«

Larry legte den Wein in den Kühlschrank.

»Hallo, mein Spatz. Wie geht es dir?«

»Gut.«

»Hier riecht es phantastisch«, sagte Larry, und Maureen strahlte ihn an.

Sarah unterhielt sich ein Weilchen mit ihrem Vater und

verkündete dann, es gäbe da jemanden, den sie ihnen gern vorstellen würde.

»Richtig – Mom hat erwähnt, dass du jemanden kennen gelernt hast.« Brian hob verschwörerisch die Augenbrauen. »Das freut mich. Ist er in Ordnung?«

»Ich glaube schon.«

»Meint er es ernst?«

Sarah bemerkte unwillkürlich, dass ihre Mutter bei dieser Frage aufhörte, Kartoffeln zu schälen.

»Das weiß ich noch nicht«, sagte sie ausweichend. »Sollen wir ihn mal suchen?«

Brian zuckte die Achseln. »Von mir aus.«

Sarah legte ihm leicht die Hand auf den Arm. »Keine Angst, er wird dir gefallen.« Brian nickte. »Kommst du auch, Daddy?«

»Gleich. Ich muss für deine Mutter noch ein paar Servierschüsseln suchen. Sie sind irgendwo in einer Kiste in der Speisekammer.«

Sarah und Brian gingen ins Wohnzimmer, wo sie Miles und Jonah aber nicht fanden. Ihre Großmutter meinte, Miles sei kurz nach draußen gegangen, aber von der Haustür aus konnten sie ihn auch nicht entdecken.

»Er muss hinten sein ...«

Als sie um die Ecke bogen, sah Sarah die beiden. Jonah hatte einen kleinen Erdhügel gefunden und schob seine Spielzeugautos über imaginäre Straßen.

»Und was macht dein Freund beruflich? Auch Lehrer?«

»Nein, aber so habe ich ihn kennen gelernt. Sein Sohn ist in meiner Klasse. Er ist Deputy Sheriff. Hallo, Miles!«, rief sie, »Jonah!« Als sie sich umdrehten, wies Sarah auf ihren Bruder. »Ich habe euch jemanden mitgebracht.«

Jonah stand auf. Seine Hosen hatten an den Knien braune Kreise. Zusammen mit seinem Vater ging er Sarah und Brian entgegen.

»Das ist mein Bruder Brian. Brian – das sind Miles und sein Sohn Jonah.«

Miles streckte die Hand aus. »Hallo, ich bin Miles Ryan. Ich freue mich, Sie kennen zu lernen.«

Brian erwiderte die Geste steif. »Ich freue mich auch.«

»Sie gehen aufs College, habe ich gehört.«

Brian nickte. »Ja, Sir.«

Sarah lachte. »Du musst nicht so förmlich sein. Er ist nur ein paar Jahre älter als ich.« Brian lächelte schwach, sagte aber nichts, und Jonah sah fragend zu ihm hoch. Brian trat unsicher einen Schritt zurück, als wisse er nicht, wie man mit einem Kind redet.

»Hallo«, sagte Jonah.

»Hallo«, antwortete Brian.

»Du bist Ms. Andrews' Bruder?«

Brian nickte.

»Sie ist meine Lehrerin.«

»Ich weiß ... das hat sie mir gesagt.«

»Ah ...« Jonah wirkte auf einmal gelangweilt und fingerte an seinen Autos herum. Lange sprach keiner von ihnen ein Wort.

»Ich wollte mich nicht vor deiner Familie verstecken«, erklärte Miles einige Minuten später. »Jonah hat nur gefragt, ob ich mit ihm nach draußen komme und ihm sage, wo er hier spielen darf.«

»Kein Problem«, sagte Sarah.

Larry war zu ihnen gestoßen und hatte Brian gebeten, in der Garage nach den Schüsseln zu suchen. Brian machte sich sofort auf den Weg.

Auch Larry sprach nicht viel, aber er wirkte durchaus aufmerksam und interessiert. Während sie sich über irgendwelche alltäglichen Dinge unterhielten, musterte er Miles versteckt, als wolle er seine Körpersprache deuten, weil diese ihm mehr verriet als Worte. Das legte sich, als sie gemeinsame Interessen gefunden hatten, wie zum Beispiel das bevorstehende Footballspiel der Dallas Cowboys gegen die Miami Dolphins. Nicht lange danach unterhielten sie sich angeregt. Schließlich ging Larry ins Haus zurück und ließ Sarah bei Miles und seinem Sohn. Jonah kniete bereits wieder auf dem Erdhügel.

»Dein Vater ist wirklich seltsam. Ich hatte am Anfang das

merkwürdige Gefühl, dass er herausfinden wollte, ob wir miteinander geschlafen haben.«

Sarah lachte. »Das stimmt wahrscheinlich. Ich bin sein Küken, musst du wissen.«

»Ja – ich weiß. Wie lange ist er mit deiner Mutter verheiratet?«

»Fast fünfunddreißig Jahre.«

»Eine lange Zeit.«

»Manchmal finde ich, er sollte heilig gesprochen werden.«

»Also hör mal, geh nicht so hart mit deiner Mutter ins Gericht. Ich finde sie nett.«

»Ich glaube, das Gefühl ist gegenseitig. Ich dachte schon, sie würde dich adoptieren wollen.«

»Du hast es selbst gesagt – sie will, dass du glücklich bist.«

»Sie braucht einfach einen Menschen, um den sie sich kümmern kann, jetzt, wo Brian auf dem College ist. Ach, übrigens – nimm ihm sein Verhalten nicht übel. Brian ist unglaublich schüchtern, wenn er neue Leute trifft. Wenn er dich erst besser kennt, wird er schon noch auftauen.«

Miles schüttelte beschwichtigend den Kopf.

»Er ist doch nett! Außerdem erinnert er mich an mich selbst, wie ich in seinem Alter war. Ob du's glaubst oder nicht, es gibt Zeiten, da bin ich stumm wie ein Fisch.«

Sarah riss die Augen auf.

»Nein ... wirklich? Und ich hielt dich immer für den geistreichsten Plauderer auf Gottes Erdboden. Du hast mich doch geradezu *überwältigt* mit deinem Redefluss.«

»Findest du wirklich, dass an einem Tag wie dem heutigen Sarkasmus angebracht ist? Ein Tag im Schoß der Familie, an dem wir für all unsere Segnungen danken sollen?«

»Natürlich!«

Miles legte die Arme um sie. »Nun, zu meiner Verteidigung – was immer ich angestellt habe, es hat gewirkt, oder?«

Sie seufzte. »Es scheint wohl so.«

»Ist das alles?«

»Was willst du? Eine Medaille?«

»Für den Anfang. Eine Trophäe wäre allerdings auch nicht schlecht.«

Sie lächelte. »Und was meinst du, was du gerade in den Armen hältst?«

Der Rest des Nachmittags verging ohne besondere Ereignisse. Nachdem das Essen abgeräumt war, sah sich ein Teil der Familie das Spiel an. Andere halfen in der Küche, die Berge von Essensresten zu versorgen. Niemand hatte Eile, und sogar Jonah schien die Atmosphäre zu gefallen, nachdem er zwei Stück Kuchen in sich hineingestopft hatte. Larry und Miles redeten über New Bern, wobei Larry Miles über die Geschichte des Ortes ausfragte. Sarah verließ die Küche, in der sich ihre Mutter (zum wiederholten Male) über die Tatsache ausließ, was für ein reizender junger Mann Miles doch sei, und ging ins Wohnzimmer, weil sie nicht wollte, dass Miles und Jonah sich von ihr allein gelassen fühlten. Brian machte sich pflichteifrig die meiste Zeit in der Küche nützlich, wo er das gesamte Geschirr spülte und abtrocknete.

Eine halbe Stunde, bevor Miles aufbrechen wollte, weil er sich zu Hause noch für die Arbeit umziehen musste, gingen er, Sarah und Jonah ein Stück spazieren, wie er versprochen hatte. Hinter den letzten Häusern der Straße gelangten sie zu dem Wäldchen, das an die Siedlung grenzte. Jonah fasste Sarah an der Hand und zog sie lachend zwischen die Bäume, und bei diesem Anblick begriff Miles plötzlich, wohin dies alles führen konnte. Er wusste, dass er Sarah liebte, aber dass Sarah ihn an ihrem Familienleben teilhaben ließ, berührte ihn sehr. Er mochte die Vertrautheit, die Feiertagsatmosphäre, die lockere Art, mit der ihre Verwandten auf ihn reagierten, und er wollte keinesfalls, dass dies die einzige Einladung blieb.

In diesem Moment dachte er zum ersten Mal daran, dass er Sarah bitten könnte, ihn zu heiraten, und sobald sich die Idee in seinem Kopf festgesetzt hatte, konnte er sie kaum noch beiseite schieben.

Vor ihm warfen Sarah und Jonah Steinchen in einen kleinen Bach, noch einen und immer noch einen. Dann sprang Jonah ans andere Ufer, und Sarah folgte ihm.

»Komm!«, rief sie Miles zu. »Wir sind Forscher!«
»Ja, Dad, los, komm!«
»Ich komm ja schon – ihr braucht nicht warten. Ich hole euch ein.«
Er beeilte sich nicht. Während die beiden immer weiter vorausliefen, bis sie hinter einem dichten Gehölz verschwanden, hing er seinen Gedanken nach und vergrub die Hände in den Hosentaschen.
Heiraten.
Ihre Beziehung war natürlich noch jung, und Miles hatte nicht die Absicht, hier und jetzt auf die Knie zu fallen und ihr einen Antrag zu machen. Aber er wusste plötzlich, dass dieser Augenblick einmal kommen würde. Sarah war die Richtige für ihn, dessen war er sich jetzt sicher. Und sie konnte wunderbar mit Jonah umgehen. Jonah schien sie zu lieben, und auch das war wichtig, denn wenn Jonah sie nicht gemocht hätte, hätte Miles über eine Zukunft mit Sarah keine Sekunde länger nachgedacht.
Das war also geklärt. Unwillkürlich entspannte sich Miles. Sarah und Jonah waren nicht mehr zu sehen, als er über den Bach sprang, aber er folgte ihnen trotzdem. Kurz darauf entdeckte er sie in der Ferne, und als er ihnen immer näher kam, merkte er, dass er seit Jahren nicht mehr so glücklich gewesen war.

Von Thanksgiving bis Mitte Dezember kamen Miles und Sarah sich immer näher – nicht nur als Liebespaar, sondern auch als Freunde.
Miles machte Andeutungen über eine mögliche gemeinsame Zukunft, und Sarah verstand, was er mit seinen Worten meinte und griff sie auf. Wenn sie im Bett lagen, erwähnte er zum Beispiel, dass die Wände neu gestrichen werden müssten, und Sarah erwiderte, ein helles Gelb wirke doch freundlich, und dann suchten sie gemeinsam die Farbe aus. Oder Miles sprach davon, dass der Garten etwas Buntes gebrauchen könnte, und sie sagte, dass sie schon immer Kamelien geliebt habe. An jenem Wochenende pflanzte Miles an der Vorderfront des Hauses fünf Kamelien.

Der Ordner blieb im Schrank, und zum ersten Mal seit langem erschien die Gegenwart Miles lebendiger als die Vergangenheit. Doch weder Sarah noch er wussten, dass sie zwar bereit waren, die Vergangenheit hinter sich zu lassen, die Ereignisse ihnen das jedoch bald unmöglich machen sollten.

Kapitel 16

Wieder eine schlaflose Nacht, und obwohl ich mich gern ins Bett flüchten würde, weiß ich, dass ich das nicht kann. Nicht, bis ich erzählt habe, wie es geschehen ist.

Wie gesagt, ich war der Fahrer des Wagens.

Es ist nicht so passiert, wie Sie es sich wahrscheinlich vorstellen, und auch nicht so, wie Miles glaubte. Ich hatte in jener Nacht nichts getrunken. Und auch keine Drogen genommen. Ich war völlig nüchtern.

Was Missy damals zustieß, war schlicht und einfach ein Unfall.

Ich habe ihn tausendmal durchlebt. In den sechzehn Jahren seither hatte ich immer wieder zu den merkwürdigsten Zeiten eine Art Déjà-vu-Erlebnis – als ich vor einigen Jahren Umzugskartons in den Möbelwagen trug, zum Beispiel –, und dann blieb ich wie angewurzelt stehen und fühlte mich zurückversetzt an jenen Tag, an dem Missy Ryan starb.

Ich hatte seit dem frühen Morgen bei meinem Job in einem Lagerhaus Kisten auf Paletten gestapelt und hatte eigentlich um sechs Uhr Feierabend. Aber dann kam kurz vor Schluss noch eine verspätete Lieferung Plastikrohre – mein damaliger Arbeitgeber belieferte die meisten Geschäfte in North und South Carolina –, und der Boss fragte mich, ob ich nicht noch ungefähr eine Stunde länger bleiben könnte. Mir war das recht – es bedeutete Überstunden, anderthalbmal so viel Lohn wie sonst. Womit ich nicht gerechnet hatte, war, dass der Lastwagen übervoll war und ich die meiste Arbeit allein erledigen musste.

Eigentlich waren wir zu viert, aber einer hatte sich an diesem Tag krank gemeldet, und ein anderer konnte nicht bleiben, weil sein Sohn ein Baseballspiel hatte, das er nicht verpassen wollte. Damit waren wir noch zu zweit, und das wäre in Ordnung gewe-

sen. Aber kaum war der Lastwagen gekommen, verknackste sich der Kollege den Knöchel, und im Handumdrehen war ich allein.

Es war heiß. Die Temperatur im Freien lag bei über dreißig Grad, und im Lagerhaus war es noch heißer, fast vierzig Grad und stickig. Ich hatte schon acht Stunden Arbeit hinter mir und noch drei vor mir. Den ganzen Tag waren Lastwagen auf den Hof gefahren, und weil ich nicht regelmäßig dort arbeitete, fand ich die Arbeit körperlich enorm anstrengend. Die anderen drei wechselten sich am Gabelstapler ab, damit sie ab und zu pausieren konnten. Ich nicht. Ich musste die Kisten sortieren und sie dann von der Ladefläche zur Tür schleppen und alles auf Paletten laden, damit die Gabelstapler sie an die richtige Stelle im Lagerhaus bringen konnten. Und nun musste ich alles allein machen, weil außer mir niemand mehr da war. Zum Schluss war ich fix und fertig. Ich konnte kaum noch die Arme bewegen, ich hatte Muskelkrämpfe im Rücken, und weil ich seit mittags nichts gegessen hatte, war ich völlig ausgehungert.

Deshalb beschloss ich, zu Rhetts Barbecue zu fahren und nicht direkt nach Hause. Nach einem langen, harten Tag gibt es nichts Besseres auf der Welt als Barbecue, und als ich endlich in mein Auto kletterte, dachte ich nur noch daran, dass es mir in ein paar Minuten richtig gut gehen würde.

Mein Auto war eine echte Schrottmühle, überall verbeult und zerkratzt, ein Pontiac Bonneville mit einem Dutzend Jahre auf dem Buckel. Ich hatte ihn im Sommer zuvor gebraucht gekauft und nur dreihundert Dollar dafür bezahlt. Doch er fuhr erstklassig, ich hatte nie Probleme mit ihm. Der Motor sprang sofort an, und die Bremsen hatte ich nach dem Kauf gleich selbst erneuert. Mehr war nicht nötig gewesen.

Ich stieg also in mein Auto, gerade als die Sonne unterging. Zu dieser Tageszeit wechselt der Himmel fast minütlich die Farbe, Schatten gleiten wie lange, gespenstische Finger über die Straßen. Da an jenem Abend keine einzige Wolke am Himmel stand, gab es Momente, in denen das gleißende Licht schräg durch die Fenster einfiel und ich blinzeln musste, um zu erkennen, wohin ich fuhr.

Direkt vor mir hatte ein anderer Fahrer offenbar noch mehr Schwierigkeiten mit der Sicht als ich. Wer immer es war – ein-

mal gab er Gas, dann wurde er wieder langsamer, und immer, wenn das Sonnenlicht aus einem anderen Winkel einfiel, trat er abrupt auf die Bremse. Mehr als einmal kurvte er über den Mittelstreifen auf die andere Straßenseite. Ich reagierte schnell und bremste auch, und schließlich hatte ich genug und beschloss, etwas mehr Abstand zu halten, da die Straße zu eng zum Überholen war.

Doch auch der andere wurde langsamer, und als sich die Distanz zwischen uns wieder verringert hatte, sah ich, dass die Bremslichter blinkten wie die Lichterketten an Weihnachten und dann plötzlich rot blieben. Ich drückte mit voller Kraft aufs Bremspedal, und mein Wagen kam mit quietschenden Reifen zum Stehen. Es waren sicher keine dreißig Zentimeter mehr bis zu seiner Stoßstange.

Das war der Moment, an dem, wie ich glaube, das Schicksal eingriff. Manchmal wünsche ich mir, ich wäre auf meinen Vordermann aufgefahren, denn dann hätte ich länger anhalten müssen, und Missy Ryan wäre heil nach Hause gekommen. Aber weil ich ihn verfehlte – und weil mir der Fahrer endgültig auf die Nerven ging –, bog ich an der nächsten Kreuzung rechts in die Camellia Road ab, obwohl der Weg dadurch ein paar Minuten länger dauerte, Minuten, die ich jetzt gern zurückhätte. Die Straße führte durch einen älteren Stadtteil mit großen, üppigen Eichen, und die Sonne stand inzwischen so tief, dass sie nicht mehr blendete. Kurz darauf wurde der Himmel rasch dunkel, und ich schaltete die Scheinwerfer an.

Die Straße verlief in Windungen durch eine Gegend, in der die Häuser immer weiter auseinander lagen. Die Gärten wurden größer, und weniger Menschen waren unterwegs. Nach ein paar Minuten bog ich in die Madame Moore's Lane ein. Ich kannte diese Straße gut und tröstete mich mit dem Wissen, dass Rhetts *keine zwei Meilen mehr entfernt war.*

Ich weiß noch, dass ich das Radio anstellte und nach einem Sender suchte, aber ich wandte den Blick nie von der Straße ab. Kurz danach schaltete ich es wieder aus. Glauben Sie mir: Mit den Gedanken war ich ganz beim Fahren.

Die Straße war eng und gewunden, aber wie gesagt, ich kannte sie gut. Vor einer besonders gefährlichen Kurve bremste ich automatisch. Da sah ich sie vor mir, und ich bin sicher, dass ich noch langsamer fuhr. Danach passierte jedoch alles so schnell, dass ich nichts beschwören könnte.

Ich fuhr von hinten auf sie zu und kam ihr immer näher. Sie lief rechts auf dem Grasstreifen. Ich erinnere mich, dass sie ein weißes T-Shirt und blaue Shorts trug und nicht wirklich schnell lief, sondern sich eher trabend vorwärts bewegte.

In diesem Viertel lagen die Häuser auf weitläufigen Grundstücken, und kein Mensch war zu sehen. Missy wusste, dass ich hinter ihr fuhr – denn ich sah, wie sie kurz zur Seite blickte. Vielleicht hatte sie mich aus dem Augenwinkel entdeckt. Sie wich noch ein Stück seitwärts aus. Meine Hände lagen auf dem Steuerrad. Ich achtete auf alles, war aufmerksam und, wie ich meinte, konzentriert. Das dachte sie vermutlich auch.

Keiner von uns beiden bemerkte den Hund rechtzeitig.

Fast, als hätte er auf der Lauer gelegen, stürmte er aus einer Lücke in der Hecke, als Missy vielleicht noch sechs, sieben Meter von meinem Auto entfernt war. Ein großer, schwarzer Hund, und selbst vom Auto aus hörte ich das bösartige Knurren, mit dem er auf sie losging. Er muss sie völlig überrascht haben, denn sie machte einen Satz, um ihm auszuweichen, und geriet dadurch einen Meter zu weit auf die Straße.

Mein Wagen traf sie mit der ganzen Wucht seiner anderthalb Tonnen.

Kapitel 17

Sims Addison war vierzig Jahre alt und sah aus wie eine Ratte: spitze Nase, fliehende Stirn und ein ebenso fliehendes Kinn. Die Haare kämmte er sich mit Hilfe eines Lockenkammes, den er immer bei sich trug, straff nach hinten.

Außerdem war Sims Alkoholiker.

Nicht einer von denen, die jeden Abend etwas trinken. Sims gehörte zu denen, deren Hände morgens zittern, bevor sie den ersten Drink gekippt haben, und bei denen der Tag schon erledigt ist, lange bevor die meisten Leute arbeiten gehen.

Obwohl er Bourbon bevorzugte, hatte er selten genug Geld für etwas anderes als den billigsten Wein, den er literweise konsumierte. Woher er sein Geld bekam, verriet er nicht gern, aber abgesehen von seinem Stoff und der Miete brauchte er auch nicht viel.

Sims hatte eine besondere Fähigkeit: sich unsichtbar zu machen. Folglich erfuhr er eine Menge über andere Menschen. Wenn er trank, wurde er weder laut noch streitsüchtig, und sein normaler Gesichtsausdruck – halb geschlossene Augen, halb offener Mund – ließ ihn wesentlich betrunkener erscheinen, als er wirklich war. Und so plauderten die Leute in seiner Gegenwart Dinge aus, die sie besser für sich behalten hätten.

Sims verdiente sich eine Kleinigkeit, indem er Polizisten Tipps gab.

Aber nicht allen. Nur denjenigen, bei denen er anonym bleiben und trotzdem Bares kassieren konnte. Nur denjenigen, die sein Geheimnis wahrten und ihn nicht zu Zeugenaussagen zwangen.

Kriminelle waren, wie er wusste, ziemlich nachtragend, und er war nicht so dumm zu glauben, dass die, die wussten, wer sie verpfiffen hatte, die Sache einfach auf sich beruhen ließen.

Sims hatte gesessen, einmal mit Anfang zwanzig wegen geringfügigen Diebstahls und zweimal mit über dreißig wegen des Besitzes von Marihuana. Das dritte Mal hinter Gittern brachte den Wendepunkt. Sims war dem Alkohol mit Haut und Haar verfallen und litt in der ersten Woche unter entsetzlichen Entzugserscheinungen. Er zitterte, er übergab sich, und wenn er die Augen schloss, sah er Monster. Fast wäre er gestorben, wenn auch aus anderen Gründen. Nachdem Sims' Zellengenosse sich sein Schreien und Stöhnen ein paar Tage lang angehört hatte, schlug er ihn bewusstlos, damit er selbst endlich wieder schlafen konnte. Sims verbrachte drei Wochen in der Krankenstation und konnte dann von Glück sagen, dass er ein mildes Gericht fand, dem es Leid tat, was er durchgemacht hatte. Statt das restliche Jahr seiner Strafe absitzen zu müssen, wurde er auf Bewährung entlassen und musste sich regelmäßig melden. Er wurde jedoch verwarnt, dass sein Urteil wieder rechtskräftig würde, sobald er trank oder Drogen nahm.

Die Vorstellung, noch einmal auf Entzug gehen zu müssen, und die Erinnerung an die Prügel, die er bezogen hatte, hinterließen bei Sims eine höllische Furcht vor dem Gefängnis.

Aber er brachte es nicht fertig, dem Leben nüchtern ins Auge zu blicken. Anfang war er vorsichtig und trank nur zu Hause. Mit der Zeit allerdings ärgerte ihn die Beschränkung seiner Freiheit. Er traf sich mit seinen Trinkkumpanen und achtete lediglich darauf, nicht aufzufallen. Mit der Zeit wurde er immer dreister. Er trank schon unterwegs, die Flasche in der traditionellen braunen Papiertüte versteckt. Bald war er blau, wo immer er auftauchte, und falls sein Gehirn ab und zu kleine Warnsignale aussandte, so nahm er sie in seinem Zustand nicht mehr wahr.

Immer noch hätte alles gut gehen können, hätte er sich nicht für eine seiner nächtlichen Touren den Wagen seiner

Mutter geliehen. Er besaß keinen Führerschein, fuhr aber trotzdem zu einer schmuddeligen Bar außerhalb der Stadt. Dort zechte er mit seinen Kumpanen bis nach Mitternacht und wankte dann zurück zum Auto. Er schaffte es kaum aus dem Parkplatz hinaus, ohne die anderen Wagen zu rammen, doch irgendwie fand er die Richtung nach Hause. Nach wenigen Kilometern registrierte er das blinkende Rotlicht hinter sich.

Miles Ryan stieg aus dem Polizeiwagen.

»Bist du das, Sims?«, rief Miles, als er langsam näher kam. Wie die meisten Deputys sprach er Sims mit Vornamen an. Dennoch hatte er eine Taschenlampe in der Hand und leuchtete ins Innere des Wagens.

»Oh, hallohallo, Deputy.« Sims Zunge war schwer.

»Hast du getrunken?«, fragte Miles.

»Nee ... nein. Überhaupt nich.« Sims beäugte ihn von unten. »Nur 'n paar Freunde besucht.«

»Bist du sicher? Nicht mal ein Bier?«

»Nein, Sir.«

»Vielleicht ein Glas Wein zum Essen?«

»Nein, Sir. Ich doch nich.«

»Du bist aber in Schlangenlinien über die ganze Straße gekurvt.«

»Bloß müde.« Als müsse er seine Worte unterstreichen, legte Sims die Hand über den Mund und gähnte. Miles roch die Alkoholfahne.

»Ich muss mir deinen Führerschein und die Autopapiere ansehen.«

»Ja... ähm ... ich hab den Führerschein grade nich dabei. Muss ihn zu Hause gelassen ham.«

Miles trat vom Wagen zurück und leuchtete Sims an.

»Steig bitte aus dem Auto.«

Sims schien verblüfft, dass Miles ihm nicht glaubte.

»Wozu?«

»Komm einfach raus.«

»Sie nehmen mich doch nicht fest, oder?«

»Jetzt komm schon – mach es mir nicht unnötig schwer.«

Sims schien mit sich zu ringen. Er blieb sitzen und starrte durch die Windschutzscheibe, bis Miles schließlich die Fahrertür öffnete.

»Komm raus.«

Obwohl Miles ihm die Hand hinhielt, schüttelte Sims nur den Kopf, als wolle er andeuten, dass er sehr gut allein aussteigen könne.

Das Aussteigen gestaltete sich jedoch schwieriger, als Sims angenommen hatte. Statt Auge in Auge mit Miles Ryan – so hätte er um Verständnis werben können –, fand Sims sich lang ausgestreckt auf der Erde wieder und fiel sofort in Tiefschlaf.

Sims wachte am folgenden Morgen zitternd auf und konnte sich an nichts erinnern. Fest stand nur, dass er hinter Gittern war, und dieser Zustand löste auf der Stelle lähmende Angst bei ihm aus. Allmählich nahm die Erinnerung an Teile des Abends Gestalt an. Er war zu einer Bar gefahren und hatte mit Freunden gebechert … doch danach lag alles mehr oder weniger im Nebel, bis hinter ihm Lichter geblinkt hatten. Irgendwo in einem Winkel seines Gehirns stöberte er auch die Tatsache auf, dass Miles Ryan ihn eingebuchtet hatte.

Sims hatte jedoch Wichtigeres zu tun, als über den letzten Abend nachzugrübeln. Er konzentrierte sich hauptsächlich darauf, wie ein weiterer Gefängnisaufenthalt zu vermeiden war. Schon der Gedanke daran trieb ihm Schweißperlen auf Stirn und Oberlippe.

Er konnte nicht wieder in den Knast gehen. Auf keinen Fall. Er würde krepieren. Das wusste er mit absoluter Sicherheit.

Aber man würde ihn trotzdem einlochen. Die Angst machte seinen Kopf noch leerer, und für eine Weile konnte er an nichts anderes denken als an das, was ihn erwarten würde.

Gefängnis.

Prügel.

Albträume.

Zittern und Übelkeit.

Tod.

Unsicher stand er vom Bett auf und stützte sich an der Wand ab. Er schlurfte nach vorn an die Gitterstäbe und warf einen Blick auf den Flur. Drei der anderen Zellen waren belegt, aber niemand wusste, ob Deputy Ryan da war. Zwei Männer sagten ihm, er solle die Klappe halten, und der dritte gab erst gar keine Antwort.

So sieht dein Leben in den nächsten zwei Jahren aus.

Sims war nicht so naiv anzunehmen, sie würden ihn laufen lassen, und er machte sich auch keine Illusionen, dass der Pflichtverteidiger ihm helfen würde. Seine Bewährung galt eindeutig nur unter der Bedingung, dass jede Zuwiderhandlung ihn unweigerlich wieder ins Gefängnis bringen würde. Keine Chance. Er würde in U-Haft dahinvegetieren, bis sein Fall verhandelt wurde, und nach dem Urteil würden sie den Schlüssel zu seiner Zelle wegwerfen.

Sims wischte sich mit der Hand über die Stirn und wusste, dass er irgendetwas unternehmen musste.

Sein Verstand setzte sich in Gang, knirschend und unregelmäßig erst, dann jedoch immer schneller. Seine einzige Hoffnung, das Einzige, was ihm helfen würde, war, die Uhr zurückzudrehen und die Verhaftung vom Abend zuvor ungeschehen zu machen.

Wie zum Teufel sollte er das anstellen?

Nutze deine Informationen, antwortete eine kleine Stimme in seinem Hirn.

Miles kam gerade aus der Dusche, als das Telefon klingelte. Vorher hatte er Jonah Frühstück gemacht und ihn zur Schule geschickt, doch statt anschließend aufzuräumen, war er noch einmal ins Bett gekrochen und hatte auf ein paar Stunden Schlaf gehofft. Eingeschlafen war er zwar nicht mehr, aber er hatte immerhin ein Weilchen gedöst. Er musste an diesem Tag von zwölf bis acht arbeiten und freute sich schon auf einen entspannten Abend. Jonah wollte mit Mark ins Kino gehen, und Sarah hatte sich angekündigt.

Der Anruf änderte alles.

Miles griff nach einem Handtuch und wickelte es sich um

die Hüfte. Er nahm den Hörer gerade noch ab, bevor sich der Anrufbeantworter einschaltete. Am anderen Ende war Charlie. Nach ein paar einleitenden Worten kam zur Sache.

»Komm am besten gleich her«, sagte er.

»Warum? Was ist los?«

»Du hast doch Sims Addison gestern Nacht festgenommen?«

»Ja, richtig.«

»Ich finde keinen Bericht.«

»Ach so, das. Es kam noch ein Anruf, und ich musste gleich wieder los. Ich wollte sowieso früher ins Büro kommen und mich darum kümmern. Gibt's Probleme?«

»Das weiß ich noch nicht. Wie schnell kannst du hier sein?«

Miles wunderte sich über Charlies Tonfall.

»Ich komme gerade aus der Dusche. In einer halben Stunde, okay?«

»Wenn du da bist, komm gleich zu mir. Ich warte.«

»Kannst du mir nicht wenigstens verraten, wozu die Eile gut ist?«

Am anderen Ende herrschte Schweigen.

»Komm einfach so schnell wie möglich. Dann reden wir darüber.«

»Also, worum geht es?«, fragte Miles. Charlie hatte ihn abgepasst, in sein Büro gezogen und gleich die Tür geschlossen.

»Erzähl mir von gestern Nacht.«

»Das mit Sims Addison, meinst du?«

»Von Anfang an.«

»Mhmm ... es war kurz nach Mitternacht, und ich parkte in der Nähe von *Beckers* am Straßenrand – du kennst doch die Bar draußen bei Vanceboro?«

Charlie nickte und verschränkte die Arme.

»Ich hatte nichts Besonderes zu tun. Es war alles ruhig, und ich wusste, dass der Laden bald schließen würde. Kurz nach zwei Uhr morgens habe ich gesehen, dass jemand aus der Bar kam, und ich bin dem Wagen gefolgt, einfach aus einer Eingebung heraus. Zum Glück, denn das Auto vollführte die verrücktesten Schlenker. Deshalb habe ich es angehalten, um den Fahrer auf Alkohol zu testen. Es war Sims Addison. Seine Fahne war vom Seitenfenster aus zu riechen. Als ich ihn aufforderte auszusteigen, fiel er um. Er war nicht mehr ansprechbar, deshalb habe ich ihn auf meinen Rücksitz gelegt und hergebracht. Er kam so weit zu sich, dass ich ihn nicht tragen musste, aber ohne ihn zu stützen ging es nicht. Ich wollte gleich die Schreibarbeit erledigen, aber dann kam ein Anruf, und ich musste sofort los. Ich war erst nach meiner Schicht zurück, und weil ich heute Tommie vertrete, wollte ich den Bericht vor meiner Schicht schreiben.«

Charlie sagte nichts, aber er ließ Miles nicht aus den Augen.

»Noch was?«

»Nein. Hat er sich wehgetan? Wie gesagt, ich habe ihn nicht angefasst – er ist hingefallen. Er war betrunken, Charlie. Sternhagelvoll.«

»Nein – darum geht es nicht.«

»Worum dann?«

»Lass mich noch mal eines klarstellen – er hat gestern Nacht nichts zu dir gesagt?«

Miles dachte kurz nach. »Eigentlich nicht. Er wusste, wer ich war, und hat mich mit Namen angesprochen ...« Miles überlegte angestrengt, ob das wirklich alles gewesen war.

»Hat er sich merkwürdig verhalten?«

»Kam mir nicht so vor ... nur irgendwie daneben, verstehst du?«

»Mhm ...«, murmelte Charlie und verlor sich wieder in Gedanken.

»Jetzt sag schon, Charlie, was ist eigentlich los?«

Charlie seufzte. »Er sagt, er will mit dir reden.«

Miles wusste, dass das noch nicht alles war.

»Nur mit dir. Er sagt, er hat Informationen.«

Miles kannte Sims' Geschichte gut. »Und?«

»Er will's mir nicht verraten. Aber er sagt, es geht um Leben und Tod.«

Miles starrte Sims durch die Gitterstäbe an und fand, der Mann sah aus wie der wandelnde Tod. Wie bei vielen Alkoholikern war seine Haut krankhaft gelb. Seine Hände zitterten, und von der Stirn rannen Schweißtropfen. Sims hatte sich, auf seiner Pritsche sitzend, stundenlang an den Armen gekratzt, und Miles bemerkte die roten, teilweise blutigen Striemen, die aussahen, als hätte ein Kind ihn mit Lippenstift bemalt.

Miles zog sich einen Stuhl heran und setzte sich vor die Zelle, die Ellenbogen auf die Knie gestützt.

»Du willst mit mir sprechen?«

Beim Klang seiner Stimme hob Sims den Kopf. Er hatte Miles' Kommen nicht bemerkt und brauchte einen Moment, um klare Gedanken zu fassen. Er wischte sich über die Oberlippe und nickte.

»Deputy ...«

Miles beugte sich vor. »Was hast du zu sagen, Sims? Du hast meinen Boss ziemlich nervös gemacht. Er sagt, du hättest angeblich Informationen für mich.«

»Warum haben Sie mich letzte Nacht eingebuchtet? Ich hab keinem was getan.«

»Du warst betrunken, Sims. Und du bist Auto gefahren. Das ist eine Straftat.«

»Warum werde ich dann nicht angeklagt?«

Miles fragte sich, worauf Sims mit all dem wohl hinauswollte.

»Ich hatte noch keine Zeit«, erwiderte er ehrlich. »Aber gemäß den Gesetzen dieses Staates ist es unerheblich, ob ich den Bericht gestern Nacht geschrieben habe oder heute schreibe. Und wenn es das ist, worüber du mit mir reden willst, dann habe ich Besseres zu tun.«

Demonstrativ stand Miles auf und wandte sich ab.

»Warten Sie.«

Miles blieb stehen und drehte sich wieder um. »Ja?«

»Ich hab Ihnen was Wichtiges zu sagen.«

»Zu Charlie hast du gesagt, es gehe um Leben und Tod.«

Sims fuhr sich über die Lippen.

»Ich kann nicht ins Gefängnis zurück. Ich hab doch Bewährung.«

»So läuft das aber. Du brichst das Gesetz und gehst dafür ins Gefängnis. Ist dir das neu?«

»Ich kann nicht zurück«, wiederholte Sims.

»Das hättest du dir gestern Abend überlegen müssen.«

Miles wandte sich erneut ab, und Sims stemmte sich von seiner Pritsche hoch, das Gesicht vor Angst verzerrt.

»Tun Sie mir das nicht an!«

Miles zögerte. »Es tut mir Leid, Sims. Ich kann dir nicht helfen.«

»Sie könnten mich gehen lassen. Ich hab niemandem was getan. Und wenn ich ins Gefängnis zurückmuss, krepier ich. Das ist so sicher wie das Amen in der Kirche.«

»Das kann ich nicht.«

»Klar können Sie. Sie können sagen, Sie haben sich geirrt, ich bin am Steuer nur kurz eingeschlafen und nicht von der Spur abgekommen ...«

Miles empfand unwillkürlich Mitleid mit dem Mann, aber er kannte seine Pflicht. »Tut mir Leid«, wiederholte er und machte ein paar Schritte. Sofort stürzte Sims zu den Gitterstäben und klammerte sich daran fest.

»Ich hab Informationen ...«

»Später, jetzt muss ich hoch, meine Berichte schreiben.«

»Halt!«

Etwas in seiner Stimme ließ Miles stehen bleiben.

»Ja?«

Sims räusperte sich. Die anderen drei Männer in den Nachbarzellen waren nach oben gebracht worden, aber er schaute sich trotzdem argwöhnisch um. Dann bedeutete er Miles, näher zu treten, doch Miles blieb stehen, wo er war, und verschränkte die Arme.

»Wenn ich Ihnen wichtige Informationen verrate – lassen Sie dann die Anklage fallen?«

Miles unterdrückte ein Lächeln. Darum geht's also, dachte er.

»Das hängt nicht allein von mir ab. Ich muss mit dem Bezirksstaatsanwalt sprechen.«

»Nein. So nicht. Sie wissen, wie das normalerweise läuft. Ich mache keine Zeugenaussagen und bleibe anonym.«

Miles schwieg.

»Ich hab keine Beweise für das, was ich sage, aber es ist wahr, und Sie wollen es bestimmt hören.« Er senkte die Stimme. »Ich weiß, wer das an dem Abend damals war. Ich *weiß* es.«

Miles ahnte sofort, worauf Sims anspielte, und unwillkürlich stellten sich ihm die Härchen im Nacken auf.

»Wovon redest du überhaupt?«

Sims wischte sich die Lippen. Jetzt hatte er Miles' volle Aufmerksamkeit.

»Ich kann Ihnen erst mehr sagen, wenn Sie mich rauslassen.«

Miles war wie benommen. Er trat auf die Zelle zu und starrte Sims an, bis dieser zurückwich.

»Mir was sagen?«

»Ich will einen Deal. Sie müssen mir versprechen, dass Sie mich hier rausholen. Sagen Sie einfach, Sie haben mich nicht in die Tüte blasen lassen und deshalb haben Sie keinen Beweis, dass ich getrunken habe.«

»Hör zu – ich kann keine Deals machen.«

»Kein Deal, keine Information.«

Sie standen sich gegenüber. Jeder hielt dem Blick des anderen stand.

»Sie wissen genau, wovon ich rede, oder?«, fragte Sims schließlich. »Wollen Sie denn nicht wissen, wer's war?«

Miles' Herz raste, und seine Hände ballten sich zu Fäusten. Seine Gedanken überschlugen sich.

»Ich verrat's Ihnen, wenn Sie mich rauslassen«, lockte Sims.

Miles klappte den Mund auf und wieder zu. Die Erinnerungen überschwemmten ihn wie Wasser ein ausgetrocknetes Flussbett. Es schien unglaublich, undenkbar, hirnverbrannt ... aber ... was, wenn Sims wirklich die Wahrheit sagte?

Was, wenn er wusste, wer Missy getötet hatte?

»Du musst als Zeuge aussagen«, war alles, was ihm einfiel.

Sims hob die Hände.

»Kommt nicht infrage. Ich hab nichts gesehen, nur gehört, was Leute so geredet haben. Und wenn die rauskriegen, dass ich meinen Mund nicht gehalten habe, bin ich so gut wie tot. Also gehe ich nicht vor Gericht. Nie im Leben. Ich würde schwören, dass ich mich an nichts mehr erinnere. Und Sie könnten denen auch nicht sagen, von wem Sie das haben. Das ist 'ne Sache zwischen uns beiden. Aber ...«

Sims zuckte die Achseln und kniff theatralisch die Augen zusammen.

»Das ist Ihnen jetzt egal, oder? Sie wollen nur wissen, wer's war, und ich weiß es. Und Gott soll mich strafen, wenn ich nicht die Wahrheit sage.«

Miles packte die Gitterstäbe. Seine Fingerknöchel waren weiß. »Red endlich!«, schrie er Sims an.

»Holen Sie mich hier raus«, erwiderte Sims, dem es trotz Miles Ausbruch irgendwie gelang, die Ruhe zu bewahren. »Dann rede ich.«

Lange starrte ihn Miles wortlos an.

»Ich war im *Rebel*«, begann Sims, nachdem Miles schließlich genau das getan hatte, was Sims forderte. »Das Lokal kennen Sie doch?«

Er wartete die Antwort nicht ab. Mit dem Handrücken fuhr er sich über das fettige Haar. »Es war so ungefähr vor zwei Jahren – genau weiß ich's auch nicht mehr –, und da hab ich ein, zwei Gläser getrunken. Hinter mir, in einer von den Nischen, saß Earl Getlin. Kennen Sie den?«

Miles nickte. Noch einer von den vielen, die in seiner Abteilung bestens bekannt waren. Groß und dünn, pockennarbiges Gesicht, Tätowierungen auf beiden Armen – eine zeigte eine Lynchszene, die andere einen von einem Messer durchbohrten Schädel. Er war wegen Überfällen, Einbruch und Hehlerei verhaftet worden. Man nahm an, dass er mit Drogen dealte. Vor eineinhalb Jahren war er beim Autodiebstahl erwischt worden und im Gefängnis gelandet, dem Hailey State Prison. Er würde erst in vier Jahren wieder freikommen.

»Earl war irgendwie nervös, hat an seinem Glas rumgespielt, als würde er auf jemanden warten. Dann sind sie reingekommen. Die Timsons. Sie standen in der Tür und haben sich umgeschaut, bis sie ihn sahen. Mit solchen Leuten hab ich nicht gern zu tun, deshalb hab ich mich ganz ruhig verhalten. Und dann setzen sie sich zu Earl. Sie haben wahnsinnig leise geredet, fast geflüstert, aber von meinem Platz aus konnte ich trotzdem jedes Wort verstehen.«

Miles hörte Sims wie erstarrt zu. Sein Mund war trocken, als hätte er sich stundenlang in der Sonne aufgehalten.

»Sie haben Earl bedroht, aber er hat dauernd gesagt, er hätte es noch nicht. Und dann hat Otis sich eingemischt – bis dahin hatte er seine Brüder reden lassen. Er sagte, wenn Earl das Geld nicht bis zum Wochenende kriegt, soll er sich in Acht nehmen, weil man jemanden wie ihn nicht aufs Kreuz legt.«

Miles blinzelte. Das Blut wich aus seinem Gesicht.

»Er hat gesagt, dann würde ihm dasselbe passieren wie Missy Ryan. Nur würden sie dieses Mal zurücksetzen und noch mal über ihn rüberfahren.«

Kapitel 18

Ich weiß noch, dass ich schrie, bevor ich das Auto zum Stehen brachte.

Natürlich erinnere ich mich an den Aufprall – das leichte Vibrieren des Steuerrads und den grauenhaften Stoß, aber am deutlichsten erinnere ich mich an meine eigenen Schreie. Sie waren ohrenbetäubend, sie brachen sich an den geschlossenen Fensterscheiben und hörten erst auf, als ich den Zündschlüssel umdrehte und endlich imstande war, die Tür aufzudrücken. Dann wurden meine Schreie zu panischen Stoßgebeten. »Nein, nein, nein …«, mehr brachte ich nicht heraus.

Atemlos rannte ich zum Kühler. Er war unbeschädigt – das Auto war, wie gesagt, ein älteres Modell, dessen Fahrgestell mehr aushielt als die Autos heutzutage, aber ich sah keinen menschlichen Körper. Plötzlich kam mir der Gedanke, ich hätte sie vielleicht überfahren und ihr Körper läge eingeklemmt unter dem Wagen, und als mir dieses entsetzliche Bild vor Augen stand, wurde mir übel. Eigentlich wirft mich so schnell nichts um – die Leute staunen oft über meine Selbstbeherrschung –, aber ich muss gestehen, in diesem Augenblick legte ich die Hände auf die Knie und hätte mich beinahe übergeben. Als der Brechreiz nachließ, zwang ich mich, unter dem Wagen nachzusehen.

Nichts.

Ich lief hin und her und suchte sie. Ich fand sie nicht gleich und hoffte sogar kurz, ich hätte mich getäuscht, es wäre alles nur in meiner Phantasie passiert.

Ich suchte die Straße ab, erst eine Seite, dann die andere, in der verzweifelten Hoffnung, dass ich sie vielleicht nur gestreift hätte, dass sie nur bewusstlos wäre. Auch hinter dem Wagen lag sie nicht, und da wusste ich, wo sie sein musste.

Mein Magen krampfte sich gleich wieder zusammen. Zögernd ging ich ein paar Schritte nach vorn, und da sah ich sie im Graben liegen, ungefähr sieben Meter entfernt.

Kurz überlegte ich, ob ich zum nächsten Haus rennen und einen Rettungswagen rufen oder erst nach ihr sehen sollte. Damals kam mir das zweite natürlicher vor, und ich trat auf sie zu, immer langsamer, als würde die Langsamkeit der unvermeidlichen Wahrheit die Härte nehmen.

Missys Körper lag unnatürlich verdreht, das fiel mir sofort auf. Ein Bein sah irgendwie verbogen aus, vom Oberschenkel an über das andere gelegt, das Knie in einem unmöglichen Winkel und der Fuß falsch herum. Ein Arm war unter dem Körper eingeklemmt, der andere wie hochgeworfen. Sie lag auf dem Rücken.

Ihre Augen waren offen.

Zuerst kam es mir trotz ihrer Lage nicht so vor, als ob sie tot sei, wenigstens nicht sofort. Aber es dauerte nur wenige Sekunden, bis ich merkte, dass etwas am Glanz ihrer Augen nicht stimmte. Sie wirkten wie gemalt – wie bei einer Schaufensterpuppe. Doch letztlich war es der starre Blick, der mich begreifen ließ. In der ganzen Zeit blinzelte sie nicht ein einziges Mal. Dann sah ich auch das Blut, das sich unter ihrem Kopf gesammelt hatte, und plötzlich passte alles zusammen – die Augen, die Lage des Körpers, das Blut …

In diesem Augenblick wusste ich mit Sicherheit, dass sie tot war.

Ich kann mich nicht erinnern, dass ich mich bewusst entschieden hätte, noch näher zu treten, aber kurz darauf legte ich mein Ohr auf ihre Brust, an ihren Mund, suchte den Puls. Suchte irgendeine Bewegung, irgendein noch so geringes Lebenszeichen, das mich zum Handeln treiben würde.

Ich fand nichts.

Später stellte sich durch die Autopsie heraus, dass sie auf der Stelle tot gewesen war. Ich sage das, damit Sie wissen, dass ich ehrlich bin. Missy Ryan hatte keine Chance, ganz gleich, was ich später unternommen hätte.

Ich weiß nicht, wie lange ich neben ihr stand, aber sehr lange war es nicht. Ich stolperte zu meinem Auto zurück und klappte den Kofferraum auf. Ich fand eine Decke und legte sie über ihren Körper. Damals erschien mir das als das einzig Richtige. Char-

lie vermutete, ich hätte mich damit entschuldigen wollen, und rückblickend war es vielleicht auch so. Aber ich wollte auch nicht, dass irgendjemand sie so sah, wie ich sie gesehen hatte. Deshalb deckte ich sie zu, als decke ich meine eigene Sünde zu.

Meine Erinnerungen an die Zeit danach sind verschwommen. Das Nächste, was ich weiß, ist, dass ich im Auto saß und nach Hause fuhr. Erklären kann ich es nicht, nur vielleicht durch meine Unfähigkeit, klar zu denken. Wäre dasselbe heute passiert, hätte ich also gewusst, was ich jetzt weiß, hätte ich mich anders verhalten. Ich wäre ins nächstgelegene Haus gelaufen und hätte die Polizei alarmiert. In jener Nacht tat ich das nicht.

Ich glaube aber nicht, dass ich die Sache vertuschen wollte. Jedenfalls nicht gleich. Wenn ich zurückschaue und zu verstehen versuche, dann fuhr ich vermutlich nach Hause, weil das der Ort war, wo ich sein wollte. Wie eine Motte, die es zum Licht zieht, schien ich keine andere Wahl zu haben. Ich reagierte einfach auf eine absolut nicht zu bewältigende Situation.

Auch zu Hause unternahm ich nicht das Richtige. Ich erinnere mich nur, dass ich mich erschöpfter fühlte als je zuvor im Leben, und statt die Polizei anzurufen, verkroch ich mich in mein Bett und schlief ein.

Und dann war es Morgen.

Es ist schrecklich, wenn man gleich kurz nach dem Aufwachen weiß, dass etwas Furchtbares passiert ist, aber die konkreten Erinnerungen noch nicht über einen hereingebrochen sind. So war es, als ich an jenem Tag die Augen aufschlug. Ich konnte kaum atmen, es war, als hätte man mir die Luft abgeschnürt, aber sobald ich einmal Atem geholt hatte, kam alles zurück.

Die Fahrt.

Der Aufprall.

Wie Missy aussah, als ich sie fand.

Ich schlug die Hände vors Gesicht und wollte es einfach nicht glauben. Mein Herz klopfte wie verrückt, und ich betete fieberhaft darum, dass alles nur ein Traum war. Ich hatte solche Träume schon gehabt – Träume, die mir so wirklich vorkamen, dass ich ernsthaft nachdenken musste, bevor ich meinen Irrtum erkannte. Diesmal jedoch handelte es sich um die Wirklichkeit, und sie wurde immer grausamer.

Kurz darauf las ich den Zeitungsbericht.

Das war der Moment, in dem mein Verbrechen stattfand.

Ich sah die Fotos, sah, was passiert war. Die Polizei wurde zitiert, man schwor, den Täter zu finden, ganz gleich, wie lange es dauern mochte. Und ich begriff, dass das, was geschehen war – dieser grauenhafte, grauenhafte Unfall – nicht als Unfall betrachtet wurde, sondern als Verbrechen.

Fahrerflucht, stand in dem Artikel. Eine Straftat.

Das Telefon auf der Anrichte schien an mich zu appellieren.

Ich war davongelaufen.

Aus ihrer Sicht war ich schuldig, ungeachtet der Umstände.

Ich muss jedoch noch einmal betonen, dass das, was ich an jenem Abend getan hatte, kein Verbrechen war, auch wenn es so in dem Artikel stand. Ich hatte mich nicht bewusst zur Flucht entschlossen. Dafür hatte ich nicht klar genug denken können.

Nein, mein Verbrechen fand nicht an jenem Abend statt.

Mein Verbrechen ereignete sich in meiner Küche, als ich das Telefon anschaute und es nicht benutzte.

Der Artikel hatte mich erschüttert, aber ich konnte wieder klar denken. Ich wog meine Ängste gegen eine Handlungsweise ab, die richtig gewesen wäre, und am Ende siegten meine Ängste.

Voller Entsetzen begriff ich, dass ich für etwas, das ich aufrichtig einen Unfall nennen konnte, ins Gefängnis kommen würde, und ich suchte Ausflüchte. Ich nahm mir vor, später anzurufen – ich habe es nicht getan. Ich redete mir ein, ich würde nur ein paar Tage warten, bis sich die Lage beruhigt hatte. Ich habe es nicht getan. Dann beschloss ich, bis nach der Beerdigung zu warten.

Und da wusste ich, dass es zu spät war.

Kapitel 19

Wenig später schoss Miles mit heulenden Sirenen und blinkendem Blaulicht um die Ecke, wobei er fast die Kontrolle über den Wagen verloren hätte. Das Gaspedal war bis zum Boden durchgedrückt.

Er hatte Sims aus der Zelle und die Treppen hoch geschleift und ihn, ohne auf die erstaunten Blicke seiner Kollegen zu achten, zwischen den Schreibtischen hindurch geschleust. Charlie, der gerade in seinem Büro telefonierte, legte beim Anblick von Miles' kalkweißem Gesicht auf, aber nicht schnell genug, um ihm und Sims den Weg zur Tür zu versperren. Sie verließen das Gebäude, und als Charlie den Gehweg erreichte, verschwanden Miles und Sims bereits in entgegengesetzte Richtungen. Charlie entschloss sich in Sekundenschnelle, Miles zu folgen. Er rief ihm nach, er solle stehen bleiben, doch Miles ignorierte ihn und warf sich in einen Dienstwagen.

Charlie erreichte ihn gerade noch, bevor er auf die Straße einbog. Er klopfte ans Fenster des rollenden Wagens.

»Was ist los?«, rief er.

Miles machte eine abwehrende Handbewegung, und Charlie blieb mit verwirrtem, ungläubigem Gesichtsausdruck stehen. Anstatt das Fenster hinunterzukurbeln, stellte Miles die Sirene an, gab Gas und fuhr mit quietschenden Reifen vom Parkplatz.

Als Charlie ihn kurz darauf über Funk rief, machte Miles sich gar nicht erst die Mühe zu antworten.

Vom Büro des Sheriffs aus waren es normalerweise knapp fünfzehn Minuten bis zum Wohnwagen der Timsons. Miles brauchte mit jaulenden Sirenen und überhöhter Geschwindigkeit nur acht Minuten – er hatte die Hälfte des Weges schon hinter sich, als Charlie ihn anfunkte. Mit hundertvierzig Stundenkilometern jagte er über den Highway, und an der Abfahrt zum Wohnwagenpark stand er unter Hochspannung. Er umklammerte das Steuerrad so fest, dass Teile seiner Hand taub wurden, aber in seinem Zustand merkte er das nicht. Wut schüttelte ihn und hielt jede andere Regung von ihm fern.

Otis Timson hatte seinen Sohn mit einem Ziegelstein verletzt.

Otis Timson hatte seine Frau umgebracht.

Otis Timson wäre ihm fast entwischt.

Auf der ungepflasterten Zufahrt schlitterte Miles' Auto durch die erneute Beschleunigung von rechts nach links. Die Bäume am Rand verschwammen zu Farbflecken, er sah nichts als die Straße direkt vor ihm, und als sie einen Bogen nach rechts beschrieb, nahm Miles endlich den Fuß vom Gaspedal und bremste ab. Er war fast da.

Zwei Jahre hatte er auf diesen Augenblick gewartet.

Zwei Jahre hatte er sich gequält, hatte mit dem Versagen gelebt.

Otis.

Miles brachte den Wagen in der Mitte des Trailer-Parks zum Stehen und sprang hinaus. Von der offenen Fahrertür aus sah er sich um, angespannt, jede Bewegung registrierend. Mit zusammengebissenen Zähnen rang er um Selbstbeherrschung.

Er riss sein Halfter auf und griff nach der Pistole.

Otis Timson hatte seine Frau ermordet.

Er hatte sie kaltblütig überfahren.

Ringsum herrschte eine unheimliche Ruhe. Außer dem Knacken des Motors war nichts zu hören. Die Bäume standen reglos da, kein Blatt raschelte. Kein Vogel zwitscherte auf dem Zaunpfosten. Die einzigen Geräusche, die Miles wahrnahm, waren seine eigenen: das Schaben der Pistole, als sie aus dem Halfter glitt, der keuchende Atem.

Es war kalt, die Luft klar und frisch – ein Frühlingshimmel an einem Wintertag.

Miles wartete. Nach einer Weile öffnete sich krächzend wie ein verstimmtes Akkordeon eine Fliegengittertür.

»Was wollen Sie?«, ließ sich eine heisere Stimme vernehmen. Clyde Timson.

Miles ging vorsichtshalber hinter der Wagentür in Deckung.

»Ich bin wegen Otis hier. Holen Sie ihn raus.«

Die Tür knallte zu.

Miles entsicherte die Waffe und legte den Finger an den Abzug. Sein Herz klopfte zum Zerbersten. Nach der längsten Minute seines Lebens sah er, wie die Tür wieder aufgedrückt wurde.

»Was wird ihm vorgeworfen?«, verlangte die Stimme zu wissen.

»Holen Sie ihn raus. SOFORT!«

»Weshalb?«

»Er ist verhaftet! Heraus mit ihm! Hände über dem Kopf!«

Wieder knallte die Tür zu, und Miles kam zu Bewusstsein, wie heikel seine Position war. In der Eile hatte er sich in Gefahr gebracht. Um ihn herum standen vier Wohnwagen – zwei vorn, zwei an der Seite, und obwohl sich in den anderen niemand gezeigt hatte, wusste er, dass sie bewohnt waren. Außerdem standen zahllose Schrottwagen auf dem Gelände, manche aufgebockt, und Miles fragte sich plötzlich, ob die Timsons ihn womöglich gerade heimlich umstellten.

Natürlich hätte er nicht allein kommen dürfen, das wusste er genau, und er konnte immer noch Verstärkung anfordern. Aber er tat es nicht.

Auf keinen Fall. Jetzt nicht.

Die Tür öffnete sich noch einmal, und Clyde erschien auf der Treppe. In einer Hand hielt er eine Tasse Kaffee, und er wirkte ganz entspannt, als ob so etwas jeden Tag passieren würde. Als er die Mündung von Miles' Pistole auf sich gerichtet sah, wich er einen Schritt zurück.

»Was zum Teufel wollen Sie, Ryan? Otis hat nichts angestellt.«

»Ich muss ihn mitnehmen, Clyde.«

»Sie haben noch nicht gesagt, weshalb.«

»Das erfährt er auf dem Revier.«

»Wo ist der Haftbefehl?«

»Ich brauche dafür keinen Haftbefehl! Er ist festgenommen.«

»Aber der Mensch hat doch Rechte! Sie kommen hier angerauscht und stellen Forderungen. Wenn Sie keinen Haftbefehl haben, verschwinden Sie! Wir haben genug von Ihnen und Ihren Beschuldigungen!«

»Ich meine es ernst, Clyde. Her mit ihm, oder ich fordere sämtliche Sheriffs im County an und lasse Sie einsperren, weil Sie einen Kriminellen decken.«

Es war ein Bluff, aber er funktionierte. Minuten später kam Otis heraus und schob seinen Vater zur Seite. Miles richtete die Pistole auf ihn. Ebenso wie sein Vater wirkte Otis nicht besonders beunruhigt.

»Geh zur Seite, Daddy«, sagte Otis ruhig. Als Miles sein selbstzufriedenes Gesicht sah, hätte er am liebsten abgedrückt. Er umrundete den Wagen und zeigte sich.

»Raus mit Ihnen. Legen Sie sich auf den Boden!«

Otis stellte sich vor seinen Vater, blieb aber auf der Veranda. Er verschränkte die Arme.

»Wie lautet die Anklage, Deputy Ryan?«

»Sie wissen verdammt genau, wie die Anklage lautet. Jetzt nehmen Sie die Hände hoch.«

»Das möchte ich lieber nicht tun.«

Trotz der potenziellen Gefahr ging Miles mit der Pistole im Anschlag auf den Wohnwagen zu. Er spürte, wie unverrückbar fest sein Finger auf dem Abzug lag.

Los, beweg dich. Nur eine kleine Bewegung …

»Runter von der Veranda!«

Otis schaute seinen Vater an, der vor Wut kochte, aber als er sich danach wieder Miles zuwandte, entdeckte er in dessen Blick einen unkontrollierbaren Hass, der ihm neu war und ihn erschreckte. Er kam die Treppenstufen herunter.

»Schon gut, schon gut, ich komme.«

»Hände hoch! Ich will, dass Sie die Hände hoch nehmen!«

Inzwischen steckten andere Leute die Köpfe aus ihren

Wohnwagen und beobachteten die Szene. Obwohl sie alles andere als gesetzestreue Bürger waren, holte niemand eine Waffe. Auch sie sahen den Ausdruck auf Miles' Gesicht, der ihnen verriet, dass er bei dem geringsten Anlass schießen würde.

»Auf die Knie! SOFORT!«

Otis gehorchte, aber Miles steckte die Pistole nicht weg. Er richtete sie immer noch auf Otis. Nach rechts und links blickend, vergewisserte er sich, dass ihn niemand von seinem Vorhaben abhalten würde, und trat noch näher an Otis heran.

Otis hatte seine Frau ermordet.

Die Welt um ihn her verschwamm. Nur noch sie beide waren da. Otis hatte jetzt wirklich Angst, aber er sagte nichts. Miles starrte ihn schweigend an, dann ging er um ihn herum, bis er in seinem Rücken stand.

Er legte die Waffe an Otis' Hinterkopf.

Wie ein Henker.

Der Finger lag am Abzug. Ein kräftiger Druck, und es wäre vorbei.

Otis erschießen – bei Gott, das wäre eine Erleichterung. Es hinter sich bringen. Er war es Missy schuldig, er war es Jonah schuldig.

Jonah …

Die Erinnerung an seinen Sohn brachte ihn zur Besinnung.

Nein …

Dennoch dauerte es noch einige Atemzüge, bis er sich entspannen und ausatmen konnte. Er zog die Handschellen vom Gürtel. Mit einer geübten Bewegung streifte er sie über eine von Otis' erhobenen Händen, dann steckte er die Waffe weg, streifte ihm die andere Handschelle über, zog sie straff um die Handgelenke, bis Otis sich wand, und zerrte ihn hoch.

»Sie haben das Recht zu schweigen …«, setzte er an, doch Clyde, der wie eine Statue daneben gestanden hatte, brach plötzlich in hektische Aktivität aus, wie eine Ameise, der man den Hügel zerstört hat.

»Das ist eine Schikane! Ich rufe meinen Anwalt an! Sie haben kein Recht, hier aufzukreuzen und mit der Pistole rumzufuchteln!«

Sein Geschrei hielt noch an, nachdem Miles Otis seine Rechte erläutert, ihn auf den Rücksitz des Dienstwagens gestoßen und den Rückweg zum Highway angetreten hatte.

Weder Miles noch Otis sagten ein Wort, ehe sie den Highway erreichten. Miles blickte unverwandt auf die Straße.

Er hatte Otis erschießen wollen.

Gott war sein Zeuge, dass er es vorgehabt hatte.

Eine falsche Bewegung, von irgendjemanden, und er hätte es getan.

Aber das wäre Unrecht gewesen.

Und du hast dich da draußen falsch verhalten.

Wie viele Vorschriften hatte er übertreten? Ein halbes Dutzend? Sims laufen lassen, sich keinen Haftbefehl geholt, Charlie ignoriert, keine Hilfe angefordert, ohne Grund die Pistole gezogen, sie Otis an den Kopf gehalten ... Es würde ihm einen Höllenärger einbringen, und zwar nicht nur von Charlie. Von Harvey Wellman auch. Die durchbrochenen gelben Linien glitten rhythmisch auf ihn zu und verschwanden wieder.

Na und? Hauptsache, Otis kommt ins Gefängnis. Was mit mir passiert, ist zweitrangig. Otis verfault im Gefängnis, wie er mich zwei Jahre lang verfaulen ließ.

»Also, wofür wollen Sie mich diesmal einlochen?«, fragte Otis gelangweilt.

»Halt die Fresse«, fuhr ihn Miles an.

»Ich habe ein Recht zu wissen, wie die Anklage lautet.«

Miles drehte den Kopf weg und schluckte den Hass hinunter, der beim Klang von Otis' Stimme in ihm aufstieg. Als er keine Antwort bekam, fuhr Otis betont ruhig fort:

»Ich verrate Ihnen ein kleines Geheimnis. Ich wusste, dass Sie nicht schießen. Das bringen Sie nämlich nicht fertig.«

Miles biss sich auf die Lippe, und das Blut stieg ihm in den Kopf. *Bleib ruhig*, beschwor er sich. *Bleib ruhig* ...

Aber Otis ließ nicht locker.

»Sagen Sie mal … treffen Sie sich immer noch mit diesem Mädchen aus der *Taverne*? Ich hätte es nur gern gewusst, weil …«

Miles stieg auf die Bremse. Die Räder kreischten und hinterließen schwarze Narben auf dem Highway. Weil er nicht angeschnallt war, knallte Otis mit voller Wucht gegen das Absperrgitter. Miles drückte abrupt aufs Gas, und Otis schnellte wie ein Jo-Jo auf den Sitz zurück.

Von da an sprach er kein Wort mehr.

Kapitel 20

Was zum Teufel ist eigentlich los?«, fragte Charlie.

Miles war mit Otis aufs Revier gekommen und hatte ihn wortlos an seinen Kollegen vorbei bis ins Untergeschoss zu einer der freien Zellen geschleift. Nachdem sich die Tür hinter ihm geschlossen hatte, verlangte Otis nach seinem Rechtsanwalt, aber Miles ging einfach wieder nach oben und in Charlies Büro. Charlie schloss hinter ihm die Tür. Die anderen Sheriffs warfen verstohlene Blicke durch die Scheiben und versuchten, ihre Neugier zu bezähmen.

»Das ist doch ziemlich offensichtlich, oder?«

»Dies ist weder die Zeit noch der Ort für Scherze, Miles. Ich fordere eine Erklärung, und zwar jetzt gleich. Fangen wir mit Sims an. Ich will wissen, wo der Bericht ist, warum du ihn freigelassen hast und was zum Teufel mit dieser Sache auf Leben und Tod gemeint ist! Und dann will ich wissen, warum du so hektisch losgestürzt bist und warum Otis da unten sitzt.«

Charlie verschränkte die Arme und lehnte sich gegen seinen Schreibtisch.

In den folgenden fünfzehn Minuten erzählte ihm Miles alles. Charlie konnte seine Betroffenheit nicht verbergen und tigerte unruhig durch das Büro.

»Wann ist das alles passiert?«

»Vor zwei Jahren. Sims wusste es nicht mehr genau.«

»Aber du hast ihm geglaubt?«

Miles nickte. »Ja«, sagte er. »Ich habe ihm geglaubt. Entweder hat er die Wahrheit gesagt, oder er ist der beste Schauspieler, den ich kenne.« Als der Adrenalinschub langsam nachließ, fühlte sich Miles plötzlich sehr müde.

»Also hast du ihn laufen lassen.« Eine Aussage, keine Frage.

»Das musste ich.«

Charlie schüttelte den Kopf und schloss für einen Moment die Augen. »Das hattest nicht du zu entscheiden. Du hättest erst zu mir kommen müssen.«

»Er hätte kein Wort mehr gesagt, wenn ich erst losgelaufen wäre und mit dir und Harvey verhandelt hätte! Ich habe einen Ermessensentscheid getroffen. Du magst das für falsch halten, aber ich habe die Information bekommen, die ich brauchte.«

Charlie blickte nachdenklich aus dem Fenster. Das Ganze gefiel ihm nicht. Überhaupt nicht. Und zwar nicht nur die Tatsache, dass Miles seine Kompetenzen überschritten hatte und es noch eine Menge zu erklären gab.

»Du hast tatsächlich eine Information bekommen.«

Miles blickte auf. »Was soll das heißen?«

»Das alles hört sich irgendwie konstruiert an. Er weiß, dass er wieder ins Gefängnis muss, und dann hat er plötzlich Informationen über Missy.« Charlie sah Miles an. »Wo war er denn in den letzten beiden Jahren? Es gab doch eine Belohnung, und du weißt, wie Sims sein Geld verdient. Warum ist er nicht früher damit herausgerückt?«

Daran hatte Miles nicht gedacht. »Ich weiß nicht. Vielleicht hatte er Angst.«

Charlie senkte abrupt den Blick. *Oder vielleicht lügt er.*

Miles schien Gedanken lesen zu können.

»Hör mal – wir können doch mit Earl Getlin reden. Wenn er die Geschichte bestätigt, könnten wir ihm einen Deal anbieten, damit er aussagt.«

Charlie blieb stumm. Du lieber Himmel, was für ein Chaos.

»Er hat meine Frau überfahren, Charlie.«

»*Sims* sagt, *Otis hätte gesagt*, dass er deine Frau überfahren hat. Das ist ein riesiger Unterschied, Miles.«

»Du kennst meine Geschichte mit Otis.«

Charlie drehte sich mit einer ungeduldigen Geste um. »Eben. Ich kenne jede Einzelheit. Und genau deshalb wurde Otis' Alibi als Erstes überprüft, oder weißt du das nicht mehr? Es gab Zeugen, die ihn in der Nacht des Unfalls zu Hause gesehen haben.«

»Seine Brüder …«

Charlie schüttelte entnervt den Kopf.

»Du warst bei den Ermittlungen nicht dabei, aber du weißt, wie intensiv wir gesucht haben. Wir sind keine blutigen Anfänger und die Männer von der Verkehrspolizei auch nicht. Wir wissen, wie man bei einem Verbrechen ermittelt, und wir haben es sorgfältig gemacht, weil wir den Fall genauso dringend aufklären wollten wie du. Wir haben mit den richtigen Leuten gesprochen, wir haben die richtigen Beweisstücke an die staatlichen Labors geschickt. Aber nichts hat Otis mit all dem in Verbindung gebracht – nichts.«

»Du weißt nicht, dass …«

»Was du mir da erzählst, überzeugt mich nicht«, unterbrach Charlie ihn. Er holte tief Luft. »Ich weiß, die Sache nagt immer noch an dir, und mir geht es genauso. Und wenn es mir passiert wäre, hätte ich genauso gehandelt. Ich wäre durchgedreht, wenn jemand Brenda überfahren hätte und entwischt wäre. Ich hätte wahrscheinlich auch auf eigene Faust ermittelt. Aber …«

Er hielt inne, um sicher zu sein, dass Miles ihm zuhörte.

»Ich hätte nicht gleich die erstbeste Geschichte geglaubt, die mir jemand auftischt, vor allem dann nicht, wenn sie von einem Typen wie Sims Addison kommt. Denk doch mal nach, über wen wir hier reden. Sims Addison! Wenn seine Freiheit auf dem Spiel steht, ist der doch zu allem fähig.«

»Es geht nicht um Sims …«

»Doch. Er will nicht mehr ins Gefängnis und zaubert dafür alles Mögliche aus dem Hut. Klingt das nicht plausibler als deine Geschichte?«

»Er würde mich doch nicht anlügen …«

Charlie riss die Augen auf. »Und warum nicht? Weil es zu persönlich ist? Weil es dir zu viel bedeutet? Weil es zu wichtig ist? Hast du dir mal überlegt, dass er genau wusste, womit er dich ködern kann? Er trinkt, aber er ist nicht dumm. Er würde alles erfinden, um sich Probleme zu ersparen, und mir scheint, genau so hat es funktioniert.«

»Du warst nicht dabei. Du hast sein Gesicht nicht gesehen …«

»Um ehrlich zu sein, war das wohl kaum nötig. Ich kann mir den Ablauf genau vorstellen. Aber nehmen wir an, du hast Recht, okay? Sims hat die Wahrheit gesagt – und lassen wir einmal beiseite, dass du ihn nicht hättest freilassen dürfen, ohne mit mir oder Harvey zu reden. Was dann? Du sagst, er hat Leute *belauscht*. Er ist nicht mal ein richtiger Zeuge!«

»Das muss er auch nicht…«

»Jetzt hör aber auf, Miles! Du kennst die Regeln. Vor Gericht ist das nur Hörensagen. Das zählt nicht.«

»Earl Getlin kann aussagen.«

»Earl Getlin? Wer wird dem denn glauben? Ein Blick auf seine Tätowierungen und sein Vorstrafenregister, und du kannst die halbe Jury vergessen. Dann noch der Deal, den er bestimmt rausschlagen will, und damit ist die andere Hälfte weg vom Fenster.« Charlie schwieg. »Zudem vergisst du etwas Wichtiges, Miles.«

»Was?«

»Was ist, wenn Earl nicht dasselbe sagt?«

»Dann brauchen wir ein Geständnis von Otis.«

»Und du glaubst, das gibt er uns?«

»Er wird gestehen.«

»Du meinst, wenn du ihm genug zusetzt …«

Miles stand auf. Er hatte genug. »Hör zu, Charlie – Otis hat Missy umgebracht, so einfach ist das. Du willst es vielleicht nicht glauben, aber ihr habt womöglich damals doch etwas übersehen, und ich werde den Teufel tun und jetzt aufhören.«

Miles griff nach dem Türknauf. »Ich muss einen Häftling vernehmen.«

Mit einer abrupten Armbewegung schloss Charlie die Tür wieder.

»Das glaube ich nicht, Miles. Im Moment wäre es das Beste, wenn du dich für eine Weile aus der Sache heraushältst.«

»Mich heraushalten?«

»Ja. *Halt dich da raus*. Das ist ein Befehl. Später sehen wir weiter. Und damit Schluss.«

»Wir reden über Missy, Charlie!«

»Nein. Wir reden über einen Deputy, der seine Kompetenzen überschreitet und sich gar nicht erst hätte einmischen dürfen.«

Sie standen sich eine Weile lang stumm gegenüber, bis Charlie den Kopf schüttelte. »Miles, ich verstehe, was du durchmachst, aber du bist jetzt draußen. Ich rede mit Otis, ich suche Sims und rede auch mit ihm. Und ich fahre zu Earl. Aber du solltest am besten nach Hause gehen. Nimm dir den restlichen Tag frei.«

»Meine Schicht hat gerade erst angefangen ...«

»Und jetzt ist sie zu Ende.« Charlie griff nach dem Türknauf. »Geh nach Hause. Lass mich das regeln, ja?«

Zwanzig Minuten später war Charlie immer noch nicht überzeugt.

Er war seit fast dreißig Jahren Sheriff und hatte gelernt, sich auf seinen Instinkt zu verlassen. Und sein Instinkt sandte Warnsignale wie Blitzlichter in alle Richtungen und mahnte ihn dringend zur Vorsicht.

Wo sollte er überhaupt anfangen? Bei Otis Timson wahrscheinlich, weil der unten saß, aber eigentlich wollte er erst mit Sims sprechen. Miles war sich sicher gewesen, dass Sims die Wahrheit sagte, aber das reichte Charlie nicht.

Nicht unter diesen Umständen.

Nicht, wenn es um Missy ging.

Charlie hatte Miles' Unglück nach Missys Tod aus erster Nähe mitbekommen. Wie hatten sie sich geliebt! Sie konnten Augen und Hände nicht voneinander lassen. Umarmungen, Küsse, Händchen halten – als hätte keiner ihnen je verraten, dass die Ehe eine Anstrengung ist. Du lieber Himmel, das hatte sich nicht einmal geändert, als Jonah kam. Brenda witzelte oft, dass Miles und Missy wahrscheinlich noch in fünfzig Jahren im Altersheim herumpoussieren würden.

Und als sie starb? Wenn Jonah nicht gewesen wäre, wäre

Miles ihr wahrscheinlich gefolgt. Doch auch so hatte er sich fast selbst ins Grab gebracht. Er trank zu viel, rauchte, schlief nicht, verlor an Gewicht. Lange Zeit konnte er an nichts anderes denken als an das Verbrechen.

Das Verbrechen. Nie »der Unfall«. Nicht für Miles. Immer nur *das Verbrechen*.

Charlie trommelte mit dem Bleistift auf den Schreibtisch.

Und jetzt geht das wieder los.

Er wusste von Miles' Ermittlungen und hatte damals wider besseres Wissen ein Auge zugedrückt. Harvey Wellmann war ausgerastet, als er davon erfuhr. Na und? Sie wussten beide, dass Miles keine Ruhe geben würde. Schlimmstenfalls hätte Miles ihm seine Abzeichen hingeworfen und privat weiter ermittelt.

Immerhin hatte er ihn von Otis Timson fern halten können. Gott sei Dank. Zwischen den beiden brodelte es mehr als üblich zwischen Gesetzeshütern und Gesetzesbrechern. Timsons ständige Provokationen gehörten auch dazu. Aber in Verbindung mit Miles' Tendenz, die Timsons auch ohne handfeste Beweise festzunehmen, ergab das Ganze eine explosive Mischung.

Konnte Otis Missy Ryan überfahren haben?

Charlie grübelte. Obwohl Otis sich unablässig angegriffen fühlte und gelegentlich in Schlägereien geriet, hatte er eine bestimmte Grenze nie überschritten. Wenigstens nichts, was bewiesen werden konnte. Außerdem hatten sie ihn ohne großes Aufsehen sorgfältig überprüft. Charlie war Miles da einen Schritt voraus. Hatten sie tatsächlich etwas übersehen?

Er zog einen Block zu sich heran und kritzelte wie so häufig seine Gedanken nieder, um Klarheit zu bekommen.

Sims Addison. Log er?

Er hatte ihnen früher gute Tipps gegeben. Sie waren immer zutreffend gewesen. Aber diesmal war es anders. Er tat es nicht wegen Geld, es ging um viel mehr. Er wollte sich retten. Sprach das dafür, dass er die Wahrheit sagte? Oder dagegen?

Charlie musste mit ihm reden. Möglichst noch heute. Spätestens morgen.

Er schrieb den nächsten Namen auf.

Earl Getlin. Was würde er sagen?

Wenn er die Geschichte nicht bestätigte, war das Thema beendet. Dann musste er Otis freilassen und das nächste Jahr damit zubringen, Miles davon zu überzeugen, dass Otis unschuldig war – zumindest, was dieses Verbrechen betraf. Und wenn er die Geschichte bestätigte – was dann? Bei seinen Vorstrafen war Earl Getlin nicht gerade ein besonders glaubwürdiger Zeuge. Und er würde eine Gegenleistung verlangen, was bei der Jury nie gut ankam.

Wie auch immer, Charlie musste ihn vernehmen.

Charlie rückte Earl an die Spitze der Liste und schrieb den nächsten Namen auf.

Otis Timson. Schuldig oder nicht?

Wenn er Missy getötet hatte, war Sims' Geschichte plausibel, aber was dann? Ihn festhalten, während sie diesmal offen ermittelten und nach zusätzlichen Beweisen suchten? Ihn freilassen und ebenso verfahren? Auf jeden Fall würde er bei einem Fall, der sich allein auf die Informationen von Sims Addison und Earl Getlin stützte, nicht mit Harveys Wohlwollen rechnen können. Aber was konnte man nach zwei Jahren auch erwarten?

Er musste noch einmal von vorn anfangen. Für Miles. Für sich selbst.

Charlie schüttelte den Kopf.

Okay, nehmen wir an, Sims sagt die Wahrheit und Earl stützt seine Aussage, warum hatte Otis sich verplappert? Die nahe liegende Antwort lautete, dass er es gesagt hatte, weil es der Wahrheit entsprach. In diesem Fall hieß es zurück auf Los. Aber …

Es dauerte einen Moment, bis Charlies Gedanken sich zu einer Frage geformt hatten.

Aber was, wenn Sims die Wahrheit sagte? Und wenn Otis damals gelogen hatte?

War das denkbar?

Charlie schloss die Augen, um sich zu konzentrieren.

Wenn ja, warum?

Um sich zu brüsten? *Seht, was ich getan habe, ohne dass sie mich erwischen …*

Um Earl wegen des Geldes Angst einzujagen? *Das passiert dir auch, wenn du nicht …*

Oder hatte er gemeint, dass er dahinter gesteckt und anderen die Schmutzarbeit überlassen hatte?

Charlies Gedanken überschlugen sich.

Aber wie zum Teufel konnte Otis wissen, dass Missy joggen würde?

Ein komplettes Chaos.

Unzufrieden legte Charlie den Bleistift weg und rieb sich die Schläfen. Es gab noch mehr zu bedenken.

Was sollte er mit Miles anfangen?

Seinem Freund. Seinem Deputy.

Der mit Sims einen Deal aushandelte und keinen Bericht schrieb. Ihn laufen ließ. Und dann losprechte wie ein Cowboy im Wilden Westen und Otis verhaftete, ohne wenigstens vorher mit Earl Getlin zu reden.

Harvey war kein übler Kerl, aber das würde Probleme geben. Ernsthafte Probleme.

Für alle Beteiligten.

Charlie seufzte.

»Madge?«, bellte er.

Die Sekretärin steckte den Kopf zur Tür herein. Sie war stämmig und grauhaarig und schon fast so lange da wie er, und sie wusste über alles Bescheid. Er fragte sich, ob sie gelauscht hatte.

»Ist Joe Hendricks noch Direktor in Hailey?«

»Ich glaube, es ist jetzt Tom Vernon.«

»Stimmt«, sagte Charlie nickend. Er erinnerte sich, dass er darüber gelesen hatte. »Können Sie mir seine Nummer heraussuchen?«

»Natürlich. Ich hole sie. Sie ist im Rolodex auf meinem Schreibtisch.«

Im Handumdrehen war sie zurück. Charlie nahm den Zettel entgegen, und sie wollte das Zimmer gleich wieder verlassen. Doch dann blieb sie stehen. Sein Augenausdruck gefiel ihr nicht. Sie wartete, ob er sich Luft machen wollte.

Doch es kam nichts.

Es dauerte fast zehn Minuten, bis Charlie Tom Vernon erreichte.

»Earl Getlin? Ja, der ist noch hier«, erklärte Vernon.

Charlie kritzelte etwas auf den Block. »Ich muss mit ihm reden.«

»Offiziell?«

»Allerdings.«

»Von mir aus ist das kein Problem. Wann wollen Sie herkommen?«

»Ginge es heute Nachmittag?«

»So schnell? Muss ja etwas Ernstes sein.«

»Das ist es.«

»Gut. Ich sage unten Bescheid, dass Sie kommen. Um welche Zeit ungefähr?«

Charlie sah auf die Uhr. Kurz nach elf. Wenn er das Mittagessen ausfallen ließ, konnte er am frühen Nachmittag dort sein.

»Geht es um zwei?«

»Natürlich. Bis dann.«

Charlie legte den Hörer auf. Als er die Jacke vom Haken nahm, sah Madge herein. »Fahren Sie hin?«

»Muss ich wohl«, erwiderte Charlie.

»Während Sie telefoniert haben, hat Thurman Jones angerufen. Er will mit Ihnen reden.«

Der Anwalt von Otis Timson.

Charlie schüttelte den Kopf. »Wenn er wieder anruft, sagen Sie ihm, dass ich ungefähr um sechs wieder da bin. Er soll es dann noch einmal versuchen.«

Madge scharrte mit den Füßen.

»Er hat gesagt, es sei dringend. Es könne nicht warten.«

Anwälte. Wenn *sie* etwas wollten, war es immer dringend. Wenn Charlie allerdings diese Herren erreichen wollte, sah das ganz anders aus.

»Hat er gesagt, worum es geht?«

»Nein. Aber er klang verärgert.«

Zweifellos. Sein Klient war hinter Gittern und hatte noch keine Anklage gehört. Nun, Charlie durfte ihn vorläufig festhalten. Aber die Uhr lief.

»Ich habe jetzt keine Zeit, mich mit ihm abzugeben. Vertrösten Sie ihn auf später.«

Madge nickte mit zusammengepressten Lippen. Sie schien noch etwas auf dem Herzen zu haben.

»Was ist?«

»Harvey hat kurz danach auch angerufen. Er will auch mit Ihnen reden. Er sagte auch, es sei dringend.«

Charlie zog die Jacke an und dachte: *Klar doch. Was kann ich an einem solchen Tag auch anderes erwarten?*

»Wenn er wieder anruft, sagen Sie ihm dasselbe.«

»Aber …«

»Bitte, Madge. Ich habe keine Zeit für Diskussionen.« Dann fügte er hinzu: »Holen Sie bitte Harris her. Ich habe einen Auftrag für ihn.«

Madge gab zu erkennen, das ihr Charlies Entscheidung nicht passte, aber sie ging hinaus. Harris Young, ein Deputy, betrat kurz darauf das Büro.

»Ich möchte, dass Sie Sims Addison finden. Und ihn beschatten.«

»Soll ich ihn herbringen?«

»Nein«, sagte Charlie. »Nur im Auge behalten. Aber er darf es nicht merken.«

»Wie lange?«

»Ich bin ungefähr um sechs zurück, also wenigstens bis dahin.«

»Das ist fast meine ganze Schicht.«

»Ich weiß.«

»Und wenn ich einen Anruf bekomme?«

»Ich lasse einen anderen Deputy als Ersatzmann kommen. Heute ist Sims Ihr Job«

»Den ganzen Tag?«

Charlie zwinkerte ihm zu, weil er wusste, dass Harris sich zu Tode langweilen würde. »Ganz genau, Deputy. Ist es nicht aufregend, das Gesetz zu hüten?«

Miles fuhr von Charlies Büro aus nicht gleich nach Hause, sondern kurvte ziellos durch die Stadt. Er hatte keine bestimmte Route im Sinn, aber sein Instinkt führte ihn bald zu dem marmornen Eingangsbogen des Cedar Grove Cemetery.

Er parkte vor dem Friedhof und stieg aus. Dann ging er den gewundenen Pfad entlang zu Missys Grab. An dem kleinen Marmorstein lehnte ein Blumenstrauß. Wann immer er ans Grab kam, lagen Blumen darauf. Eine Karte steckte nie dabei, aber das war auch nicht nötig.

Missy wurde auch im Tod noch geliebt.

Kapitel 21

Als ich zwei Wochen nach Missy Ryans Beerdigung eines Morgens im Bett lag, hörte ich draußen einen Vogel zwitschern. Ich hatte das Fenster über Nacht offen gelassen, weil ich hoffte, die Luft würde endlich abkühlen und das Wetter weniger schwül werden. Seit dem Unfall schlief ich schlecht. Mehr als einmal wachte ich schweißnass auf klammen Laken und durchtränktem Kopfkissen auf. An diesem Morgen war es nicht anders, und während ich dem Vogel zuhörte, roch ich meinen Schweiß, der einen stechenden Ammoniakgeruch verströmte.

Ich versuchte, den Vogel zu ignorieren – die Tatsache, dass er auf dem Baum saß, dass ich noch lebte und Missy Ryan nicht. Aber es war unmöglich. Er saß direkt vor meinem Fenster auf einem Ast und zwitscherte laut und durchdringend. Ich weiß, wer du bist, schien er mir zuzurufen, und ich weiß, was du getan hast.

Ich fragte mich, wann die Polizei vor der Tür stehen würde.

Es spielte keine Rolle, ob es ein Unfall gewesen war oder nicht, sie würden kommen, und zwar bald. Sie würden herausfinden, um welchen Autotyp es sich in jener Nacht gehandelt hatte, sie würden den Besitzer ermitteln. Jemand würde an die Tür pochen und Einlass verlangen. Sie würden den Vogel hören und wissen, dass ich schuldig war. Dieser Gedanke war lächerlich, ich weiß, aber in meinem halb verrückten Zustand glaubte ich daran.

In meinem Zimmer hob ich den Nachruf aus der Zeitung auf, zwischen die Seiten eines Buches geklemmt. Ich hatte auch die Berichte über den Unfall ausgeschnitten, sie lagen säuberlich gefaltet darunter. Das war gefährlich. Jeder, der zufällig das Buch aufschlug, würde sie finden und Bescheid wissen, aber ich musste sie einfach aufheben. Die Worte zogen mich magisch an. Sie boten keinen Trost, aber ich hoffte, sie würden mich verstehen lassen, was ich verschuldet hatte.

Seit der Beerdigung hatte ich Albträume gehabt. Einmal hatte ich geträumt, dass mich der Pfarrer, der meine Tat kannte, bloßstellte. Mitten im Gottesdienst hörte er plötzlich auf zu predigen und ließ seinen Blick über die Kirchenbänke schweifen. Dann hob er langsam den Zeigefinger und deutete auf mich. »Da«, sagte er, »da ist der Mann, der es getan hat.« Gesichter drehten sich zu mir um, eines nach dem anderen, wie eine Welle in einem überfüllten Stadion, alle Augen richteten sich auf mich, erstaunte, zornige Blicke, nur Miles und Jonah sahen mich nicht an. Es war still in der Kirche, aufgerissene Augenpaare kreisten mich ein. Ich saß reglos und wartete, ob Miles und Jonah sich auch umdrehen würden, um den Täter in Augenschein zu nehmen. Aber sie taten es nicht.

In dem anderen Albtraum war Missy noch lebendig, als ich sie im Graben fand. Sie atmete schwer und stöhnte, aber ich drehte mich um und ging weg und ließ sie allein sterben. Aus diesem Traum erwachte ich mit zugeschnürter Kehle. Ich sprang aus dem Bett und lief durch das Zimmer, bis ich mich endlich davon überzeugen konnte, dass ich das nur geträumt hatte.

Missy starb durch eine Kopfverletzung. Das las ich in der Zeitung. An einer Gehirnblutung. Wie gesagt, ich war nicht schnell gefahren, aber es hieß in den Berichten, sie sei bei ihrem Sturz in den Graben mit dem Kopf gegen einen vorspringenden Stein geprallt. Die Chancen, dass so etwas passiert, stehen etwa eins zu einer Million.

Ich war nicht sicher, ob ich das glauben konnte.

Ich fragte mich, ob Miles mich verdächtigen würde, wenn er mich traf, ob er durch eine göttliche Eingebung die Wahrheit ahnen würde. Und was ich sagen würde, wenn er mich zur Rede stellte. Würde er sich dafür interessieren, dass ich gern Baseballspiele anschaue oder dass Blau meine Lieblingsfarbe ist oder dass ich mit sieben nachts heimlich aus dem Haus schlich und die Sterne betrachtete? Würde er wissen wollen, dass ich bis zu dem Moment, in dem ich Missy anfuhr, sicher gewesen war, ich würde etwas aus meinem Leben machen?

Nein, das wäre ihm völlig gleichgültig. Was er wissen wollte, war offensichtlich. Er wollte wissen, dass der Mörder braune Haare und grüne Augen hat und dass er ein Meter achtzig groß ist. Er wollte wissen, wo er mich aufspüren konnte. Und wie es passiert war.

Würde er gern erfahren, dass es ein Unfall war? Dass es vielleicht mehr von ihr verschuldet war als von mir? Dass sie mir direkt vor den Kühler gesprungen war?

Der Vogel hatte aufgehört zu zwitschern. Kein Blatt am Baum raschelte, nur die vorüberfahrenden Autos brummten leise. Es wurde schon wieder heiß.

Irgendwo war auch Miles Ryan wach. Ich stellte mir vor, dass er in der Küche saß. Jonah, nahm ich an, saß neben ihm und aß seine Getreideflocken. Ich versuchte mir vorzustellen, worüber sie sich unterhielten. Aber das Einzige, was ich hörte, war ihr regelmäßiger Atem, durchbrochen vom Klirren der Löffel, wenn sie gegen die Schüsseln stießen.

Ich legte die Hände an die Schläfen und versuchte, den pochenden Schmerz fortzureiben. Er kam von irgendwo tief innen, er stach bei jedem Herzschlag wütend auf mich ein. Vor meinem geistigen Auge sah ich Missy auf der Straße liegen. Sie starrte mich aus offenen Augen an.

Sie starrte ins Nichts.

Kapitel 22

Kurz vor zwei erreichte Charlie mit knurrendem Magen und müden Augen das Hailey State Prison. Seine Beine fühlten sich schwer an. Er wurde langsam zu alt, um drei Stunden ohne Unterbrechung zu sitzen.

Er hätte sich im vergangenen Jahr pensionieren lassen sollen, so wie Brenda es ihm geraten hatte. Dann säße er jetzt vermutlich beim Angeln.

Tom Vernon holte ihn am Tor ab.

In seinem Anzug sah er wie ein Banker aus und nicht wie der Direktor eines der härtesten Gefängnisse des Staates. Er trug das grau melierte Haar akkurat seitlich gescheitelt und hielt sich kerzengerade. Als er die Hand ausstreckte, fiel Charlie auf, dass seine Nägel sorgfältig manikürt waren.

Vernon ging voraus.

Wie alle Gefängnisse war auch dieses grau und kalt – Beton und Stahl überall, in grelles, fluoreszierendes Licht getaucht. Sie passierten einen kleinen Empfangsbereich und durchquerten einen langen Flur bis zu Vernons Büro.

Es wirkte so öde und kalt wie das übrige Gebäude. Alles war Behördenstandard, vom Schreibtisch bis zu den Lampen und den Aktenschränken in der Ecke. Von einem kleinen, vergitterten Fenster aus überblickte man den Hof. Charlie entdeckte mehrere Insassen. Einige stemmten Gewichte, andere saßen allein oder in Grüppchen herum. Fast jeder Zweite rauchte.

Warum um Himmels willen trug Vernon an einem solchen Ort einen Anzug?

»Sie müssen nur ein paar Formulare ausfüllen«, sagte Vernon. »Sie kennen das ja.«

»Aber sicher.« Charlie klopfte suchend auf seine Brusttasche. Ehe er fündig wurde, reichte Vernon ihm einen seiner Stifte.

»Haben Sie Earl Getlin gesagt, dass ich komme?«

»Ich nahm an, das wollten Sie nicht.«

»Hat man ihn schon geholt?«

»Sobald Sie im Sprechzimmer sind, bringen wir ihn.«

»Danke.«

»Ich wollte kurz mit Ihnen über den Häftling sprechen. Damit Sie sich nicht wundern.«

»Ja?«

»Earl ist hier letztes Jahr in ein Handgemenge geraten. Genaueres haben wir nie erfahren. Sie wissen ja, wie sich die Dinge hier abspielen. Niemand sieht etwas, niemand weiß etwas. Jedenfalls …«

Als Vernon seufzte, blickte Charlie erstaunt auf.

»Earl Getlin hat ein Auge verloren. Es wurde ihm bei einer Schlägerei im Hof ausgedrückt. Er hat ein halbes Dutzend Prozesse angestrengt, weil er uns die Schuld gibt.« Vernon schwieg.

Warum erzählt er mir das?, fragte Charlie sich.

»Worauf ich hinauswill – er sagte von Anfang an, dass er zu Unrecht hier sitzt. Dass er hereingelegt wurde.« Vernon hob die Hände. »Ich weiß, ich weiß – jeder hier drinnen ist ein Unschuldslamm. Das ist ein altes Lied, und wir haben es millionenfach gehört. Aber wenn Sie Tipps von ihm wollen, würde ich mir nicht allzu viele Hoffnungen machen. Es sei denn, er denkt, Sie können ihn hier rausholen. Und sogar dann lügt er vielleicht.«

Charlie sah Vernon verwundert an. Trotz seiner feinen Kleidung wusste er eine Menge über das, was in seinem Gefängnis vor sich ging. Vernon gab ihm die Formulare, und Charlie überflog sie. Immer noch dieselben.

»Irgendeine Idee, wer ihn reingelegt hat?«

»Augenblick«, sagte Vernon mit erhobenem Zeigefinger, »das suche ich heraus.« Er wählte eine Nummer und wartete, bis sich jemand meldete. Dann stellte er eine Frage, hörte zu und bedankte sich bei seinem Gesprächspartner.

»Er behauptet, es sei ein gewisser Otis Timson gewesen.«

Charlie wusste nicht, ob er lachen oder weinen sollte. Natürlich würde Earl Otis jetzt beschuldigen. Damit wurde ein Teil seiner Aufgabe viel leichter. Aber der andere Teil war dafür umso schwieriger.

Abgesehen von der Sache mit dem Auge hatte das Gefängnis Earl Getlin noch übler mitgespielt als den meisten anderen Insassen. Er hatte kahle Stellen auf dem Kopf, und die restlichen Haare hingen unregelmäßig lang auf seine Schultern, als hätte er sie mit einer rostigen Schere geschnitten. Seine Haut hatte eine gräuliche Farbe angenommen, und er war furchtbar dünn.

Am auffälligsten war jedoch die Augenklappe – schwarz, wie bei einem Piraten.

Earls Handgelenke waren aneinander gekettet und gleichzeitig durch eine Kette mit den Fußgelenken verbunden. Er schlurfte in den Raum, blieb kurz stehen, als er Charlie entdeckte, und setzte sich dann. Ein Holztisch trennte sie.

Der Wärter wechselte ein paar Worte mit Charlie und zog sich leise zurück.

Earl starrte Charlie mit seinem verbliebenen Auge an. Es schien, als habe er diesen eindringlichen Blick geübt, weil er wusste, dass die meisten Menschen dann wegschauen würden. Charlie tat so, als bemerke er die Augenklappe nicht.

»Warum sind Sie hier?«, knurrte Earl. Trotz seines geschwächten Körpers hatte seine Stimme ihre Schärfe nicht verloren. Er war angeschlagen, aber er gab nicht auf. Charlie würde ihn nach seiner Entlassung im Auge behalten müssen.

»Ich möchte mit Ihnen reden.«

»Worüber?«

»Über Otis Timson.«

Earl versteifte sich.

»Was ist mit Otis?«, fragte er argwöhnisch.

»Ich will etwas über ein Gespräch wissen, das Sie vor zwei Jahren mit ihm geführt haben. Sie haben im *Rebel* auf ihn gewartet. Otis und seine Brüder saßen bei Ihnen am Tisch. Erinnern Sie sich?«

Es war nicht das, was Earl erwartet hatte.

»Helfen Sie mir auf die Sprünge«, sagte er. »Das ist lange her.«

»Es ging um Missy Ryan. Hilft Ihnen das?«

Earl hob das Kinn. Dann blickte er kurz nach links und rechts.

»Kommt darauf an.«

»Worauf?«, fragte Charlie und bemühte sich um einen beiläufigen Tonfall.

»Was für mich drin ist.«

»Was wollen Sie denn?«

»Spielen Sie nicht den Einfaltspinsel, Sheriff. Sie wissen, was ich will.«

Er musste es tatsächlich nicht aussprechen. Sie wussten es beide.

»Ich kann nichts versprechen, bevor ich Sie gehört habe.«

Earl lehnte sich betont lässig zurück.

»Dann kommen wir wohl nicht weiter, oder?«

Charlie sah ihn an.

»Vielleicht jetzt nicht«, sagte er. »Aber irgendwann werden Sie es mir schon erzählen.«

»Warum sollte ich?«

»Weil Otis Sie reingelegt hat, stimmt's? Sie wiederholen für mich, was er damals gesagt hat, und ich höre mir Ihre Version der Geschichte an. Und wenn ich wieder im Büro bin, schaue ich mir Ihre Akte an. Wenn Otis Sie reingelegt hat, finden wir das heraus. Und vielleicht tauschen Sie beide am Ende die Plätze.«

Das genügte, um Earl zum Reden zu bringen.

»Ich hab ihm Geld geschuldet«, begann Earl. »Weil ich ein bisschen knapp dran war, verstehen Sie?«

»Wie knapp?«

Earl schniefte.

»Ein paar Tausend.«

Charlie wusste, dass es sich vermutlich um Geld für

Drogen handelte. Aber darauf konnte er jetzt nicht eingehen.

»Und dann kommen die Timsons rein. Die ganze Bande. Gehen auf mich los, ich soll bezahlen, ich ruiniere ihren Ruf, und sie können mich nicht weiter aushalten. Ich sag dauernd, sie kriegen das Geld, sobald ich es habe. Die ganze Zeit ist Otis total ruhig, verstehen Sie, als ob er mir wirklich zuhört. Er hat eine coole Art, aber er ist der Einzige, dem es nicht egal ist, was ich da erzähle. Denke ich mir. Also erkläre ich die Situation, und er nickt, und die anderen sind still. Als ich fertig bin, will ich wissen, was er dazu sagt, aber er sagt erst mal gar nichts. Dann beugt er sich vor und droht, wenn ich nicht zahle, passiert mir dasselbe wie Missy Ryan. Nur diesmal fahren sie gleich noch mal über mich drüber.«

Bingo.

Also hatte Sims die Wahrheit gesagt. Interessant.

»Wann war das?«

Earl dachte nach. »Im Januar, glaube ich. Es war kalt draußen.«

»Sie sitzen ihm also gegenüber, und er sagt das zu Ihnen. Wie haben Sie darauf reagiert?«

»Ich wusste nicht, was ich denken sollte. Gesagt habe ich nichts.«

»Haben Sie ihm geglaubt?«

»Natürlich.« Heftiges Kopfnicken.

Zu heftig?

Charlie betrachtete seine Fingernägel.

»Warum?«

Earl lehnte sich mit klirrenden Ketten über den Tisch.

»Warum sollte er sonst so was sagen? Sie kennen den Mann doch! So was macht der, ohne mit der Wimper zu zucken.«

Vielleicht. Vielleicht auch nicht.

»Noch einmal – warum glauben Sie das?«

»*Sie* sind doch der Sheriff – sagen Sie's mir.«

»Was ich denke, ist nicht wichtig. Es kommt darauf an, was *Sie* denken.«

»Das habe ich Ihnen doch schon gesagt.«

»Sie haben ihm geglaubt.«

»Ja.«

»Und Sie dachten, er macht mit Ihnen dasselbe?«

»Das hat er gesagt, oder?«

»Dann hatten Sie Angst, richtig?«

»Klar«, blaffte Earl.

»Wann sind Sie verhaftet worden? Wegen des Autodiebstahls, meine ich.«

Der abrupte Themenwechsel brachte Earl aus der Fassung. »Ende Juni.«

Charlie nickte, als ob das mit dem übereinstimmte, was er vorher überprüft hatte. »Was trinken Sie gern? Wenn Sie nicht im Gefängnis sind, meine ich.«

»Was hat denn das damit zu tun?«

»Bier, Wein, Schnaps? Ich bin bloß neugierig.«

»Meistens Bier.«

»Haben Sie in jener Nacht getrunken?«

»Nur zwei Bier. Zum Blauwerden reicht das nicht.«

»Und vorher? Vielleicht waren Sie schon ein bisschen angeheitert ...«

Earl schüttelte den Kopf. »Nein – ich hab erst dort angefangen.«

»Wie lange saßen Sie mit den Timsons am Tisch?«

»Was heißt das?«

»Es ist eine einfache Frage. Fünf Minuten? Zehn? Eine halbe Stunde?«

»Weiß ich nicht mehr.«

»Aber lange genug für zwei Bier.«

»Ja.«

»Obwohl Sie Angst hatten.«

Endlich begriff er, worauf Charlie hinauswollte. Charlie wartete geduldig.

»Ja«, murmelte Earl. »Das sind nicht die Leute, die man einfach sitzen lassen kann.«

»Aha«, sagte Charlie. Er schien das zu akzeptieren und legte den Finger ans Kinn. »Okay, mal sehen, ob ich es richtig verstanden habe. Otis hat Ihnen gesagt – nein, angedeutet – dass er und seine Brüder Missy getötet haben, damit

Sie denken, dass sie wegen Ihrer Schulden dasselbe mit Ihnen machen. Stimmt es so weit?«

Earl nickte misstrauisch. Charlie erinnerte ihn an den verfluchten Staatsanwalt, der ihn eingebuchtet hatte.

»Und Sie wussten, wovon die sprachen, richtig? Missy, meine ich. Sie wussten, dass sie gestorben war?«

»Das wusste doch jeder.«

»Haben Sie es in der Zeitung gelesen?«

»Ja.«

»Warum haben Sie der Polizei dann nichts davon gesagt?«

»Guter Witz«, spottete Earl. »Als hättet ihr mir geglaubt.«

»Aber jetzt sollen wir Ihnen glauben.«

»Er hat's wirklich gesagt! Er hat gesagt, dass er Missy getötet hat.«

»Würden Sie das auch vor Gericht wiederholen?«

»Hängt von dem Deal ab.«

Charlie räusperte sich.

»Okay, lassen wir das mal beiseite. Sie sind beim Autodiebstahl erwischt worden, richtig?«

Earl nickte wieder.

»Und Otis war schuld daran – sagen Sie –, dass Sie geschnappt wurden.«

»Ja. Sie wollten mich draußen bei der alten Falls Mill treffen, aber sie tauchten nicht auf. Und mich haben die Bullen dann verhaftet.«

Charlie nickte. Das wusste er noch von der Gerichtsverhandlung.

»Schulden Sie Otis immer noch Geld?«

»Ja.«

»Wie viel?«

Earl rutschte auf seinem Stuhl herum. »Zweitausend.«

»Dieselbe Summe wie vorher?«

»Ungefähr.«

»Hatten Sie immer noch Angst, die würden Sie umbringen? Sechs Monate später?«

»Ich konnte kaum an was anderes denken.«

Charlie beugte sich vor. »Warum haben Sie dann diese Information nicht benutzt, um das Strafmaß zu verringern?«, fragte er. »Oder um Otis einsperren zu lassen? Und warum haben Sie andauernd behauptet, Otis hätte Sie reingelegt, aber dabei nie erwähnt, dass er Missy Ryan umgebracht hat?«

Earl schniefte und sah zur Wand.

»Niemand hätte mir geglaubt«, erklärte er schließlich.

Im Auto ging Charlie das Gespräch noch einmal durch.

Sims sagte die Wahrheit in Bezug auf das, was er gehört hatte. Aber Sims war Alkoholiker und hatte damals getrunken.

Er hörte die Worte, aber konnte er auch den Tonfall deuten?

Hatte Otis im Scherz gesprochen? Oder war es ihm ernst?

Das war durch Earl auch nicht klarer geworden. Er hatte sich erst an das Gespräch erinnert, als Charlie ihn danach fragte, und dann offenbarte er lauter Widersprüche: Er fürchtete, die Timsons würden ihn umbringen – aber er blieb sitzen und trank seelenruhig sein Bier. Er lebte monatelang in panischer Angst – machte sich aber nicht die Mühe, das Geld zusammenzukratzen, das er ihnen schuldete, obwohl er Autos klaute und es sich hätte beschaffen können. Er hatte bei seiner Verhaftung nichts von der Drohung erwähnt. Er beschuldigte Otis, ihn hereingelegt zu haben, und quatschte den anderen Häftlingen damit die Ohren voll – aber er erwähnte nie, dass Otis einen anderen Menschen auf dem Gewissen hatte. Die Belohnung hatte ihn nicht gelockt.

Ein Alkoholiker im Vollrausch, der Informationen bot, um freizukommen. Ein verbitterter Häftling, der sich plötzlich an wesentliche Informationen erinnerte, dessen Geschichte aber vor Ungereimtheiten nur so strotzte.

Jeder Verteidiger, der sein Geld wert war, würde Sims Addison und Earl Getlin in der Luft zerreißen. Und Thurman Jones war gut. Richtig gut.

Charlie saß stirnrunzelnd am Steuer.

Die Sache behagte ihm nicht.

Überhaupt nicht.

Aber es ließ sich nicht leugnen, dass Otis die Worte ausgesprochen hatte: Dir wird dasselbe passieren wie Missy

Ryan. Zwei Leute hatten ihn gehört, und das zählte. Vielleicht reichte es, um ihn festzuhalten. Wenigstens vorläufig.

Aber reichte es für einen Prozess?

Und vor allem: Bewies all das, dass Otis wirklich der Täter war?

Kapitel 23

Das Bild von Missy Ryan, deren Augen ins Nichts blickten, ging mir nicht mehr aus dem Sinn, und deshalb verwandelte ich mich in einen anderen Menschen.

Sechs Wochen nach ihrem Tod parkte ich den Wagen etwa einen halben Kilometer von meinem Ziel entfernt neben einer Tankstelle. Den Rest ging ich zu Fuß.

Es war spät, kurz nach neun, an einem Donnerstag, und die Septembersonne war schon eine halbe Stunde zuvor untergegangen. Ich verhielt mich unauffällig. Ich hatte mich schwarz angezogen und blieb dicht am Straßenrand, und wenn sich die Scheinwerfer eines Autos näherten, versteckte ich mich sogar hinter Büschen.

Ständig musste ich den Hosenbund hochziehen, obwohl ich einen Gürtel trug. Das tat ich in letzter Zeit häufig, aber ich hatte nicht darüber nachgedacht, bis an jenem Abend die Äste und Zweige an dem Stoff hängen blieben, und ich merkte, wie sehr ich abgenommen hatte. Seit dem Unfall hatte ich keinen Appetit mehr. Mir wurde übel, wenn ich nur ans Essen dachte.

Auch die Haare fielen mir aus. Nicht büschelweise, aber doch ganze Strähnen. Wenn ich aufwachte, lagen Haare auf meinem Kopfkissen, und wenn ich mich kämmte, blieben sie in der Bürste hängen.

Als ich in jener Nacht durch ein Loch im Zaun kroch, riss ich mir an einem krummen Nagel die Handfläche auf. Es tat weh und blutete, doch statt umzukehren, ballte ich nur die Hand zu einer Faust und ließ das Blut dick und klebrig durch die Finger rinnen. Der Schmerz kümmerte mich damals so wenig wie die Narbe heute.

Ich musste hin. In der Woche zuvor war ich zur Unfallstelle gefahren und hatte auch Missys Grab besucht. Dort war schon ein Stein aufgestellt worden, aber die frische Erde bildete ein Loch in der Rasenfläche. Das beunruhigte mich, ohne dass ich den Grund dafür hätte nennen können, deshalb stellte ich die Blumen dorthin. Dann wusste ich nicht mehr weiter, setzte mich hin und starrte den Granitstein an. In der Ferne gingen andere Friedhofsbesucher durch die Reihen. Es war mir gleichgültig, ob sie mich sahen.

Im Mondlicht öffnete ich die Hand wieder. Das Blut war schwarz und schimmerte wie Öl. Ich schloss die Augen, erinnerte mich an Missy und kämpfte mich weiter voran. Ich brauchte eine halbe Stunde. Mücken umschwirrten mein Gesicht. Am Ende des mühsamen Weges musste ich Privatgärten durchqueren, um die Straße zu meiden. Die Gärten waren hier weitläufig, die Häuser lagen abseits der Straße, und ich kam leichter voran. Mein Blick war auf das Ziel geheftet, und als ich mich dem Haus näherte, achtete ich darauf, nur ja kein Geräusch zu verursachen. Licht strömte durch die Fenster. Ein Auto parkte in der Einfahrt.

Ich wusste, wo sie wohnten. Wir lebten schließlich in einer Kleinstadt. Ich hatte das Haus auch bei Tageslicht schon gesehen. Wie zum Unfallort und zu Missys Grab hatte es mich auch hierher gezogen, doch noch nie war ich so nahe gewesen. Ich atmete ruhiger, als ich die Mauer des Hauses erreicht hatte. Es roch nach frisch gemähtem Gras.

Vorsichtig presste ich die Hand gegen die Backsteine. Ich lauschte auf quietschende Holzdielen, auf Bewegungen in Richtung Tür, hielt Ausschau nach flackernden Schatten auf der Terrasse. Doch niemand schien mich zu bemerken.

Zentimeterweise schob ich mich zum Wohnzimmerfenster und kroch dann auf die Veranda, wo ich mich in eine Ecke drückte, in der ich durch ein efeubewachsenes Spalier vor den Blicken Vorübergehender geschützt war. In der Ferne bellte ein Hund, dann verstummte er und bellte schließlich aufgeregt noch einmal. Neugierig spähte ich durchs Fenster.

Nichts zu sehen.

Aber ich konnte nicht wegschauen. So haben sie gelebt, dachte ich. Missy und Miles saßen auf dem Sofa, sie stellten die Tassen auf die Lampentischchen. Da hängen ihre Bilder an den Wän-

den. Das sind ihre Bücher. Dann fiel mir auf, dass der Fernseher lief. Der Raum war aufgeräumt, ordentlich, und irgendwie fühlte ich mich dadurch besser.

Kurz darauf sah ich Jonah zur Tür hereinkommen. Ich hielt den Atem an, als er zum Fernseher ging, denn er kam auf mich zu, aber er blickte nicht in meine Richtung. Er setzte sich hin und starrte wie hypnotisiert auf den Bildschirm.

Ich schob mich näher an die Fensterscheibe, um ihn noch besser zu sehen. Er war in den vergangenen zwei Monaten gewachsen, nicht viel, aber doch erkennbar. Obwohl es schon spät war, trug er noch Jeans und T-Shirt, keinen Schlafanzug. Ich hörte ihn lachen, und mir drehte sich fast der Magen um.

In diesem Moment kam Miles ins Zimmer. Ich zog mich tiefer in den Schatten zurück, sah aber weiterhin hinein. Miles stand lange schweigend neben seinem Sohn. Seine Miene war ausdruckslos, leer, gedankenverloren. Er hielt einen braunen Ordner in der Hand, und dann warf er einen Blick auf die Uhr. Seine Haare standen vom Kopf ab, als hätte er sie mit den Fingern durchwühlt.

Ich wusste, was jetzt passieren würde, und wartete. Er würde seinen Sohn ansprechen. Ihn fragen, was er sich da anschaute. Oder, weil am nächsten Tag Schule war, etwas über Schlafengehen sagen. Er würde fragen, ob er noch ein Glas Milch wollte.

Aber er sagte nichts.

Stattdessen ging er quer durchs Wohnzimmer und verschwand in dem dunklen Flur, als sei er überhaupt nicht da gewesen.

Eine Minute später schlich ich davon.

In dieser Nacht fand ich keinen Schlaf mehr.

Kapitel 24

Miles kam zur selben Zeit nach Hause, als Charlie vor dem Hailey State Prison parkte. Er ging als Erstes ins Schlafzimmer.

Er holte den großen braunen Ordner aus dem Schrank.

Die nächsten Stunden brachte er damit zu, ihn durchzublättern und alle Berichte abermals zu studieren. Es fiel ihm nichts Neues auf, nichts, was er in der Vergangenheit übersehen hatte, aber trotzdem war es ihm unmöglich, den Ordner wegzulegen.

Etwas später klingelte das Telefon, aber er nahm nicht ab. Zwanzig Minuten später klingelte es wieder. Zur üblichen Zeit stieg Jonah aus dem Schulbus und ging, als er das Auto seines Vaters sah, gleich nach Hause statt zu Mrs. Knowlson. Er stürzte aufgeregt ins Schlafzimmer, weil er seinen Vater erst später erwartet hatte, und hoffte, sie könnten gemeinsam noch etwas unternehmen, bevor er sich mit Mark traf. Doch dann sah er den Ordner und wusste Bescheid. Sie redeten zwar ein paar Minuten miteinander, aber Jonah spürte, dass sein Vater allein sein wollte. Deshalb setzte er sich ins Wohnzimmer und stellte den Fernseher an.

Die Nachmittagssonne stand schon schräg, und in der Nachbarschaft blinkten die ersten weihnachtlichen Lichterketten. Jonah schaute nach seinem Vater, sagte sogar von der Tür aus etwas zu ihm, doch Miles reagierte nicht.

Zum Abendessen machte Jonah sich eine Schüssel Müsli. Miles war immer noch in den Ordner vertieft. Er kritzelte Fragen und Bemerkungen an den Rand, angefangen bei Sims und Earl und ihren Aussagen.

Dann las er die Seiten, die sich mit Otis Timson beschäftigten, und wünschte, er wäre damals mit von der Partie gewesen. Hatten die anderen die Autos auf dem Gelände nach Beschädigungen untersucht – auch die Schrottwagen? Konnte Otis sich eines geliehen haben, und von wem? Erinnerte sich in einem Ersatzteillager jemand, ob Otis jemals eine Erste-Hilfe-Ausrüstung gekauft hatte? Miles schrieb all diese Fragen auf. Andere Abteilungen anrufen – waren in den letzten zwei Jahren illegale Läden geschlossen worden? Möglichst Besitzer befragen.

Kurz vor acht kam Jonah erneut ins Schlafzimmer, warm angezogen, weil er mit Mark ins Kino gehen wollte. Miles hatte das vollkommen vergessen. Jonah gab ihm einen Abschiedskuss und ging zur Tür. Miles vergrub sich sofort wieder in den Ordner, ohne zu fragen, wann er denn zurückkäme.

Er hörte auch Sarah erst, als sie im Wohnzimmer seinen Namen rief.

»Hallo? Miles? Bist du da?«

Kurz darauf stand sie in der Tür, und Miles erinnerte sich plötzlich an ihre Verabredung.

»Hast du mich nicht klopfen hören?«, fragte sie. »Mir war eiskalt da draußen! Hast du vergessen, dass ich kommen wollte?«

Als er aufblickte, registrierte sie den abwesenden, distanzierten Ausdruck seiner Augen. Seine Haare standen nach allen Richtungen vom Kopf ab.

»Fehlt dir etwas?«, fragte sie erschrocken.

»Nein, nein ... mir geht's gut. Ich habe nur gearbeitet ... Tut mir Leid ... ich habe gar nicht gemerkt, wie spät es ist.«

Sarah erkannte den Ordner und hob fragend die Augenbrauen.

»Was ist los?«, fragte sie.

Miles wurde bewusst, wie erschöpft er war. Nacken und Hals waren steif, und er fühlte sich, als sei er von einer Staubschicht umhüllt. Er schloss den Ordner und legte ihn beiseite. Dann rieb er sich das Gesicht mit beiden Händen.

»Otis Timson wurde heute verhaftet«, sagte er.

»Otis? Weshalb ...«

Mitten im Satz wusste sie plötzlich die Antwort und sog scharf die Luft ein.

»O Miles«, sagte sie und trat instinktiv auf ihn zu. Miles stand von der Bettkante auf, und sie legte die Arme um ihn. »Geht es dir wirklich gut?«, flüsterte sie und drückte ihn fest an sich.

Sämtliche Ereignisse des Tages stürzten bei dieser Umarmung über ihn herein. Das verwirrende Gemisch aus Ungläubigkeit, Zorn, Frustration, Angst und Erschöpfung vergrößerte den neu empfundenen Verlust, und zum ersten Mal überließ sich Miles seinen Gefühlen. Mitten im Zimmer stehend, in der Geborgenheit von Sarahs Armen, brach er zusammen und weinte.

Als Charlie zum Revier zurückkam, wartete Madge schon. Normalerweise hatte sie um fünf Uhr Feierabend, aber diesmal war sie anderthalb Stunden länger geblieben. Sie stand auf dem Parkplatz und zog fröstelnd ihre lange Wolljacke enger um sich.

Charlie stieg aus dem Wagen und wischte sich die Krümel von den Hosenbeinen. Er hatte auf dem Heimweg einen Hamburger mit Pommes Frites gegessen und alles mit einem Becher Kaffee heruntergespült.

»Madge! Was machen Sie denn noch hier?«

»Ich habe auf Sie gewartet«, erwiderte sie. »Ich wollte ungestört ein paar Worte mit Ihnen reden.«

Charlie langte ins Auto und holte seinen Hut. In dieser Kälte brauchte er einen. Er hatte nicht mehr genug Haare, die seinen Kopf warm gehalten hätten.

»Worum geht es?«

Bevor sie antworten konnte, stieß ein Deputy die Tür auf, und Madge warf einen Blick über die Schulter. Um Zeit zu gewinnen, sagte sie: »Und Brenda hat angerufen.«

»Ist bei ihr alles in Ordnung?«, erwiderte Charlie, auf ihr Ablenkungsmanöver eingehend.

»So viel ich weiß, ja, aber Sie sollen sie zurückrufen.«

Der Deputy nickte Charlie im Vorübergehen zu. Als er seinen Wagen aufschloss, trat Madge näher.

»Ich glaube, es gibt ein Problem«, sagte sie leise.
»Womit?«
Sie deutete auf das Gebäude. »Thurman Jones wartet drinnen. Und Harvey Wellman.«
Charlie schwieg.
»Sie wollen beide mit Ihnen reden.«
»Und?«
»Sie sind *zusammen* da. Sie wollen gemeinsam mit Ihnen reden.«
Charlie wusste schon im Voraus, dass sie noch mehr Unerfreuliches auf Lager hatte. Strafverteidiger und Staatsanwälte tun sich nur in der äußersten Not zusammen.
»Es geht um Miles«, sagte sie. »Ich glaube, er hat etwas angestellt. Etwas, das ihm nicht gut bekommen wird.«

Thurman Jones war dreiundfünfzig, mittelgroß und hatte wellige braune Haare, die immer zerzaust waren. Er trug im Gericht dunkelblaue Anzüge, dunkle Häkelkrawatten und schwarze Laufschuhe. Er sprach langsam und deutlich und verlor nie die Nerven, und diese Kombination, zusammen mit seinem Erscheinungsbild, kam bei der Jury stets gut an. Warum er Leute wie Otis Timson und seine Familie vertrat, war Charlie ein Rätsel, aber er tat es seit Jahren.
Harvey Wellman dagegen kleidete sich in maßgeschneiderte Anzüge und Cole-Haan-Schuhe und sah immer aus, als sei er gerade zu einer Hochzeit unterwegs. Mit dreißig hatte er die ersten grauen Haare bekommen, und jetzt, mit vierzig, war sein Haar fast silbergrau, was ihm ein sehr distinguiertes Aussehen verlieh. In einem anderen Leben wäre er Nachrichtensprecher geworden. Oder Bestattungsunternehmer.
Keiner der beiden Männer machte ein glückliches Gesicht, als Charlie vor seinem Büro auf sie zutrat.
»Sie wollten mich beide sprechen?«
Die beiden standen auf.
»Es ist wichtig, Charlie«, antwortete Harvey.
Charlie führte sie in sein Büro und schloss die Tür. Er deutete auf zwei Stühle, aber die Männer blieben stehen.

Charlie verzog sich hinter seinen Schreibtisch, um etwas Distanz zwischen sich und seine Besucher zu bringen.

»Was kann ich für Sie tun?«

»Wir haben ein Problem, Charlie«, sagte Harvey ohne Umschweife. »Es geht um die Verhaftung heute früh. Ich wollte schon eher mit Ihnen reden, aber Sie waren nicht da.«

»Tut mir Leid. Ich musste etwas außerhalb der Stadt erledigen. Was ist das für ein Problem?«

Harvey Wellman fixierte Charlie.

»Offenbar ist Miles Ryan etwas zu weit gegangen.«

»So?«

»Wir haben Zeugen. Eine Menge Zeugen. Und sie alle sagen dasselbe.«

Charlie schwieg, und Harvey räusperte sich. Thurman Jones stand mit ausdruckslosem Gesicht neben ihm. Charlie wusste, das er jedes Wort speicherte.

»Er hat Otis Timson eine Pistole an den Kopf gehalten.«

Später, im Wohnzimmer, zupfte Miles zerstreut das Etikett von seiner Bierflasche und erzählte Sarah, was passiert war. Zeitweise gerieten seine Sätze nicht weniger chaotisch als seine Gefühle. Er sprang von einem Punkt zum nächsten und übernächsten, wiederholte sich, fing wieder von vorn an. Sarah unterbrach ihn nicht, hörte aufmerksam zu, und obwohl ihr manchmal etwas unklar war, bat sie ihn nicht um Erklärungen. Sie vermutete, dass er nichts erklären konnte.

Sie bekam mehr zu hören als Charlie.

»Weißt du, in den letzten beiden Jahren habe ich mich oft gefragt, was passiert, wenn ich den Kerl treffe, der Missy getötet hat. Und als ich hörte, dass es Otis war ... ich weiß nicht ...« Er schwieg. »Ich wollte abdrücken. Ich wollte ihn erschießen.«

Sarah fiel keine Erwiderung ein. Das war in gewisser Weise verständlich, aber gleichzeitig auch ein bisschen beängstigend.

»Aber du hast nicht abgedrückt«, sagte sie endlich.

Miles bemerkte nicht, wie zögernd ihre Worte kamen. Seine Gedanken waren noch bei Otis.

»Und was jetzt?«, fragte sie.

Er massierte seinen Nacken. So sehr ihn die Gefühle auch überwältigt hatten, so gut wusste sein logischer Verstand, dass die Geschichte noch nicht zu Ende war. »Es gibt eine neue Ermittlung – Zeugen werden befragt, Orte besichtigt. Das ist eine Menge Arbeit und besonders schwierig, weil schon so viel Zeit vergangen ist. Ich werde für eine Weile sehr viel zu tun haben. Abends, an den Wochenenden … Wir sind wieder an demselben Punkt wie vor zwei Jahren.«

»Hat Charlie nicht gesagt, er übernimmt das?«

»Schon – aber nicht so, wie ich es will.«

»Darfst du denn überhaupt ermitteln?«

»Ich habe keine Wahl.«

Es war jetzt weder die Zeit noch der Ort, über seine Rolle zu diskutieren, und Sarah äußerte sich nicht weiter dazu.

»Hast du Hunger?«, fragte sie stattdessen. »Ich kann schnell etwas für uns kochen. Oder sollen wir eine Pizza bestellen?«

»Nein. Ich brauche nichts.«

»Willst du spazieren gehen?«

Miles schüttelte den Kopf. »Eigentlich nicht.«

»Oder ein Video anschauen? Ich habe unterwegs eins geholt.«

»Ja … gut.«

»Willst du nicht wissen, welcher Film es ist?«

»Wird schon in Ordnung sein, wenn du ihn ausgesucht hast.«

Sie erhob sich und holte die Kassette. Es war eine Komödie, die Sarah ein paar Mal zum Lachen brachte, und sie blickte zu Miles hinüber, um zu sehen, ob er den Film auch komisch fand. Er reagiert nicht. Nach einer Stunde sagte er, er müsse ins Bad, und als er nach einer Weile noch nicht zurück war, ging Sarah ihn suchen.

Sie fand ihn im Schlafzimmer vor dem geöffneten Ordner.

»Ich muss nur kurz etwas nachsehen«, sagte er. »Eine Minute.«

»Okay«, antwortete sie.

Er kam nicht zurück.

Lange vor dem Ende des Films holte Sarah die Kassette aus dem Apparat und nahm ihre Jacke vom Haken. Sie warf einen Blick zu Miles ins Schlafzimmer – ohne zu wissen, dass Jonah vorher dasselbe getan hatte. Dass sie fort war, merkte Miles erst, als Jonah aus dem Kino kam.

Charlie saß fast bis Mitternacht im Büro. Wie Miles brütete er über der Akte und fragte sich, wie es weitergehen sollte.

Er hatte seine ganzen Überredungskünste aufbieten müssen, um Harvey wieder gnädig zu stimmen, besonders nachdem der Zwischenfall in Miles' Dienstwagen zur Sprache gekommen war. Thurman Jones verhielt sich erwartungsgemäß die ganze Zeit über ziemlich ruhig. Charlie vermutete, dass er es für besser hielt, wenn Harvey ihm das Reden abnahm. Als Harvey jedoch erwähnte, er überlege ernsthaft, gegen Miles Anklage zu erheben, gestattete er sich ein winziges Lächeln.

An diesem Punkt erklärte Charlie, warum Otis überhaupt verhaftet worden war.

Miles hatte sich offenbar nicht die Mühe gemacht, Otis das zu erläutern. Er würde sich ihn am nächsten Tag ernstlich zur Brust nehmen müssen. Wenn er ihm nicht schon vorher den Hals umdrehte.

Aber vor Harvey und Thurman tat Charlie so, als sei er über alles im Bilde.

»Es gab keinen Grund, Beschuldigungen auszusprechen, wenn ich nicht sicher sein konnte, dass sie berechtigt waren.«

Wie erwartet hatten Harvey und Thurman dafür kein Verständnis. Und auch nicht für Sims' Geschichte, bis Charlie ihnen von Earl Getlin erzählte.

»Und er hat die ganze Sache bestätigt«, schloss er.

Er hatte nicht vor, Thurman seine Zweifel zu gestehen, und Harvey auch noch nicht. Als er fertig war, signalisierte Harvey ihm mit einem Blick, dass ihm an einem Gespräch unter vier Augen lag. Doch Charlie spielte zunächst den Begriffsstutzigen.

Sie redeten noch lange über Miles. Charlie bezweifelte

nicht, dass die Vorwürfe gegen ihn berechtigt waren, und obwohl er, milde ausgedrückt, betroffen war, kannte er Miles lange genug, um zu wissen, dass er nicht zum ersten Mal so … ungewöhnlich gehandelt hatte. Leider nicht. Charlie verbarg seinen Ärger jedoch, auch wenn er Miles nur sehr zurückhaltend verteidigte. Am Ende empfahl Harvey ihm, Miles vorläufig zu suspendieren.

Thurman Jones dagegen forderte, Otis entweder zu entlassen oder ihn ohne weitere Verzögerungen anzuklagen.

Charlie erklärte, Miles sei für den Rest des Tages schon beurlaubt, aber er würde über beide Punkte gleich am nächsten Morgen entscheiden.

Irgendwie hoffte er, bis dahin wäre ihm alles klarer.

Aber kurz bevor er nach Hause aufbrach, musste er sich eingestehen, dass noch überhaupt nichts klarer war.

Er rief Harris an und fragte nach seinen Erfolgen.

Harris hatte Sims nicht gefunden.

»Wie intensiv haben Sie denn gesucht?«, knurrte Charlie.

»Überall«, antwortete Harris erschöpft. »In seiner Wohnung, bei seiner Mutter, in seinen Kneipen. Ich habe sämtliche Bars und Spirituosenläden im County abgeklappert. Er ist weg.«

Brenda wartete auf Charlie, als er nach Hause kam. Sie trug einen Bademantel über dem Nachthemd. Er berichtete ihr das Wesentliche, und sie fragte, was geschehen würde, wenn sie Otis tatsächlich vor Gericht stellten.

»Es wird wie immer ablaufen«, antwortete Charlie müde. »Jones wird argumentieren, dass Otis an jenem Abend nicht mal da war, und Zeugen dafür auftreiben. Und dann wird er sagen, dass Otis, selbst wenn er in der Kneipe war, nicht das gesagt hat, was ihm in den Mund gelegt wird. Und selbst wenn er es gesagt haben sollte, sei es aus dem Zusammenhang gerissen.«

»Wird er damit durchkommen?«

Charlie nahm einen Schluck Kaffee.

»Niemand kann voraussagen, wie eine Jury reagiert. Das weißt du.«

Brenda legte ihm die Hand auf den Arm.

»Aber was glaubst du?«, fragte sie. »Ganz ehrlich.«

»Ehrlich?«

Sie nickte und fand plötzlich, dass er zehn Jahre älter aussah als noch am Morgen.

»Wenn wir weiter nichts finden, wird Otis freigesprochen.«

»Selbst wenn er es getan hat?«

»Ja«, erwiderte Charlie tonlos, »selbst wenn er es getan hat.«

»Würde Miles das akzeptieren?«

Charlie schloss die Augen.

»Nein. Niemals.«

»Was wird er deiner Meinung nach dann tun?«

Er trank seinen Kaffee aus und griff nach der Akte. »Keine Ahnung.«

Kapitel 25

Von da an belauerte ich die beiden regelmäßig, aber vorsichtig, damit es niemand merkte.

Ich wartete vor der Schule auf Jonah, ich besuchte Missys Grab, ich beobachtete nachts das Haus.

Ich wusste, dass es falsch war, aber ich hatte meine Handlungen nicht mehr unter Kontrolle. Bei einer Zwangsvorstellung kann man nicht einfach aufhören. Aber ich machte mir natürlich Gedanken über meinen Geisteszustand.

War ich ein Masochist, der die Agonie, die er anderen zugefügt hat, auch selbst durchleben will? Oder ein Sadist, der sich insgeheim an ihrer Qual labt und sie möglichst ungefiltert auskosten will? Oder beides? Ich wusste es nicht. Ich wusste nur, dass ich keine Wahl hatte.

Das Bild von Miles, der so achtlos an seinem Sohn vorbeigegangen war, ohne mit ihm zu sprechen, ging mir nicht aus dem Sinn.

Nach allem, was geschehen war, durfte das nicht sein. Ja, sicher, Missy war ihnen entrissen worden … aber kamen sich Menschen durch traumatische Ereignisse nicht näher? Suchten sie nicht Unterstützung beieinander? Besonders innerhalb der Familie?

Das hätte ich gern geglaubt. Und nur in diesem Glauben überstand ich die ersten sechs Wochen. Er wurde zu meinem Mantra. Sie würden überleben. Die Wunden würden heilen. Sie würden sich aneinander festhalten und sich nahe sein – die leere Formel eines gepeinigten Narren, aber für mich war es die Wahrheit.

Doch in jener Nacht war es ihnen nicht gut gegangen.

Ich bin und war nicht so naiv zu glauben, dass die Momentaufnahme einer Familie in ihrer häuslichen Umgebung die ganze Wahrheit enthüllt.

Ich sagte mir damals, ich hätte alles falsch interpretiert. Aus isolierten Eindrücken lässt sich nichts Allgemeingültiges ableiten. Als ich ins Auto stieg, glaubte ich mir schon fast.

Aber ich musste mich vergewissern.

Es gibt einen Weg, der zur allmählichen Zerstörung führt. Wie jemand, der ein Glas trinkt, am nächsten Tag schon zwei und mit der Zeit völlig die Kontrolle verliert, wurde ich immer kühner. Zwei Tage nach meinem ersten nächtlichen Besuch musste ich Jonah wiedersehen. Ich weiß noch, was ich mir ausdachte, um mein Tun zu rechtfertigen: Ich werde Jonah heute beobachten, und wenn er lächelt, weiß ich, dass ich Unrecht habe.

Also fuhr ich zur Schule. Ich stellte mich auf den Parkplatz und hielt durch die Windschutzscheibe Ausschau. Beim ersten Mal bekam ich ihn kaum zu sehen, deshalb fuhr ich am nächsten Tag wieder hin.

Und ein paar Tage später wieder.

Und wieder.

Es kam der Tag, an dem ich seine Lehrerin und seine Klassenkameraden kannte und ihn sofort entdeckte, wenn er das Gebäude verließ. Manchmal lächelte er, manchmal nicht, und den restlichen Tag grübelte ich dann darüber nach, was das wohl bedeutete. Zufrieden war ich nie.

Und dann brach die Nacht an. Wie eine juckende Stelle, die man nicht erreicht, plagte mich der Drang zu spionieren und wurde von Stunde zu Stunde stärker. Ich legte mich hin, mit weit aufgerissenen Augen, dann stand ich wieder auf. Ich lief von Wand zu Wand. Ich setzte mich hin, legte mich wieder aufs Bett. Und obwohl ich wusste, dass es Unrecht war, beschloss ich hinzufahren. In der Hand schon die Autoschlüssel, flüsterte ich mir die Gegenargumente für mein Tun zu. Ich fuhr im Dunkeln die bekannte Strecke entlang, und während ich parkte, redete ich mir gut zu, ich solle umkehren und nach Hause fahren. Ich zwängte mich durch die Büsche zum Haus, Schritt für Schritt, und verstand immer noch nicht, was mich hergetrieben hatte.

Ich beobachtete die beiden durch die Fenster.

Ein Jahr lang fügte ich die Teile ihres Lebens wie Mosaiksteinchen zusammen, bis sich sämtliche leeren Stellen allmählich gefüllt hatten.

Ich erfuhr, dass Miles manchmal nachts arbeitete, und fragte mich, wer dann auf Jonah aufpasste. Deshalb notierte ich mir Miles' Arbeitszeiten, wusste dadurch, wann er weg war, und folgte eines Tages Jonahs Schulbus. Ich sah, dass er zu einer Nachbarin ging. Ein kurzer Blick auf den Briefkasten verriet mir ihren Namen.

An anderen Tagen beobachtete ich sie beim Abendessen. Ich erfuhr, was Jonah gern aß und welche Fernsehprogramme er mochte. Ich erfuhr, dass er gern Fußball spielte und nicht gern las. Ich sah, wie er wuchs.

Ich sah Gutes und Schlechtes und hielt immer Ausschau nach einem Lächeln. Nach irgendetwas, das mich dazu bewegen konnte, diesen Wahnsinn aufzugeben.

Ich ließ auch Miles nicht aus den Augen.

Er räumte das Haus auf, legte Gegenstände in Schubladen. Er kochte. Er trank Bier und rauchte auf der Terrasse hinter dem Haus, wenn er glaubte, dass er unbeobachtet war. Aber meistens saß er in der Küche.

Dort starrte er in den Ordner und fuhr sich dabei mit der Hand durch die Haare. Zuerst dachte ich, er hätte sich Arbeit mitgebracht, aber dann erkannte ich meinen Irrtum. Er studierte nicht verschiedene Fälle, sondern immer denselben, denn es war immer derselbe Ordner. Plötzlich begriff ich, worum es darin ging. Ich wusste, dass er mich suchte, die Person, die ihn durch die Fenster beobachtete.

Danach hatte ich eine neue Rechtfertigung für mein Verhalten. Ich kam, um ihn zu sehen, sein Mienenspiel zu erforschen, wenn er über dem Ordner saß. Ich wartete auf die plötzlich aufblitzende Erleuchtung, gefolgt von einem hektischen Telefonanruf, der zu einem Besuch bei mir zu Hause führen würde. Ich wollte wissen, wann das Ende kam.

Wenn ich mich schließlich auf den Rückweg zu meinem Auto machte, konnte ich mich kaum noch auf den Beinen halten. Ich schwor mir immer wieder, dass es vorbei war, ein für alle Mal vorbei. Ich betete um Vergebung, und es gab Zeiten, in denen ich mich umbringen wollte.

Aus einem Menschen, der davon geträumt hatte, sich die Welt zu erobern, war ein Mensch geworden, der sich selbst hasste.

Aber so gern ich auch aufhören wollte, so gerne ich sterben wollte – der Drang überkam mich doch immer wieder. Ich kämpfte gegen ihn an, bis ich nicht mehr konnte, und dann sagte ich mir, es sei ja nur noch dieses letzte Mal. Das allerletzte Mal.

Und dann kroch ich wieder wie ein Vampir in die Nacht hinaus.

Kapitel 26

*I*n der Nacht, in der Miles im Schlafzimmer den Ordner studierte, hatte Jonah zum ersten Mal seit Wochen wieder einen Albtraum.

Miles brauchte einen Augenblick, um das Geräusch zu registrieren – er hatte fast bis zwei Uhr morgens über den Unterlagen gesessen. Durch die vorausgegangene Nachtschicht und die Ereignisse des Tages rebellierte sein Körper. Da hörte er Jonah weinen. Als müsse es sich einen Weg durch feuchte Watte bahnen, kehrte sein Bewusstsein erst langsam zurück, und der Gang ins Kinderzimmer entsprang mehr einem Reflex als dem Bedürfnis, seinen Sohn zu trösten.

Es war früh am Morgen, kurz vor Sonnenaufgang. Miles trug Jonah auf die Veranda. Als er zu weinen aufhörte, war die Sonne schon aufgegangen. Weil es Samstag war und Jonah nicht zur Schule musste, brachte Miles ihn zurück ins Kinderzimmer und setzte Kaffeewasser auf. Sein Kopf dröhnte, und er spülte mit Orangensaft zwei Aspirin herunter.

Während der Kaffee brodelte, holte Miles den Ordner mit den nächtlichen Anmerkungen hervor. Er wollte sie vor der Arbeit noch einmal durchlesen. Bevor er jedoch anfangen konnte, kam Jonah in die Küche. Er tapste zum Tisch und rieb sich die verquollenen Augen.

»Warum bist du auf?«, fragte Miles. »Es ist noch früh.«

»Ich bin nicht müde«, antwortete Jonah.

»Du siehst müde aus.«

»Ich hab schlecht geträumt.«

Damit hatte Miles nicht gerechnet. Jonah hatte sich noch nie an seine Träume erinnert.

»Wirklich?«

Jonah nickte. »Ich hab geträumt, du hättest einen Unfall gehabt. Wie Mommy.«

Miles legte ihm den Arm um die Schulter. »Das war nur ein Traum«, sagte er. »Es ist nichts passiert. Okay?«

Jonah wischte sich mit dem Handrücken die Nase. In seinem Pyjama sah er jünger aus, als er war.

»Dad?«

»Ja?«

»Bist du sauer auf mich?«

»Nein, überhaupt nicht. Warum?«

»Du hast gestern gar nicht mit mir geredet.«

»Das tut mir Leid. Ich bin nicht sauer auf dich – ich musste nur über etwas nachdenken.«

»Über Mommy?«

Wieder war Miles überrascht. »Wie kommst du darauf?«, fragte er.

»Weil du diese Papiere wieder angeschaut hast.« Jonah deutete auf den Ordner. »Die sind doch über Mommy, oder?«

Nach ein paar Sekunden nickte Miles. »In gewisser Weise.«

»Ich mag diese Papiere nicht.«

»Warum nicht?«

»Weil sie dich traurig machen«, erklärte Jonah.

»Sie machen mich nicht traurig.«

»Doch«, erwiderte Jonah. »Und mich machen sie auch traurig.«

»Weil du Mommy vermisst?«

»Nein.« Jonah schüttelte den Kopf. »Weil du mich dann vergisst.«

Seine Worte schnürten Miles die Kehle zu.

»Das ist nicht wahr.«

»Warum hast du dann gestern nicht mit mir geredet?«

Er schien den Tränen nahe, und Miles zog ihn an sich.

»Es tut mir Leid, Jonah. Es wird nicht wieder vorkommen.«

Jonah schaute zu ihm hoch.

»Versprichst du mir das?«

Miles malte ein X auf seine Brust und lächelte. «Ehrenwort.«

»Auf dein Leben?«

Unter Jonahs durchdringendem Blick fand Miles, dass das Leben manchmal einen hohen Preis forderte.

Nach dem Frühstück rief Miles Sarah an, um sich auch bei ihr zu entschuldigen. Sarah unterbrach ihn, bevor er zu Ende gesprochen hatte.

»Miles, du musst dich nicht entschuldigen. Nach allem, was passiert ist, war es doch ganz natürlich, dass du allein sein wolltest. Wie geht's dir heute?«

»Ich weiß nicht recht. Noch genauso.«

»Gehst du arbeiten?«

»Ich muss. Charlie hat angerufen. Er will mich sehen.«

»Rufst du mich später an?«

»Wenn ich dazu komme. Ich bin heute wahrscheinlich ziemlich beschäftigt.«

»Mit der Ermittlung, meinst du?«

Als Miles nicht antwortete, sagte Sarah: »Gut, wenn du mit mir reden willst und mich nicht erreichst – ich bin bei meiner Mutter.«

»Okay.«

Sie legte den Hörer auf und wurde das Gefühl nicht los, dass noch etwas Schreckliches passieren würde.

Um neun Uhr morgens trank Charlie seine vierte Tasse Kaffee und bat Madge, regelmäßig für Nachschub zu sorgen. Er hatte nur zwei Stunden geschlafen und war schon vor Sonnenaufgang wieder im Büro gewesen.

Er hatte Harvey getroffen, Otis in seiner Zelle befragt und sich mit Thurman Jones unterhalten. Außerdem hatte er weitere Deputys auf die Suche nach Sims geschickt. Bisher ergebnislos.

Aber er hatte einige Entscheidungen gefällt.

Miles traf zwanzig Minuten später ein. Charlie wartete vor dem Büro auf ihn.

»Alles okay bei dir?«, fragte er. Er fand, dass Miles nicht besser aussah als er selbst.

»Harte Nacht.«

»Und ein harter Tag. Willst du einen Kaffee?«

»Hatte zu Hause schon jede Menge.«

Charlie machte eine Kopfbewegung. »Dann komm rein, wir müssen reden.«

Als Miles eingetreten war, schloss Charlie die Tür, und Miles setzte sich auf den Stuhl. Charlie lehnte gegen den Schreibtisch.

»Bevor wir anfangen«, begann Miles, »solltest du wissen, dass ich seit gestern über diesem Fall sitze, und ich glaube, ich habe da ein paar Ideen ...«

Charlie schüttelte den Kopf und ließ ihn nicht ausreden. »Pass auf, Miles – deshalb habe ich dich nicht kommen lassen. Jetzt musst du erst mal zuhören, okay?«

Charlies Gesichtsausdruck verriet Miles, dass ihm die nächsten Sätze überhaupt nicht gefallen würden, und er war auf der Hut.

»Ich will nicht lange um den heißen Brei reden. Dazu kennen wir uns schon zu lange.« Charlie machte eine Pause.

»Was ist?«

»Ich werde heute Otis Timson freilassen.«

Miles sperrte den Mund auf, aber Charlie hob die Hände.

»Hör mich an, damit du nicht glaubst, dass ich übereilt handle. Es bleibt mir nichts anderes übrig, in Anbetracht der Aussagen, die mir vorliegen. Nachdem du gestern weg warst, bin ich zu Earl Getlin gefahren.«

Er berichtete Miles von Getlins Aussage.

»Da hast du doch den Beweis, den du brauchst«, fuhr Miles auf.

»Moment mal! Es bestehen noch ernsthafte Zweifel an seiner Aussage. So viel ich gehört habe, würde Thurman Jones ihn zerpflücken, und keine Jury auf der Welt würde ihm auch nur eine Silbe glauben.«

»Überlass das der Jury«, protestierte Miles. »Du kannst ihn nicht einfach laufen lassen.«

»Mir sind die Hände gebunden. Glaub mir, ich bin die ganze Nacht aufgeblieben und habe die Akte studiert. Wir haben einfach nicht genug Beweise, um ihn festzuhalten. Vor allem, weil Sims sich aus dem Staub gemacht hat.«

»Was?«

»Ich habe seit gestern nach ihm suchen lassen. Er ist einfach verschwunden. Niemand konnte ihn finden, und Harvey unternimmt nichts, bevor er Sims vernommen hat.«

»Ach, verdammt, Otis hat es doch zugegeben!«

»Ich habe keine Wahl«, erklärte Charlie.

»Er hat meine Frau umgebracht.« Miles stieß die Worte zwischen zusammengebissenen Zähnen hervor.

»Es ist nicht nur meine Entscheidung. Ohne Sims haben wir nichts in der Hand, und das weißt du. Harvey Wellman meinte, so wie die Dinge liegen, würde der Staatsanwalt niemals Anklage erheben.«

»Harvey steckt dahinter?«

»Ich habe vorhin wieder mit ihm gesprochen. Glaub mir, er ist mehr als fair. Es ist nicht persönlich gemeint – er tut einfach, was er tun muss.«

»Das ist Blödsinn.«

»Versetz dich doch mal in seine Lage, Miles ...«

»Ich will mich nicht in seine Lage versetzen! Ich will, dass Otis wegen Mordes angeklagt wird.«

»Ich weiß, dass du aufgebracht bist ...«

»Ich bin nicht aufgebracht, Charlie! Ich habe eine Mordswut im Bauch.«

»Das weiß ich – aber darum geht es nicht. Auch wenn wir Otis jetzt laufen lassen, bedeutet das doch lange nicht, dass er nicht später angeklagt wird, verstehst du? Es bedeutet nur, dass wir im Moment nicht genug gegen ihn in der Hand haben. Aber der Fall ist noch nicht abgeschlossen.«

Miles zog ein grimmiges Gesicht. »Und bis dahin ist Otis auf freiem Fuß.«

»Er würde sowieso auf Kaution freikommen. Sobald wir ihn unter Anklage stellen, spaziert er hier raus. Das weißt du.«

Manchmal fand Miles das Rechtssystem empörend. Er trommelte nervös auf die Stuhllehne, dann fixierte er Charlie.

»Hast du mit Otis gesprochen?«, fragte er.

»Heute früh hab ich es versucht. Sein Anwalt war da und hat ihm geraten, die meisten meiner Fragen nicht zu beantworten. Es kam nichts Nützliches dabei heraus.«

»Soll ich es vielleicht versuchen?«

Charlie schüttelte rasch den Kopf. »Das geht nicht, Miles.«

»Warum nicht?«

»Das kann ich nicht zulassen.«

»Weil es Missy betrifft?«

»Nein – wegen deinem Ausrutscher von gestern.«

»Was meinst du damit?«

Charlie sah Miles wortlos an. Miles reagierte nicht, also stand Charlie auf.

»Ich will offen sein. Otis hat sich zwar geweigert, Fragen über Missy zu beantworten, aber er hat bereitwillig Auskunft über dein gestriges Verhalten gegeben. Deshalb muss ich dich jetzt fragen ...« Er zögerte. »Was ist in deinem Wagen passiert?«

Miles zog die Beine unter den Stuhl. »Auf der Straße war ein Waschbär, und ich musste eine Vollbremsung machen.«

»Meinst du, ich bin so blöd und glaube das?«

Miles zuckte die Achseln. »So war es aber.«

»Und wenn Otis behauptet, du hast gebremst, damit er sich ordentlich wehtut?«

»Dann lügt er.«

Charlie beugte sich vor. »Lügt er auch, wenn er sagt, du hättest mit der Pistole auf seinen Kopf gezielt, obwohl er auf dem Boden kniete und die Hände erhoben hatte? Und dass du ihn bedroht hast?«

Miles wand sich verlegen. »Ich musste die Situation unter Kontrolle behalten«, wich er aus.

»Und das war die richtige Art?«

»Hör zu, Charlie, es ist niemand zu Schaden gekommen.«

»Dann war also dein Verhalten gerechtfertigt?«

»Ja.«

»Otis ist da anderer Meinung und sein Anwalt auch. Sie planen einen Zivilprozess gegen dich.«

»*Einen Prozess?*«

»Ja – wegen polizeilicher Übergriffe, Einschüchterung, Unverhältnismäßigkeit der Mittel, die ganze Latte. Thurman hat Freunde bei der Bürgerrechtsbewegung, die sich vielleicht anschließen werden.«

»Aber es ist doch gar nichts passiert!«

»Das ist egal, Miles. Sie haben das Recht, zu prozessieren, so viel sie wollen. Aber du solltest wissen, dass sie Harvey auch gebeten haben, einen Strafprozess gegen dich anzustrengen.«

»Einen Strafprozess?«

»So hieß es.«

»Und lass mich raten – Harvey hat zugestimmt, ja?«

Charlie schüttelte den Kopf. »Ich weiß, du und Harvey, ihr kommt nicht gut miteinander aus, aber ich arbeite seit Jahren mit ihm und erlebe ihn meistens fair. Er war gestern Abend ziemlich verärgert, aber bei unserem Treffen heute Morgen hat er gesagt, er würde da nicht mitmachen …«

»Dann ist ja alles bestens.«

»Ich bin noch nicht fertig«, sagte Charlie. »Er hat es zwar angedeutet, aber es ist noch nicht sein letztes Wort. Er weiß, wie sehr dich das Ganze mitnimmt, und obwohl er findet, du hattest kein Recht, Sims freizulassen oder Otis zu verhaften, weiß er, dass du auch nur ein Mensch bist. Er versteht deine Gefühle, aber das ändert nichts an der Tatsache, dass du überreagiert hast, um es milde auszudrücken. Und deshalb hält er es für das Beste, dich zu suspendieren – bei vollem Lohn natürlich –, bis das Ganze sich erledigt hat.«

Miles sah ihn ungläubig an.

»Es ist zu deinem eigenen Besten. Wenn sich alle wieder beruhigt haben, meint Harvey, kann er Clyde und seine Anwälte dazu bringen, dass sie ihr Vorhaben fallen lassen. Aber wenn wir – oder ich – so tun, als wäre nichts vorgefallen, hält er das für unwahrscheinlich.«

»Ich habe nur den Mann verhaftet, der meine Frau ermordet hat …«

»Du bist weit übers Ziel hinausgeschossen, und das weißt du auch.«

»Und du tust, was er sagt?«

Nach einer langen Pause nickt Charlie. »Wie gesagt, es ist zu deinem eigenen Besten.«

»Noch mal zum Mitschreiben: Otis kommt frei, obwohl er meine Frau überfahren hat. Und ich kriege einen Tritt in den Hintern, weil ich ihn verhaftet habe.«

»Wenn du es so sehen willst …«

»Das stimmt doch!«

Charlie schüttelte den Kopf und bemühte sich, nicht laut zu werden.

»Nein, so stimmt es nicht. Und wenn du nicht mehr so aufgeregt bist, wirst du das auch begreifen. Vorläufig bist du allerdings suspendiert.«

»Komm schon, Charlie, das kannst du mir nicht antun!«

»Es ist das Beste. Und sei so gut, mach die Situation nicht noch schlimmer. Wenn ich erfahre, dass du Otis belästigst oder herumschnüffelst, wo du nicht solltest, muss ich mir weitere Maßnahmen überlegen und kann nicht mehr so entgegenkommend sein.«

»Das ist lächerlich!«

»Es sind Tatsachen, mein Freund. Tut mir Leid.« Charlie stand auf und ging um den Schreibtisch herum. »Aber wie gesagt, die Sache ist ja noch nicht vorbei. Sobald wir Sims finden, werden wir seine Geschichte überprüfen. Vielleicht hat noch ein anderer Zeuge etwas gehört, und wir finden jemanden, der es bestätigt …«

Miles schleuderte sein Abzeichen auf den Schreibtisch, bevor Charlie ausgeredet hatte. Halfter und Waffe hängte er über die Stuhllehne.

Er knallte die Tür hinter sich zu.

Miles stürmte aus Charlies Büro und ließ sich auf den Fahrersitz seines Wagens fallen. Von den Ereignissen der letzten vierundzwanzig Stunden dröhnte ihm der Kopf. Er drehte den Zündschlüssel und fuhr mit quietschenden Reifen vom Parkplatz. Auf der Fahrbahn beschleunigte er so schnell, dass der Wagen auf die linke Spur geriet, bevor er ihn wieder abfangen konnte.

Otis war frei – und er suspendiert.

Es war absurd. Irgendwie stand die Welt auf dem Kopf.

Er dachte kurz daran, nach Hause zu fahren, entschied sich jedoch dagegen, weil Jonah dann von Mrs. Knowlson nach Hause kommen würde, und Miles wusste, dass er ihn jetzt nicht gebrauchen konnte. Nicht nach dem, was Jonah am Morgen gesagt hatte. Er musste sich erst einmal beruhigen und die Konsequenzen überdenken.

Er musste mit jemandem reden, mit einem Menschen, der ihm helfen würde, alles zu sortieren.

Als die Straße frei war, drehte Miles um hundertachtzig Grad und machte sich auf den Weg zu Sarah.

Kapitel 27

Sarah saß mit ihrer Mutter im Wohnzimmer, als Miles in die Einfahrt bog. Da sie Maureen nichts von den neuesten Ereignissen erzählt hatte, sprang diese auf und begrüßte Miles mit weit geöffneten Armen an der Haustür.

»Was für eine nette Überraschung!«, rief sie. »Ich hatte Sie gar nicht erwartet!«

Miles murmelte eine Begrüßung und ließ sich von ihr umarmen, lehnte die angebotene Tasse Kaffee aber ab. Sarah schlug rasch einen Spaziergang vor und holte ihre Jacke. Wenige Minuten später waren sie aus der Tür. Maureen missdeutete das Ganze als »Jungverliebte, die allein sein wollen« und sah ihnen mit glühenden Wangen nach.

Sie gingen in das Wäldchen, das sie an Thanksgiving mit Jonah durchquert hatten. Miles schwieg. Er ballte die Hände zu Fäusten, als bildeten sie den Verschluss auf einem Dampfventil, und vor lauter Anspannung wurden seine Knöchel weiß.

Schließlich setzten sie sich auf einen umgestürzten, von Moos und Efeu überwucherten Fichtenstamm. Miles' Hände krampften sich immer wieder zusammen, und Sarah legte ihre Hand auf seine. Daraufhin schien er sich zu entspannen, und ihre Finger verschränkten sich.

»Ein schlechter Tag, ja?«

»Das könnte man sagen.«

»Otis?«

Miles schnaubte. »Otis. Charlie. Harvey. Sims. Alle.«

»Was ist passiert?«

»Charlie hat Otis laufen lassen. Meinte, die Beweislage reicht nicht aus.«

»Warum? Ich dachte, es gibt Zeugen?«

»Ich auch. Aber die Tatsachen sind anscheinend in diesem Fall keinen Pfifferling wert.« Miles zupfte an der Rinde und warf ein Stück angewidert zur Seite. »Charlie hat mich vom Dienst suspendiert.«

Sarah kniff die Augen zusammen, als hätte sie nicht richtig gehört.

»Wie bitte?«

»Heute Morgen. Deshalb wollte er mit mir reden.«

»Du machst Witze.«

Er schüttelte den Kopf. »Nein.«

»Ich verstehe nicht …«

Aber tief im Inneren verstand sie alles, noch während sie das Gegenteil behauptete.

Miles schleuderte das nächste Rindenstück weg. »Er hat gesagt, mein Verhalten bei der Verhaftung sei unangemessen gewesen und ich sei suspendiert, solange sie das untersuchen. Aber das ist noch nicht alles.« Er blickte starr geradeaus. »Otis will einen Zivilprozess gegen mich einleiten. Und um dem allem die Krone aufzusetzen, wollen sie auch noch Strafanzeige erstatten.«

Sarah wusste nicht, wie sie reagieren sollte. Miles atmete geräuschvoll aus und ließ ihre Hand los.

»Ist das zu fassen? Ich bringe ihnen den Mann, der meine Frau umgebracht hat, und werde suspendiert! Er kommt frei, und ich soll angeklagt werden.« Endlich wandte er sich ihr zu. »Leuchtet dir das ein?«

»Nein«, erwiderte sie ehrlich.

Miles schüttelte den Kopf und starrte wie blind geradeaus.

»Und Charlie, der gute alte Charlie – er macht da mit. Ich dachte immer, er sei mein Freund.«

»Er ist dein Freund, Miles. Das weißt du …«

»Nein, ich weiß es nicht – nicht mehr.«

»Dann werden sie also Anklage erheben?«

Miles zuckte die Achseln. »Vielleicht. Charlie sagte, er kann Otis und seinen Anwalt vielleicht überreden, darauf zu verzichten. Das ist der zweite Grund, warum er mich suspendiert hat.«

Sarah war verwirrt.

»Was genau hat Charlie zu dir gesagt?«

Miles wiederholte das Gespräch. Als er fertig war, griff Sarah erneut nach seiner Hand.

»Es kommt mir nicht so vor, als hätte Charlie etwas gegen dich. Für mich klingt es, als möchte er dir helfen.«

»Wenn er mir helfen wollte, würde er Otis festhalten.«

»Aber was kann er ohne Sims machen?«

»Er hätte Anklage erheben sollen! Earl Getlin hat die Geschichte bestätigt – mehr brauchen wir nicht. Ich meine, er weiß genau, dass Sims irgendwann auftauchen wird. Der Kerl ist nicht gerade ein Weltreisender – er steckt hier irgendwo. Ich könnte ihn wahrscheinlich in zwei Stunden aufstöbern und ihn eine beeidigte Erklärung unterschreiben lassen. Und glaub mir, das wird er auch tun, sobald ich mit ihm geredet habe.«

»Aber du bist doch suspendiert!«

»Ergreif jetzt nicht Partei für Charlie. Ich bin nicht in der Stimmung dafür.«

»Ich ergreife keine Partei, Miles. Ich will nur nicht, dass du noch mehr Ärger bekommst. Und Charlie hat dir doch zugesichert, dass die Ermittlungen wieder aufgenommen werden.«

Miles sah sie von der Seite an. »Dann denkst du, ich sollte alles auf sich beruhen lassen?«

»Das habe ich nicht gesagt …«, setzte sie an, aber Miles unterbrach sie.

»Was dann? Für mich klingt es so, als würdest du wollen, dass ich mich tot stelle und das Beste hoffe.« Er wartete nicht auf ihre Antwort. »Das kann ich nicht, Sarah. Der Teufel soll mich holen, wenn Otis davonkommt, ohne für seine Tat zu bezahlen!«

Sie musste an den vorigen Abend denken und fragte sich, wann er wohl gemerkt hatte, dass sie gegangen war.

»Aber was passiert, wenn Sims nicht auftaucht?«, fragte sie endlich. »Oder wenn sie beschließen, dass sie für eine Anklage nicht genug beisammen haben? Was machst du dann?«

Miles verzog das Gesicht.

»Warum tust du mir das an?«

Sarah erblasste. »Ich will doch nicht …«

»Doch – du stellst alles infrage.«

»Ich will nur nicht, dass du etwas tust, was du später bereust.«

»Und was soll das heißen?«

Sie drückte seine Hand. »Manchmal entwickeln sich die Dinge nicht so, wie wir es gern hätten.«

Er starrte sie wortlos an. Sein Gesicht war maskenhaft, seine Hand leblos. *Kalt.* »Du glaubst nicht, dass er es getan hat, oder?«

»Ich spreche jetzt nicht über Otis. Ich spreche über dich.«

»Und ich spreche über Otis.« Er ließ ihre Hand los und stand auf. »Zwei Leute haben ausgesagt, dass Otis praktisch mit dem Mord an meiner Frau geprahlt hat, und jetzt ist er vermutlich auf dem Heimweg. Sie haben ihn freigelassen und erwarten, dass ich mich zurücklehne und Däumchen drehe. Du hast ihn gesehen – du weißt, was das für ein Typ ist, deshalb will ich wissen, was *du* davon hältst. Glaubst du, dass er Missy getötet hat oder nicht?«

Sarah fühlte sich in die Ecke gedrängt.

»Ich weiß nicht, was ich glauben soll«, antwortete sie ausweichend.

Sie sagte die Wahrheit, aber es war nicht das, was er hören wollte. Er wandte sich unwillig ab.

»Ich glaube es aber«, sagte er. »Ich weiß es, und ich werde es beweisen, so oder so. Und es ist mir egal, was du denkst. Wir reden hier über meine Frau.«

Meine Frau.

Bevor sie etwas erwidern konnte, lief er los. Sarah stand auf und folgte ihm.

»Warte doch, Miles! Lauf nicht weg.«

Er antwortete im Gehen: »Warum? Damit du noch mehr an mir herummäkeln kannst?«

»Ich mäkle nicht. Ich versuche nur zu helfen …«

Er blieb stehen und drehte sich um.

»Nicht nötig. Ich brauche deine Hilfe nicht. Das hier geht dich nichts an.«

Verwirrt und gekränkt starrte sie ihn an.

»Natürlich geht es mich etwas an! Du bist mir wichtig.«

»Weißt du was? Wenn ich wieder mal komme, weil ich möchte, dass du mir zuhörst – halt mir keine Predigten. Hör einfach nur zu. Okay?«

Mit diesen Worten ließ er Sarah stehen.

Als Harvey Charlies Büro betrat, sah er müder aus als üblich.

»Schon etwas erreicht mit Sims?«

Charlie schüttelte den Kopf. »Noch nicht. Er hat sich wirklich gut verkrochen.«

»Glauben Sie, er taucht noch mal auf?«

»Das muss er doch. Er kann nirgendwo hin. Er macht sich im Moment zwar unsichtbar, aber das schafft er nicht lange.«

Harvey schloss die Tür. »Ich habe gerade mit Thurman Jones gesprochen«, sagte er.

»Und?«

»Er will immer noch Anklage erheben, aber ich glaube, dass Otis dahinter steckt. Ich glaube nicht, dass er selbst sehr scharf darauf ist.«

»Und was bedeutet das?«

»Das weiß ich noch nicht, aber ich habe das Gefühl, er wird Otis raten, die Sache fallen zu lassen. Das Letzte, was er will, ist, dass die gesamte Abteilung einen Grund hat, seinen Klienten auf Herz und Nieren zu überprüfen, und darauf würde es hinauslaufen. Außerdem weiß er, dass er es mit einer Jury zu tun bekommt, und bei der hat ein Sheriff viel bessere Chancen als jemand wie Otis. Vor allem, wenn man bedenkt, dass Miles immerhin keinen einzigen Schuss abgefeuert hat.«

Charlie nickte. »Danke, Harvey.«

»Schon in Ordnung.«

»Ich meine nicht die Neuigkeiten.«

»Ich weiß, was Sie meinen. Aber Sie müssen dafür sorgen, dass Miles an die Leine gelegt wird, bis diese Sache vorbei ist. Wenn er eine Dummheit macht, garantiere ich für nichts, dann muss ich Anklage erheben.«

»Okay.«

»Sie reden mit ihm?«

»Ja. Ich sage es ihm.«

Und hoffe, dass er auch zuhört.

Als Brian zu Weihnachten nach Hause kam, war Sarah sehr erleichtert. Endlich jemand, mit dem sie reden konnte. Sie hatte sich den ganzen Vormittag über mühsam der Neugier ihrer Mutter entzogen. Sandwiches kauend, erzählte Brian vom College (*ganz okay*), wie seine Noten sein würden (*okay, nehm ich an*) und wie es ihm ergangen war (*okay*).

Er sah nicht annähernd so gut aus wie bei ihrem letzten Treffen. Er war blass, als säße er den ganzen Tag in der Bibliothek. Angeblich strengten ihn die Prüfungen so sehr an, aber Sarah fragte sich, was wirklich am College vor sich ging.

Genau genommen wirkte er wie jemand, der sich mit Drogen eingelassen hatte.

Das Traurige war, dass sie es nicht verwunderlich fand, so sehr sie ihn auch liebte. Er war immer sensibel gewesen, und jetzt, ganz allein und mit neuen Herausforderungen, war er eine leichte Beute. In ihrem ersten Jahr am College hatte Sarah das bei einer Kommilitonin miterlebt. Sie hatte vor dem zweiten Semester ihr Studium abgebrochen, und Sarah hatte seit Jahren nicht mehr an sie gedacht. Aber jetzt fiel ihr plötzlich auf, dass Brian genauso aussah wie das Mädchen damals.

Was für ein Tag.

Maureen machte sich natürlich auch Sorgen um ihn und häufte beim Essen seinen Teller voll.

»Ich hab keinen Hunger, Mom«, protestierte er und schob den halb vollen Teller von sich. Maureen gab schließlich auf und räumte unzufrieden den Tisch ab.

Nach dem Mittagessen begleitete Sarah Brian zum Auto, um ihm beim Hereintragen seines Gepäcks zu helfen.

»Mom hat Recht – du siehst schrecklich aus.«

Er zog den Schlüssel aus der Hosentasche.

»Danke, Schwesterlein. Freut mich zu hören.«

»War das Semester so schlimm?«

Brian zuckte die Schultern. »Ich werd's überleben.« Er öffnete den Kofferraum und hob eine Tasche heraus.

Sarah zwang ihn, die Tasche abzustellen, und fasste ihn am Arm.

»Wenn du mit mir über irgendetwas reden willst, bin ich für dich da. Hast du gehört?«

»Ja, ich weiß.«

»Ich meine es ernst. Auch wenn es etwas ist, was du mir eigentlich lieber nicht erzählen willst.«

»Sehe ich wirklich so fürchterlich aus?« Brian hob fragend die Augenbrauen.

»Mom denkt, du nimmst Drogen.«

Es war eine Lüge, aber er würde schon nicht ins Haus rennen und seine Mutter fragen.

»Dann sag ihr, dass es nicht stimmt. Es fällt mir nur schwer, mich an das College zu gewöhnen. Es wird schon werden.« Er verzog den Mund zu einem schiefen Lächeln. »Das ist übrigens die Antwort für dich.«

»Für mich?«

Brian griff nach der nächsten Tasche. »Mom käme nie im Leben auf Drogen, auch wenn ich vor ihrer Nase im Wohnzimmer einen Joint rauchen würde. Wenn du behauptet hättest, sie würde sich sorgen, dass meine Zimmergenossen mir das Leben schwer machen, weil ich so ein kluges Kerlchen bin, dann hätte ich dir das eher abgenommen.«

Sarah lachte. »Da hast du wahrscheinlich Recht.«

»Ich komm schon klar, ehrlich. Und was ist mir dir?«

»Alles in Ordnung. Die Schule hört am Freitag auf, und ich freue mich auf ein paar Wochen Urlaub.«

Brian gab Sarah einen Leinenbeutel voller Schmutzwäsche. »Lehrer brauchen auch mal Pause, was?«

»Mehr als die Kinder, wenn ich ehrlich sein soll.«

Brian klappte den Kofferraum zu und hob die Taschen von der Straße auf. Sarah warf einen Blick zum Haus, weil sie wissen wollte, ob ihre Mutter in der Tür stand.

»Hör mal, können wir kurz in Ruhe miteinander reden?«

»Sicher. Das hier hat Zeit.« Brian stellte die Taschen ab und lehnte sich gegen das Auto. »Was gibt's?«

»Es ist wegen Miles. Wir haben uns heute gestritten, und es geht um etwas, worüber ich mit Mom nicht reden kann. Du kennst sie ja.«

»Was ist es?«

»Ich glaube, ich hab dir letztes Mal erzählt, dass seine Frau vor zwei Jahren bei einem Unfall mit Fahrerflucht gestorben ist. Sie haben den Kerl nie gefasst, und das hat Miles enorm zugesetzt. Nun sind gestern neue Informationen aufgetaucht, und sie haben jemanden verhaftet. Aber es kommt noch schlimmer. Miles ist zu weit gegangen. Er hat mir gestern Abend erzählt, dass er den Typen fast erschossen hätte.«

Brian sah schockiert aus, und Sarah schüttelte rasch den Kopf.

»Es ist nichts passiert – nichts Schlimmes. Niemand wurde verletzt, aber …« Sie hob die Arme. »Jedenfalls wurde er deshalb heute vom Dienst suspendiert. Sorgen mache ich mir allerdings wegen etwas anderem. Um es kurz zu machen, sie mussten den Mann freilassen, und jetzt weiß ich nicht, was ich tun soll. Miles ist völlig aufgedreht, und ich fürchte, er lässt sich zu etwas hinreißen, das er bereuen wird …«

Sie schwieg für einen Moment. »Die ganze Sache wird dadurch kompliziert, dass Miles und der Kerl, den er verhaftet hat, sich seit Jahren nicht ausstehen können. Miles wurde zwar suspendiert, aber er wird nicht aufgeben. Und dieser Typ – na, mit dem sollte man sich besser nicht anlegen.«

»Aber hast du nicht gerade gesagt, sie mussten ihn freilassen?«

»Ja, aber Miles akzeptiert das nicht. Du hättest ihn heute hören sollen! Mich hat er gar nicht an sich herankommen lassen. Ich hatte schon die Idee, seinen Chef anzurufen und ihm davon zu erzählen, aber ich will ihm nicht noch mehr Ärger machen. Wenn ich aber gar nichts unternehme …« Sarah sah ihren Bruder an. »Was meinst du? Soll ich abwarten, was passiert? Seinen Chef anrufen? Oder mich raushalten?«

Brian sagte lange nichts. »Das kommt wohl darauf an, was

du für ihn empfindest und wie weit er deiner Meinung nach gehen wird.«

Sarah fuhr sich durch die Haare. »Genau darum geht es. Ich liebe ihn. Ich weiß, du hattest keine Gelegenheit, ihn näher kennen zu lernen, aber er hat mich in den letzten Monaten sehr glücklich gemacht. Und jetzt ... die ganze Sache macht mir Angst. Ich will nicht schuld sein, dass er gefeuert wird, aber gleichzeitig wird mir wirklich mulmig bei dem Gedanken, was er anstellen könnte.«

Brian dachte nach.

»Du kannst nicht zulassen, dass ein Unschuldiger ins Gefängnis kommt, Sarah«, sagte er schließlich.

»Das macht mir eigentlich keinen Kummer.«

»Was dann – glaubst du, er schnappt sich den Kerl?«

»Wer weiß?« Sie erinnerte sich, wie Miles sie mit diesem Blick voller unterdrückter Wut angefunkelt hatte. »Ich fürchte, ja.«

»Das darfst du nicht zulassen.«

»Dann meinst du, ich soll anrufen?«

Brians Gesicht verdüsterte sich.

»Ich glaube, dir bleibt nichts anderes übrig.«

Miles suchte mehrere Stunden nach Sims. Aber auch er hatte kein Glück.

Dann dachte er daran, den Wohnwagen der Timsons noch einmal aufzusuchen, aber er zügelte sich. Nicht, weil er keine Zeit hatte, sondern weil er sich an sein Gespräch mit Charlie erinnerte.

Er hatte keine Waffe bei sich.

Aber in seinem Haus lag noch eine.

Am Spätnachmittag erhielt Charlie zwei Telefonanrufe. Der erste kam von Sims' Mutter, die fragte, warum sich plötzlich alle so auffällig für ihren Sohn interessierten. Als Charlie sich erkundigte, was sie damit meine, antwortete sie: »Miles Ryan war heute hier und hat dieselben Fragen gestellt wie Sie.«

Verärgert legte Charlie auf. Offenbar ignorierte Miles die Absprachen.

Der zweite Anruf kam von Sarah Andrews.

Nach dem Gespräch mit ihr drehte Charlie sich mitsamt seinem Stuhl zum Fenster und schaute hinaus auf den Parkplatz.

Kurz darauf zerbrach der Bleistift, den er in der Hand hielt, in zwei Stücke, und er warf die Überreste in den Papierkorb neben der Tür.

»Madge?«, bellte er.

Sie erschien in der Tür.

»Holen Sie mir Harris. Sofort.«

Gleich darauf stand Harris vor dem Schreibtisch.

»Fahren Sie zu den Timsons hinaus. Lassen Sie sich nicht sehen, aber behalten Sie alle im Auge, die kommen und gehen. Wenn Ihnen irgendetwas Ungewöhnliches auffällt, rufen Sie mich an. Nicht nur mich – melden Sie es über Funk. Ich will heute Nacht da draußen keinen Ärger. Verstanden?«

Harris schluckte und nickte. Er musste nicht erst fragen, nach wem Charlie Ausschau hielt.

Nach einer Weile hob Charlie den Hörer ab und rief Brenda an. Auch heute würde er später kommen.

Kapitel 28

Nach einem Jahr hörten meine nächtlichen Besuche bei Miles' Haus so abrupt auf, wie sie angefangen hatten. Ebenso meine Fahrten zu Jonahs Schule und zur Unfallstelle. Der einzige Ort, an dem ich mich noch regelmäßig einfand, war Missys Grab. Es wurde zum Bestandteil meines Wochenplans, ein fester Termin für den Donnerstag. Woche für Woche ging ich auf den Friedhof und suchte ihr Grab auf. Ich achtete nicht darauf, ob jemand mich sah. Und ich brachte immer Blumen mit.

Das Ende des nächtlichen Spionierens kam überraschend. Man hätte annehmen können, im Laufe eines Jahres wäre die Intensität meines Zwangs geringer geworden, aber das war nicht der Fall. Doch so unausweichlich meine Obsession mich getrieben hatte, sie zu beobachten, so plötzlich hörte sie auf. Ich erkannte, dass ich sie in Frieden leben lassen musste und sie nicht länger ausspionieren durfte.

Das Ende kam an einem Tag, den ich nie vergessen werde.

Es war Missys erster Todestag. Nach einem Jahr Versteckspielen in der Dunkelheit fühlte ich mich schon fast unsichtbar. Ich war ein professioneller Voyeur geworden – seit einigen Monaten brachte ich ein Fernglas mit. Zu manchen Zeiten waren nämlich auch andere Leute draußen auf der Straße oder in den Gärten, und ich konnte nicht nahe genug an die Fenster herantreten. Oder Miles hatte die Jalousien heruntergezogen, und weil mein Drang sich so nicht befriedigen ließ, musste ich mir etwas einfallen lassen. Das Fernglas löste mein Problem. Am Rande des Grundstücks, nahe am Fluss, steht eine riesige alte Eiche. Die Äste sind dick und setzen dicht über dem Boden an, manche verlaufen parallel zur Erde. Dort schlug ich manchmal mein Lager auf. Wenn ich hoch genug kletterte, sah ich ungehindert direkt ins

Küchenfenster hinein. Ich verbrachte dort Stunden, bis Jonah ins Bett ging, und danach beobachtete ich Miles in der Küche.

Im Verlauf des Jahres veränderten wir uns beide.

Zwar las er immer noch in dem Ordner, aber nicht mehr so häufig wie früher. Mit der Zeit ließ das Bedürfnis, mich zu finden, nach. Nicht, dass es ihm weniger wichtig wurde, aber die Realitäten des Lebens holten ihn ein. Der Fall war ins Stocken geraten, und Miles erkannte das wohl. An Missys Todestag holte er den Ordner hervor, sobald Jonah im Bett war. Aber er brütete nicht mehr über ihm. Er blätterte ihn durch, ohne Bleistift oder Kugelschreiber, schrieb nichts mehr hinein – es war fast, als schaue er sich ein Fotoalbum an und frische alte Erinnerungen auf. Bald darauf legte er ihn weg und verschwand im Wohnzimmer.

Als ich begriff, dass er nicht zurückkommen würde, stieg ich vom Baum herab und kroch zur Veranda.

Die Jalousien waren halb geschlossen, aber das Fenster stand offen, damit die kühle Abendluft ins Zimmer gelangte. Von meinem Aussichtspunkt aus entdeckte ich Miles auf dem Sofa. Neben ihm stand eine Pappschachtel, und seiner Blickrichtung entnahm ich, dass er Fernsehen schaute. Ich hielt mein Ohr dicht ans Fenster und lauschte, aber nichts, was ich hörte, ergab einen Sinn. Während längerer Phasen schien niemand zu sprechen, verschiedene Geräusche wirkten verzerrt, die Stimmen undeutlich. Als ich Miles ansah, um zu erraten, was er sich anschaute, begriff ich plötzlich. Seine Augen, seine Mundwinkel, seine Haltung – all das deutete darauf hin.

Er schaute alte selbst gedrehte Filme an.

Plötzlich passte alles zusammen, und als ich die Augen schloss, erkannte ich auch die Stimmen. Miles, seine Sprachmelodie, das helle Geplappere eines Kindes. Im Hintergrund, schwach, aber hörbar, vernahm man eine andere Stimme. Ihre Stimme.

Missy.

Es war erschreckend, fremdartig, und verschlug mir für einen Moment den Atem. Nach all der Zeit, nach einem Jahr des Spionierens, glaubte ich, Miles und Jonah gut zu kennen, aber die Klänge jener Nacht änderten alles. Ich kannte Miles nicht, ich kannte Jonah nicht.

Wie gelähmt hörte ich zu.

Ihre Stimme entfernte sich. Dann hörte ich sie lachen.

Es drehte mir den Magen um, und ich blickte sofort zu Miles, um seine Reaktion zu sehen. Er würde in Erinnerungen versunken auf den Bildschirm starren, Tränen des Zorns in den Augen.

Aber ich irrte mich.

Er weinte nicht. Er blickte mit zärtlichem Gesichtsausdruck auf den Bildschirm und lächelte.

Und da wusste ich mit einem Mal, dass es an der Zeit war, aufzuhören.

Nach jenem Abend glaubte ich aufrichtig, ich würde nie mehr zu ihrem Haus zurückkehren. In der folgenden Zeit versuchte ich, mein Leben wieder in die Hand zu nehmen, und oberflächlich gelang mir das auch. Meine Umgebung fand, ich sähe besser aus und sei wieder ganz der Alte.

Fast glaubte ich das auch. Da der Zwang mich nicht mehr beherrschte, glaubte ich, der Albtraum läge hinter mir. Nicht meine Tat natürlich, nicht die Tatsache, dass ich Missy getötet hatte, aber immerhin die zwanghaften Schuldgefühle, die mich ein Jahr lang gequält hatten.

Ich erkannte nicht, dass Schuld und Angst nicht wirklich überwunden waren. Sie hatten sich nur zurückgezogen, wie ein Bär, der überwintert und sich von seinen eigenen Reserven ernährt, bis das nächste Frühjahr kommt.

Kapitel 29

Am Sonntagmorgen um kurz nach acht klopfte es an Sarahs Haustür. Sie zögerte kurz, dann stand sie auf und öffnete. Fast hoffte sie, es wäre Miles.

Noch mit der Hand auf dem Türknauf war sie sich unsicher, wie sie ihn begrüßen würde. Viel hing von Miles ab. Wusste er, dass sie Charlie angerufen hatte? Und wenn ja – war er wütend? Verletzt? Würde er verstehen, dass sie es getan hatte, weil ihr nichts anderes übrig blieb?

Beim Anblick ihres Besuchers lächelte sie vor Erleichterung.

»Hallo, Brian«, sagte sie. »Was machst du denn hier?«

»Ich muss mit dir reden.«

»Gern ... komm rein.«

Er folgte ihr in die Wohnung und setzte sich auf das Sofa. Sarah ließ sich neben ihm nieder.

»Worum geht's?«

»Du hast Miles' Boss angerufen, oder?«

Sarah strich sich durch die Haare. »Ja. Wie du schon gesagt hast, es blieb mir nichts anderes übrig.«

»Weil du glaubst, dass Miles sich den Typen vorknöpfen wird, den er verhaftet hat«, stellte Brian fest.

»Ich weiß nicht, was er vorhat – aber es macht mir so viel Angst, dass ich es gern verhindern möchte.«

Brian nickte. »Weiß er, dass du angerufen hast?«

»Miles? Keine Ahnung.«

»Hast du mit ihm gesprochen?«

»Nein. Seit er gestern weggefahren ist, nicht mehr. Ich habe ein paar Mal versucht, ihn anzurufen, aber er war nicht zu Hause. Ich erreichte immer nur den Anrufbeantworter.«

Brian legte Daumen und Zeigefinger an den Nasenrücken.

»Ich muss etwas wissen«, sagte er. In dem stillen Raum wirkte seine Stimme wie durch Lautsprecher verstärkt.

»Was denn?«, fragte Sarah verwundert.

»Ich muss wissen, ob du wirklich glaubst, dass Miles so weit gehen würde.«

Sarah beugte sich vor. Sie versuchte Brian in die Augen zu schauen, aber er wandte den Kopf ab.

»Ich bin keine Hellseherin. Aber ich befürchte es, ja.«

»Ich finde, du solltest Miles sagen, dass er es sein lassen soll.«

»Wie bitte?«

»Der Typ, den er verhaftet hat ... er soll ihn in Ruhe lassen.«

Sarah starrte Brian verdutzt an. Schließlich wandte er sich ihr mit flehendem Gesichtsausdruck zu.

»Du musst erreichen, dass Miles das versteht, okay? Red mit ihm, ja?«

»Das hab ich doch schon! Das weißt du.«

Sarah lehnte sich stirnrunzelnd zurück.

»Was ist eigentlich los?«

»Ich wollte nur wissen, was Miles deiner Meinung nach tun wird.«

»Aber warum? Warum ist das so wichtig für dich?«

»Was würde aus Jonah werden?«

Sie hob die Augenbrauen. »Jonah?«

»Miles wird doch an ihn denken, oder? Bevor er irgendetwas anstellt?«

Sarah schüttelte langsam den Kopf.

»Ich meine, du glaubst doch nicht, Miles würde riskieren, dass man ihn ins Gefängnis steckt?«

Sie ergriff seine Hand und hielt sie fest. »Einen Augenblick. Hör mal kurz mit den Fragen auf. Was ist eigentlich wirklich los?«

Dies war, in meiner Erinnerung, der Augenblick der Wahrheit, der Grund, warum ich zu ihr gekommen war. Die Zeit war reif, um endlich zu beichten, was ich getan hatte.

Warum rückte ich dann nicht damit heraus? Warum hatte ich so viele Fragen gestellt? Suchte ich nach einem Ausweg, nach einem Grund, es im Verborgenen zu lassen? Der Teil von mir, der zwei Jahre lang gelogen hatte, mag das gewollt haben, aber ich glaube ehrlich, dass mein besseres Ich meine Schwester beschützen wollte.

Ich musste sicher sein, dass ich nicht anders handeln konnte.

Ich wusste, meine Worte würden ihr wehtun. Meine Schwester liebte Miles. Ich hatte sie an Thanksgiving zusammen gesehen, ich hatte gesehen, wie sie sich anschauten, ihren vertrauten Umgang miteinander, den zarten Kuss, den sie ihm zum Abschied gegeben hatte. Sie liebte Miles, und Miles liebte sie – das hatte sie mir gesagt. Und Jonah liebte sie beide.

In der Nacht zuvor hatte ich endlich begriffen, dass ich mein Geheimnis nicht länger hüten konnte. Wenn Sarah wirklich glaubte, dass Miles eigenmächtig handeln würde, wusste ich, dass mein Schweigen vielleicht mehr als ein Leben zerstören würde. Missy war wegen mir gestorben – mit einer zweiten sinnlosen Tragödie konnte ich nicht leben.

Doch um mich selbst zu retten, um einen Unschuldigen zu retten, um Miles Ryan vor sich selbst zu bewahren, musste ich meine Schwester opfern.

Sie, die schon so viel durchgemacht hatte, würde Miles in die Augen schauen müssen und dabei wissen, dass ihr eigener Bruder seine Frau getötet hatte – und ihn womöglich dadurch verlieren. Denn wie würde er ihr anschließend je mit den gleichen Gefühlen begegnen können wie vorher?

War es fair, sie zu opfern? Sie war unschuldig und unbeteiligt. Meine Worte würden sie unweigerlich in eine Zerreißprobe zwischen ihrer Liebe zu Miles Ryan und ihrer Liebe zu mir stürzen. Das wollte ich nicht, und doch hatte ich keine Wahl.

»Ich weiß«, sagte ich schließlich mühsam, »wer damals das Auto gefahren hat.«

Sie starrte mich an, als hätte sie die Bedeutung der Worte nicht begriffen.

»Du weißt es?«

Ich nickte.

In dem langen Schweigen, das folgte, dämmerte ihr allmäh-

lich, warum ich gekommen war. Sie wusste, was ich ihr zu sagen versuchte. Wie ein Ballon, der auf einen Dorn gefallen ist, sank sie in sich zusammen. Ich wandte den Blick nicht von ihr.

»Ich war es, Sarah«, flüsterte ich. »Ich war derjenige.«

Kapitel 30

Bei seinen Worten zuckte Sarah zurück, als sähe sie ihren Bruder zum ersten Mal.

»Ich habe es nicht gewollt. Es tut mir Leid, es tut mir so Leid …«

Brian versagte die Stimme, und er begann zu weinen.

Es war nicht das leise, unterdrückte Weinen der Trauer, sondern das herzzerreißende Schluchzen eines Kindes. Seine Schultern zuckten wie unter Krämpfen. Bis zu diesem Moment hatte Brian wegen jenes Abends noch nie geweint, und es schien ihm, als könne er jetzt, wo er einmal angefangen hatte, nie wieder aufhören.

Sarah legte die Arme um ihn. Durch diese Geste kam er sich noch viel mehr wie ein Verbrecher vor, denn er wusste, dass ihn seine Schwester trotz allem noch liebte. Sie sagte nichts, während er seinem Kummer freien Lauf ließ, aber ihre Hand strich ihm sanft über den Rücken, und Brian klammerte sich an sie, weil er unbewusst fürchtete, wenn er sie losließe, würde sich alles zwischen ihnen ändern.

Wie lange er geweint hatte, wusste er nicht, und als er sich endlich wieder gefasst hatte, erzählte er seiner Schwester alles.

Allerdings verschwieg er ihr seine heimlichen Besuche.

Während seiner gesamten Beichte mied er ihren Blick. Er wollte weder Mitleid noch Entsetzen sehen, er wollte nicht wissen, wie sie ihn jetzt betrachtete.

Doch am Ende der Geschichte wappnete er sich und sah sie an.

In ihren Augen standen weder Liebe noch Vergebung.
Was er sah, war Furcht.

Brian blieb fast den ganzen Vormittag bei Sarah. Sie hatte viele Fragen. Auf einige Fragen allerdings – warum er nicht zur Polizei gegangen war, zum Beispiel – gab es keine sinnvollen Antworten, nur die offensichtliche: Brian stand unter Schock, er hatte Angst, und mit der Zeit war es immer schwieriger geworden.

Wie Brian rechtfertigte Sarah seine Entscheidung, und wie Brian stellte sie sie infrage. Sie erörterten jeden Aspekt ausführlich immer wieder, und als Sarah schließlich still wurde, wusste Brian, dass er jetzt besser ging.

Auf dem Weg zur Tür warf er einen letzten Blick über die Schulter.

Sarah saß zusammengekrümmt auf dem Sofa, als sei sie plötzlich gealtert, hatte die Hände vor das Gesicht geschlagen und weinte leise.

Kapitel 31

An demselben Vormittag, an dem Sarah weinend auf dem Sofa saß, marschierte Charlie Curtis über die Auffahrt zu Miles' Haus. Er trug Uniform. Es war der erste Sonntag seit Jahren, an dem er und Brenda nicht zusammen zur Kirche gehen konnten, aber wie er ihr am Morgen erklärt hatte, war daran nichts zu ändern. Der Grund waren die beiden Anrufe vom Vortag.

Ihretwegen war er den Großteil der Nacht aufgeblieben und hatte Miles' Haus observieren lassen.

Er klopfte. Miles kam in Jeans, Sweatshirt und Baseballmütze zur Tür. Wenn er überrascht war, Charlie zu sehen, zeigte er es nicht.

»Wir müssen reden«, erklärte Charlie.

Miles stemmte die Hände in die Seiten, immer noch wütend über Charlies Vorgehen und nicht willens, das zu verbergen.

»Dann rede.«

Charlie schob den Hut aus der Stirn.

»Willst du auf der Veranda bleiben, wo Jonah uns hören kann, oder sollen wir in den Garten gehen? Such es dir aus. Mir ist es gleich.«

Eine Minute später lehnte Charlie mit verschränkten Armen an seinem Wagen. Miles stand ihm gegenüber. Die Sonne war noch nicht sehr hoch gewandert und blendete ihn.

»Ich muss wissen, ob du Sims Addison gesucht hast«, sagte Charlie barsch.

»Fragst du, oder weißt du es schon?«

»Ich frage, weil ich wissen will, ob du es schaffst, mir ins Gesicht zu lügen.«

Miles wandte den Kopf zur Seite.

»Ja. Ich habe ihn gesucht.«

»Warum?«

»Weil du gesagt hast, dass du ihn nicht finden konntest.«

»Du bist suspendiert, Miles. Weißt du, was das bedeutet?«

»Es war nichts Offizielles, Charlie.«

»Das ist gleichgültig. Ich habe dir einen Befehl gegeben, und du hast ihn ignoriert. Du hast Glück, dass Harvey Wellman es nicht erfahren hat. Aber ich kann dich nicht ständig decken, und ich bin zu alt und zu müde, um mich mit solchem Mist zu beschäftigen.« Er verlagerte sein Gewicht auf das andere Bein. »Ich brauche den Ordner, Miles.«

»Meinen Ordner?«

»Ich will ihn als Beweisstück registrieren lassen.«

»Als Beweisstück? Wofür?«

»Es geht um den Tod von Missy Ryan, oder? Ich will die Notizen sehen, die du gemacht hast.«

»Charlie ...«

»Ich meine es ernst. Entweder gibst du ihn mir, oder ich hole ihn. Das eine oder das andere, aber glaub mir, am Ende bekomme ich ihn.«

»Warum tust du das, Charlie?«

»Ich hoffe, dass dein Verstand demnächst wieder funktioniert. Du hast mir offensichtlich gestern überhaupt nicht zugehört, deshalb wiederhole ich es noch einmal: Halt dich raus. Lass uns das erledigen.«

»Gut.«

»Du musst mir dein Wort geben, dass du nicht weiter nach Sims suchst und dich von Otis Timson fern hältst.«

»Wir leben in einer kleinen Stadt, Charlie. Ich kann nichts dafür, wenn wir uns zufällig über den Weg laufen.«

Charlie kniff die Augen zusammen. »Ich hab keine Lust mehr auf diese Spielchen, Miles, und ich sage dir eins: Wenn du dich Otis auch nur auf dreißig Meter näherst oder seinem Wohnwagen oder wo er sich sonst herumtreibt, bringe ich dich hinter Gitter.«

Miles sah Charlie ungläubig an. »Warum?«

»Wegen Körperverletzung.«

»Was?«

»Dieses Kunststückchen da im Auto …« Charlie schüttelte den Kopf. »Du scheinst nicht zu begreifen, dass du dir eine Menge Ärger einhandelst. Entweder du hältst dich von ihm fern, oder du landest in der Zelle.«

»Das ist absurd …«

»Das hast du dir selbst zuzuschreiben. Weißt du, wo ich letzte Nacht war?« Charlie wartete nicht auf die Antwort. »Ich habe hier in der Straße geparkt und aufgepasst, dass du nicht wegfährst. Weißt du, wie ich mich fühle, wenn ich merke, dass ich dir nach allem, was wir durchgestanden haben, nicht mehr trauen kann? Es ist ein beschissenes Gefühl, und ich kann darauf verzichten. Also, wenn du so freundlich wärst, mir neben dem Ordner auch noch die Waffen auszuhändigen, die du im Haus hast? Du bekommst sie zurück, wenn alles vorbei ist. Wenn du dich weigerst, lasse ich dich überwachen. Das ist kein Witz. Du wirst keinen Kaffee trinken können, ohne dass dir jemand dabei auf die Finger schaut. Und übrigens sind auch draußen bei den Timsons Deputys, die nach dir Ausschau halten.«

Miles verweigerte immer noch beharrlich den Blickkontakt.

»Er saß damals am Steuer, Charlie.«

»Glaubst du das wirklich, Miles? Oder willst du nur ein Ergebnis – irgendeines?«

Miles sah ruckartig hoch.

»Das ist unfair.«

»Ach ja? Ich hab mit Earl gesprochen, nicht du. Ich habe die Berichte der Verkehrspolizei Wort für Wort gelesen. Und ich sage dir, keine einzige Spur führt zu Otis.«

»Ich finde sie schon …«

»Nein!«, schnauzte Charlie. »Genau darum geht es! Du wirst nichts finden, weil du dich gefälligst raushältst!«

Miles sagte nichts, und Charlie legte ihm die Hand auf die Schulter.

»Hör zu – wir kümmern uns darum, darauf hast du mein Wort.« Er stieß einen tiefen Seufzer aus. »Ich weiß auch nicht … vielleicht finden wir ja etwas. Und wenn, dann bin ich der Erste, der zugibt, dass ich Unrecht hatte und dass Otis kriegt, was er verdient. Okay?«

Charlie wartete, aber Miles biss die Zähne zusammen. Als er merkte, dass er keine Antwort bekommen würde, fuhr Charlie fort:

»Ich weiß, wie schwer es ist ...«

Miles schüttelte Charlies Hand ab und starrte ihn erbittert an.

»Gar nichts weißt du«, fuhr er ihn an, »heute nicht und niemals. Brenda ist noch da, kapierst du? Ihr wacht im selben Bett auf, du kannst sie anrufen, wann immer du willst. Niemand hat sie kaltblütig überfahren, niemand kommt seit Jahren ungestraft davon. Doch jetzt, Charlie, das schwöre ich, jetzt wird niemand mehr davonkommen.«

Trotzdem fuhr Charlie zehn Minuten später mit dem Ordner und den Waffen fort. Die beiden Männer hatten kein Wort mehr gewechselt.

Das war auch nicht nötig. Charlie tat seine Pflicht.

Und Miles hatte vor, die seine zu tun.

Als Brian gegangen war, blieb Sarah wie betäubt im Wohnzimmer sitzen. Auch nachdem sie aufgehört hatte zu weinen, rührte sie sich nicht, als fürchte sie, auch die geringste Bewegung könne ihr empfindliches Gleichgewicht zerstören.

Einen Sinn konnte sie in alledem nicht erkennen.

Sie hatte nicht die Energie, ihre Gefühle zu sortieren, die völlig ungeordnet durcheinander wirbelten. Sie kam sich vor wie ein überlasteter Stromkreis, in dem es zu einem Kurzschluss gekommen war.

Wie um Himmels willen war es zu der Sache gekommen? Nicht Brians Unfall – den verstand sie, wenigstens halbwegs. Es war ein schreckliches Ereignis, und er hatte sich hinterher falsch verhalten, daran gab es nichts zu rütteln, aber es war ein Unfall gewesen. Dessen war sie sich sicher. Brian hätte ihn nicht vermeiden können, und ihr selbst wäre es ebenso ergangen.

Im Bruchteil einer Sekunde war Missy gestorben.

Missy Ryan.

Jonahs Mutter.

Miles' Frau.

Das war es, was sie nicht verstand.

Warum hatte Brian ausgerechnet *sie* überfahren?

Und warum war, von all den vielen Menschen auf dieser Erde, gerade *Miles* in ihr Leben getreten? Es war so ein unglaubliches Zusammentreffen! Was sie gerade erfahren hatte, war wie ein Puzzle, das nicht zusammenpasste – ihr Entsetzen über Brians Beichte, seine offenkundigen Schuldgefühle … ihr Abscheu vor der Tatsache, dass er die Wahrheit verheimlicht hatte, und zugleich das unabänderliche Wissen, dass sie ihren Bruder liebte …

Und Miles …

O Gott, *Miles* …

Was sollte sie nur tun? Ihn anrufen und es ihm sagen? Oder eine Weile warten, bis sie sich gefasst und überlegt hatte, wie sie es ihm schonend beibringen konnte?

So, wie Brian gewartet hatte?

O Gott …

Wie sah Brian's Zukunft aus?

Er würde ins Gefängnis kommen.

Sarah wurde übel.

Aber das hatte er verdient, auch wenn er ihr Bruder war. Er hatte das Gesetz gebrochen und musste dafür bezahlen …

Oder nicht? Er war ihr kleiner Bruder, noch ein halbes Kind, als es passierte, und er hatte es nicht verschuldet …

Sarah schüttelte den Kopf und wünschte sich plötzlich, Brian hätte ihr nichts gebeichtet.

Aber tief im Inneren wusste sie, warum er damit zu ihr gekommen war. Seit zwei Jahren zahlte Miles den Preis für Brians Schweigen.

Und jetzt sollte Otis bezahlen.

Sie holte tief Luft und legte die Fingerspitzen an die Schläfen.

Nein – Miles würde nicht so weit gehen. Oder doch?

Vielleicht nicht jetzt, aber es würde an ihm nagen, solange er glaubte, dass Otis der Täter war, und eines Tages …

Sie versuchte, den Gedanken zu verscheuchen.

Und war nach wie vor ratlos.

Das war sie auch noch einige Minuten später, als Miles vor ihrer Tür stand.

»Hallo«, sagte er nur.

Sarah sah ihn erschrocken an und hielt sich am Türknauf fest. Sie wurde starr vor Anspannung, und ihre Gedanken stoben in alle Richtungen.

Sag's ihm, bring es hinter dich ...

Warte, bis du weißt, wie du es am besten anfängst ...

»Alles in Ordnung?«, fragte er.

»Oh ... doch ... ja ...«, stammelte sie. »Komm rein.«

Sie trat zurück, und Miles zog die Tür hinter sich zu. Er blieb kurz stehen, dann ging er zum Fenster, um einen Blick auf die Straße zu werfen. Danach zog er die Vorhänge zu und wanderte ziellos durch das Wohnzimmer. Am Kaminsims blieb er stehen und rückte ein Bild von Sarah und ihrer Familie gerade. Sarah verharrte reglos in der Mitte des Zimmers. Die ganze Sache kam ihr unwirklich vor. Alles, woran sie denken konnte, war, dass sie wusste, wer Miles' Frau überfahren hatte.

»Charlie war heute früh bei mir«, sagte er unvermittelt, und der Klang seiner Stimme rüttelte sie wach. »Er hat den Ordner über Missy mitgenommen.«

»Das tut mir Leid.«

Es klang unpassend, aber etwas anderes fiel ihr nicht ein.

Miles schien es nicht zu merken.

»Er hat gesagt, dass er mich verhaften lässt, wenn ich Otis Timson auch nur ansehe.«

Diesmal erwiderte Sarah nichts. Miles wollte sich Luft machen, seine defensive Haltung ließ das deutlich erkennen. Er wandte sich ihr zu.

»Ist das zu fassen? Ich habe nichts weiter getan als den Kerl verhaftet, der meine Frau auf dem Gewissen hat – und jetzt das!«

Sarah musste all ihre Selbstbeherrschung aufbieten, um nicht in Tränen auszubrechen.

»Es tut mir Leid«, flüsterte sie ein zweites Mal.

»Mir auch.« Er schüttelte den Kopf. »Ich kann Sims nicht suchen, ich kann keine Beweise suchen, ich kann überhaupt nichts tun. Außer zu Hause sitzen und Charlie alles überlassen.«

Sie räusperte sich unsicher. »Und ... meinst du nicht, das wäre eine gute Idee? Wenigstens vorläufig?«

»Nein – ganz und gar nicht. Verdammt noch mal, ich bin der Einzige, der nicht aufgegeben hat, nachdem die offiziellen Ermittlungen im Sande verlaufen sind! Ich weiß mehr über den Fall als sonst jemand.«

Nein, Miles, das stimmt nicht.

»Und was hast du vor?«

»Ich weiß nicht.«

»Du wirst aber auf Charlie hören, oder?«

Miles verweigerte die Antwort, und Sarah spürte, wie sich ihr Magen verkrampfte.

»Hör mir zu, Miles«, begann sie. »Ich weiß, dass es dir nicht gefällt, aber ich finde, dass Charlie Recht hat. Überlass Otis den anderen.«

»Warum? Damit sie es ein zweites Mal verpfuschen können?«

»Niemand hat es verpfuscht.«

Miles' Augen blitzten.

»Nein? Warum läuft dann Otis frei herum? Warum musste ich Leute finden, die gegen ihn aussagen? Warum haben sie damals nicht genauer nach Beweismitteln gesucht?«

»Vielleicht gab es keine«, antwortete sie ruhig.

»Warum musst du unbedingt den Advocatus Diaboli spielen? Diesen Unfug hast du gestern auch schon verzapft.«

»Nein, das stimmt nicht.«

»Doch. Du hast mir überhaupt nicht zugehört.«

»Ich wollte nur nicht, dass du irgendetwas unternimmst, das ...«

Er hob abwehrend die Hände. »Ja, ich weiß schon. Du und Charlie. Ihr habt beide keine Ahnung, worum zum Teufel es hier geht.«

»O doch«, sagte Sarah und versuchte, gleichmütig zu klingen. »Du glaubst, Otis ist schuld, und willst Rache. Aber was ist, wenn du später herausfindest, dass Sims und Earl sich getäuscht haben?«

»Getäuscht?«

»Bei dem, was sie gehört haben, meine ich …«

»Du glaubst, sie lügen? Alle beide?«

»Nein. Ich sage nur, sie haben sich vielleicht verhört. Vielleicht hat Otis es gesagt, aber nicht so gemeint. Vielleicht hat er es nicht getan.«

Miles war wie vom Donner gerührt. Sarah sprach weiter, ohne den Kloß in ihrer Kehle zu beachten.

»Ich meine – was ist, wenn du merkst, dass Otis unschuldig ist? Ich weiß, ihr beide habt Probleme miteinander …«

»Probleme?«, unterbrach er sie. Den Blick unverwandt auf sie gerichtet, trat er näher. »Wovon redest du, zum Teufel? Er hat meine Frau umgebracht, Sarah!«

»Das weißt du doch nicht …«

»Doch, das weiß ich.« Er kam noch näher. »Was ich nicht weiß, ist, warum du so davon überzeugt bist, dass er unschuldig ist.«

Sie schluckte. »Das sage ich gar nicht. Ich sage nur, du solltest die Sache Charlie überlassen, damit du nichts tust, was …«

»Was zum Beispiel? Ihn umbringen?«

Sarah antwortete nicht. Miles stand dicht vor ihr. Seine Stimme war seltsam tonlos. »So wie er meine Frau umgebracht hat, meinst du?«

Sie wurde blass. »Miles – bitte sag so etwas nicht. Du musst an Jonah denken.«

»Lass Jonah aus dem Spiel.«

»Es ist aber wahr. Er ist alles, was du hast.«

»Glaubst du, das weiß ich nicht? Was meinst du, warum ich nicht gleich abgedrückt habe? Ich hatte die Gelegenheit, aber ich habe es nicht getan.« Miles schnaubte und wandte sich von ihr ab. »Ja, ich wollte ihn erschießen. Ich finde, das verdient er für seine Tat – Aug um Auge, richtig?« Er schüttelte den Kopf. »Ich will, dass er bezahlt. Und das wird er. So oder so.«

Damit ging er abrupt zur Tür und knallte sie hinter sich zu.

Kapitel 32

In dieser Nacht schlief Sarah nicht.

Sie würde ihren Bruder verlieren.

Und sie würde Miles Ryan verlieren.

Im Bett fiel ihr der Abend ein, an dem sie und Miles sich zum ersten Mal in diesem Raum geliebt hatten. Sie erinnerte sich an alles – wie er ihr zugehört hatte, als sie ihm erzählte, sie könne keine Kinder bekommen, sein Gesicht, als er ihr sagte, er liebe sie, daran, wie sie hinterher stundenlang miteinander geflüstert hatten, und an den Frieden, den sie in seinen Armen gefunden hatte.

Es hatte sich so gut angefühlt, so richtig.

Die Stunden nach Miles Aufbruch hatten ihr keine Antwort gebracht. Doch das taube Gefühl war vergangen, und sie konnte wieder klar denken und wusste, dass – ganz gleich, wie sie sich entscheiden würde – nichts jemals wieder so sein würde wie vorher.

Es war vorbei.

Wenn sie es Miles nicht erzählte – wie sollte sie ihm dann in Zukunft in die Augen schauen? Undenkbar, dass sie mit Miles und Jonah bei sich in der Wohnung unter dem Weihnachtsbaum saß und Geschenke auspackte, während sie und Brian mit einem Lächeln auf dem Gesicht so taten, als wäre alles in Ordnung. Undenkbar, dass sie in Miles' Haus die Fotos von Missy anschaute oder mit Jonah spielte – und verschwieg, dass Brian Jonahs Mutter überfahren hatte. Es wäre Unrecht. Miles war wild entschlossen, Otis für sein Verbrechen bezahlen zu lassen. Sie musste ihm die Wahrheit sagen, und wenn auch nur, um dafür zu sorgen, dass

Otis nicht für etwas bestraft wurde, das er nicht getan hatte.

Und vor allem hatte Miles ein Recht darauf, zu erfahren, was seiner Frau wirklich zugestoßen war.

Aber wenn sie es ihm erzählte, was dann? Würde Miles Brians Geschichte einfach glauben und es dabei bewenden lassen? Wohl kaum. Brian hatte das Gesetz gebrochen, und sobald dies an die Öffentlichkeit gelangte, würde Brian verhaftet werden, und ihre Eltern wären am Boden zerstört. Miles würde kein Wort mehr mit ihr wechseln, und sie würde den Mann verlieren, den sie liebte.

Sarah schloss die Augen. Die Wahrheit wäre erträglicher, wenn sie Miles nie kennen gelernt hätte.

Aber sich verlieben und ihn dann wieder verlieren?

Und was war mit Brian?

Die Traurigkeit überwältigte sie fast.

Sie stand auf, schlüpfte in ihre Hausschuhe und ging ins Wohnzimmer, auf der Suche nach Ablenkung. Aber sogar dort erinnerte sie alles an die Vergangenheit, und plötzlich wusste sie genau, was sie zu tun hatte. So schmerzlich es auch sein würde, es führte kein Weg daran vorbei.

Als das Telefon am nächsten Morgen klingelte, wusste Brian, dass es Sarah war. Er hatte den Anruf erwartet und griff vor seiner Mutter nach dem Hörer.

Sarah kam gleich zur Sache. Brian hörte schweigend zu. Am Ende sagte er nur ja. Kurz darauf ging er zu seinem Wagen, und seine Schritte hinterließen Abdrücke im Schnee.

Er konzentrierte sich nicht auf die Fahrt, sondern dachte darüber nach, was er seiner Schwester am Tag zuvor gebeichtet hatte. Sarah würde sein Geheimnis nicht für sich behalten, das war ihm von Anfang an klar gewesen. Trotz ihrer Sorge um ihn und um die gemeinsame Zukunft mit Miles würde sie wollen, dass er sich stellte. Seine Schwester wusste, wie es war, verraten zu werden, und Schweigen war der schlimmste Verrat von allen.

Exakt aus diesem Grund habe ich es gerade ihr erzählt, dachte er.

Brian entdeckte sie vor der Episkopalkirche, die er zu Missys Beerdigung aufgesucht hatte. Sarah saß auf einer Bank, von der aus man auf einen kleinen Friedhof blickte, der so alt war, dass die Schrift auf den meisten Grabsteinen im Laufe der Jahrhunderte verwittert war. Sie wirkte verloren und einsam, so wie er sie bis dahin nur einmal erlebt hatte.

Sarah hatte ihn kommen sehen, aber sie winkte nicht. Brian setzte sich neben sie.

Sie musste sich krank gemeldet haben. In der Schule fingen die Ferien erst eine Woche später an. Er fragte sich, was wohl geschehen wäre, wenn er an Thanksgiving nicht nach Hause gefahren wäre und Miles im Haus seiner Eltern getroffen hätte. Oder wenn Otis nicht verhaftet worden wäre.

»Ich weiß nicht, was ich machen soll«, flüsterte sie endlich.

»Es tut mir so Leid«, erwiderte er leise.

»Das hoffe ich auch.«

Brian registrierte die Bitterkeit in ihrer Stimme.

»Ich will nicht wieder von vorn anfangen, aber ich muss wissen, ob du mir wirklich die Wahrheit gesagt hast.« Sie sah ihn an. Ihre Wangen waren durch die Kälte gerötet, als hätte jemand sie geschlagen.

»Ja.«

»War es wirklich ein Unfall?«

»Ja«, wiederholte er.

Sie nickte, aber seine Antwort schien sie nicht zufrieden zu stellen.

»Warum hast du es mir nicht erzählt?«, fragte sie schließlich. »Gleich damals, meine ich.«

»Ich konnte es nicht«, erwiderte Brian. Am Tag zuvor hatte sie die gleiche Frage gestellt, und er hatte ihr die gleiche Antwort gegeben.

Sie schwieg für eine Weile. »Du musst es ihm selbst sagen«, flüsterte sie, den Blick auf die Grabsteine gerichtet.

»Ich weiß«, erwiderte er.

Sie senkte den Kopf, und Brian glaubte Tränen in ihren Augen zu erkennen. Sie machte sich Sorgen um ihn, aber das war nicht der Grund für die Tränen. Sie weinte um sich selbst.

Sarah fuhr mit Brian zu Miles nach Hause. Während der Fahrt starrte Brian aus dem Fenster. Das gleichförmige Vibrieren des Wagens wirkte fast einschläfernd, aber Brian hatte überraschend wenig Angst vor dem Kommenden. Seine Angst hatte sich auf seine Schwester übertragen.

Sie überquerten die Brücke, bogen in Madame Moore's Lane ein und folgten ihren Windungen bis zu Miles' Auffahrt. Sarah parkte neben seinem Wagen und stellte die Zündung ab. Das Motorgeräusch erstarb.

Sie stieg nicht gleich aus, sondern holte tief Luft und sah Brian an. Ihre Lippen verzogen sich zu einem ermutigenden Lächeln, das schnell wieder verschwand. Sie legte die Schlüssel in die Handtasche, und Brian drückte die Tür auf. Gemeinsam gingen sie auf das Haus zu.

Sarah zögerte vor der Treppe, und Brian warf einen verstohlenen Blick zur Ecke der Veranda, auf der er so häufig gestanden hatte. Er würde Miles von seiner Tat erzählen, aber das andere würde er ihm ebenso wie seiner Schwester verschweigen.

Sarah nahm sich zusammen, trat an die Haustür und klopfte. Miles öffnete.

»Sarah … Brian …«, begann er.

»Hallo, Miles«, begrüßte Sarah ihn. Ihre Stimme klang für Brians Ohren erstaunlich gefasst. Miles und Sarah sahen sich stumm an, bis er einen Schritt zurücktrat.

»Kommt rein«, sagte er und schloss hinter ihnen die Tür. »Kann ich euch etwas zu trinken anbieten?«

»Nein, danke.«

»Worum geht es?«

Sarah rückte nervös ihre Umhängetasche zurecht.

»Es gibt etwas, worüber ich … ich meine, *wir* mit dir sprechen möchten«, sagte sie leise. »Können wir uns setzen?«

»Sicher«, erwiderte Miles. Er deutete auf das Sofa.

Brian und Sarah setzten sich Miles gegenüber.

Brian holte tief Luft, aber Sarah war schneller.

»Miles … bevor wir anfangen, möchte ich dir sagen, wie sehr ich mir wünschte, dieses Gespräch bliebe uns erspart. Bitte, vergiss das nie. Versuch, daran zu denken, ja? Es ist für keinen von uns leicht.«

»Was ist denn los?«

Sarah schaute Brian an, nickte ihm zu, und Brian fühlte, wie seine Kehle trocken wurde. Er schluckte.

»Es war ein Unfall«, murmelte er.

Und dann strömten die Worte aus ihm heraus, wie er es hundertmal geübt hatte. Er schilderte den Verlauf des unglückseligen Abends, ließ nichts aus. Aber seine Aufmerksamkeit war nicht auf die Worte gerichtet, sondern auf Miles' Reaktion. Zuerst kam keine. Als Brian zu reden begann, nahm Miles eine neue Haltung ein, die des objektiven, geduldigen Zuhörers, wie man es ihm als Sheriff beigebracht hatte. Brian wollte ein Geständnis machen, das lag auf der Hand, und Miles hatte gelernt, dass Schweigen die beste Methode war, eine möglichst vollständige Version der Ereignisse zu erfahren. Erst später, als Brian *Rhetts Barbecue* erwähnte, ging ihm auf, was Brian ihm eigentlich zu sagen versuchte.

Miles erstarrte, aus seinem Gesicht wich alle Farbe. Seine Finger krallten sich um die Stuhllehne. Dennoch fuhr Brian fort. Als er den Unfall beschrieb, hörte er im Hintergrund, wie aus weiter Ferne, seine Schwester scharf die Luft einziehen. Er ignorierte das Geräusch, fuhr mit seiner Geschichte fort und zögerte nur kurz, als er den Morgen danach erwähnte und seine Entscheidung, sich nicht zu stellen.

Miles saß vor ihm wie eine Statue, und als Brian verstummte, schien er alles erst einmal auf sich wirken zu lassen. Dann richtete er seinen Blick auf Brian, als sähe er ihn zum ersten Mal. Und in gewisser Weise stimmte das auch.

»Ein Hund?«, fragte er schließlich heiser. Seine Stimme war dunkel und rau, als hätte er während der gesamten Beichte den Atem angehalten. »Du sagst, sie ist dir wegen eines Hundes vors Auto gelaufen?«

»Ja.« Brian nickte. »Ein schwarzer Hund. Groß. Ich konnte nicht mehr bremsen.«

Miles kniff die Augen zusammen, als müsse er sich beherrschen.

»Warum bist du dann abgehauen?«

»Ich weiß nicht«, sagte Brian. »Ich kann das nicht erklären. Als ich wieder klar denken konnte, saß ich im Auto.«

»Dann verrate mir den wahren Grund, warum du abgehauen bist.«

Sarah legte die Hand auf Miles' Arm. »Er sagt die Wahrheit, Miles. Glaub mir – er würde dich nicht belügen.«

Miles schüttelte ihre Hand ab.

»Schon gut, Sarah«, warf Brian ein. »Er kann fragen, was er will.«

»Da hast du verdammt Recht«, knurrte Miles.

»Ich weiß nicht, warum ich abgehauen bin«, sagte Brian. »Wie gesagt, ich erinnere mich nicht mal, dass ich den Unfallort verlassen habe. Ich weiß nur noch, dass ich im Auto saß.«

Miles stand mit einer drohenden Gebärde vom Stuhl auf.

»Und du erwartest ernsthaft, dass ich dir das abnehme?«, fuhr er ihn an. »Dass *Missy* schuld war?«

»Moment mal!«, unterbrach Sarah ihn. »Er hat dir erzählt, wie es passiert ist. Er sagt die Wahrheit!«

Miles wirbelte zu ihr herum.

»Warum zum Teufel sollte ich ihm glauben?«

»Weil er hier ist! Weil er will, dass du die Wahrheit erfährst!«

»Zwei Jahre später will er plötzlich, dass ich die Wahrheit erfahre? Woher weißt du denn, ob es wahr ist?«

Er wartete auf eine Antwort, aber bevor Sarah etwas sagen konnte, wich er zurück und ließ seinen Blick von ihr zu Brian und wieder zurück wandern, während ihm die Bedeutung ihrer Sätze aufging.

Sarah hatte genau *gewusst*, was ihr Bruder gestehen wollte.

Das bedeutet … Sie hat gewusst, dass Otis unschuldig war. *Sie hat gewollt, dass ich nichts unternehme. Lass Charlie das erledigen, hat sie gesagt. Was, wenn Sims und Earl sich getäuscht haben?*

Alles nur, weil sie *wusste*, dass Brian der Schuldige war! Aber natürlich, das passte zusammen.

Hatte sie nicht erzählt, wie nahe sie ihrem Bruder stand? Dass er der Einzige war, mit dem sie offen reden konnte, und umgekehrt?

Miles Gedanken, von Adrenalin und Zorn beflügelt, sprangen von einer Schlussfolgerung zur nächsten.

Sie hat es gewusst, aber sie hat mir nichts erzählt. Sie hat es gewusst und … und …

Miles starrte Sarah wortlos an.

Hatte sie nicht angeboten, Jonah zu helfen, obwohl das unüblich war?

Und hatte sie nicht Miles' Freundschaft gesucht? War mit ihm ausgegangen? Hatte ihm zugehört, ihm zugeredet, an die Zukunft zu denken?

Miles biss die Zähne zusammen, um seinen Zorn im Zaum zu halten.

Sie hatte es die ganze Zeit gewusst.

Sie hat mich benutzt, um ihre Schuldgefühle zu lindern. Unsere gemeinsame Zeit ist auf einer Lüge gebaut.

Sie hat mich verraten.

Stumm und reglos stand Miles mitten im Raum. Es war so still, dass Brian hörte, wie die Heizung ansprang.

»Du hast es gewusst«, stieß Miles schließlich mühsam hervor, »du hast gewusst, dass er Missy getötet hat, nicht wahr?«

In diesem Augenblick begriff Brian, dass es aus war zwischen Sarah und Miles. Sarah dagegen schien verblüfft und gab die Antwort, die für sie auf der Hand lag.

»Natürlich. Deshalb habe ich ihn ja hergebracht …«

Miles fiel ihr ins Wort und stieß bei jedem Satz, den er sagte, mit dem ausgestreckten Zeigefinger in ihre Richtung.

»Nein, nein … du hast gewusst, dass er sie getötet hat und es mir *nicht* gesagt … Deshalb wusstest du auch, dass Otis unschuldig ist … Deshalb hast du mir ständig erzählt, ich soll auf Charlie hören …«

Endlich begriff Sarah, was er meinte, und begann verzweifelt den Kopf zu schütteln.

»Nein, halt – du verstehst mich nicht …«

Miles hörte nicht hin und steigerte sich immer mehr in seine Empörung hinein.

»Du hast es die ganze Zeit gewusst …«

»Nein …«

»Du hast es von der ersten Sekunde an gewusst!«

»Nein …«

»Deshalb hast du Jonah deine Hilfe angeboten!«

»Nein …«

Einen Augenblick lang sah es so aus, als werde Miles sie schlagen, aber er tat es nicht. Stattdessen suchte sich sein Zorn ein anderes Ventil. Er gab dem Lampentisch einen Tritt. Die Lampe fiel auf den Boden und zersplitterte. Sarah zuckte zusammen, und Brian stand auf, um sie wegzuziehen, aber Miles packte ihn und wirbelte ihn zu sich herum. Miles war stärker und schwerer, und Brian musste zulassen, dass er ihm die Arme hinter den Rücken riss und die Handgelenke zu den Schulterblättern hochzog. Sarah wich instinktiv vor dem Handgemenge zurück. Brian wehrte sich nicht, obwohl ein heftiger Schmerz seine Schulter durchzuckte. Er krümmte sich mit geschlossenen Augen zusammen, und sein Gesicht verzog sich zu einer Grimasse.

»Hör auf! Du tust ihm weh!«, schrie Sarah.

Miles hob warnend die Hand. »Halt du dich da raus!«

»Warum tust du das? Du musst ihm nicht wehtun!«

»Er ist verhaftet.«

»Es war ein Unfall!«

Aber Miles war außer sich, verdrehte Brians Arm noch weiter und zerrte ihn vom Sofa weg zur Haustür. Brian wäre fast gestolpert, doch Miles hielt ihn am Arm fest, wobei sich seine Fingernägel in das Fleisch krallten. Er drückte Brian gegen die Wand, während er nach den Handschellen griff, die an einem Haken neben der Tür hingen. Er legte Brian erst eine, dann die andere Handschelle an, ließ sie zuschnappen und zog sie fest.

»Miles! Warte doch!«, rief Sarah.

Miles riss die Tür auf und stieß Brian auf die Veranda.

»Du hast es nicht richtig verstanden!«

Miles ignorierte sie. Er zerrte Brian zum Auto. Brian konnte kaum das Gleichgewicht halten und wäre fast die Treppe hinuntergestürzt. Sarah lief ihnen nach.

»Miles!«

Miles baute sich vor ihr auf. »Ich will, dass du aus meinem Leben verschwindest!«, zischte er.

Der Hass in seiner Stimme war wie ein Schlag ins Gesicht.

»Du hast mich verraten«, keuchte Miles. »Du hast mich *benutzt.*« Er wartete nicht auf Sarahs Reaktion. »Du wolltest, dass das Leben leichter wird – aber nicht für mich und Jonah, sondern für dich und Brian. Wir sollten dabei helfen, dass du dich besser fühlst.«

Sarah erbleichte und brachte kein Wort heraus.

»Du hast es von Anfang an gewusst«, fuhr er fort. »Und du hast in Kauf genommen, dass ich die Wahrheit erst erfahre, wenn ein anderer verhaftet wird.«

»Nein – so war es nicht ...«

»Hör auf, mich anzulügen!«, herrschte er sie an. »Wie kannst du dich nur selbst ertragen?«

Unter diesem Satz zuckte sie zusammen, und ihre Stimme versagte fast.

»Du hast alles falsch verstanden, und dir ist sogar egal ...«

»Mir ist es egal? Ich bin nicht derjenige, der sich falsch verhalten hat!«

»Ich auch nicht ...«

»Und das soll ich dir glauben?«

»Es ist die Wahrheit!« Und dann stiegen ihr trotz ihres Zorns die Tränen in die Augen.

Miles war einen Moment lang still, aber er zeigte kein Mitgefühl. »Du weißt doch nicht einmal, was Wahrheit ist.«

Damit drehte er sich um und machte die Autotür auf. Er schob Brian hinein und knallte die Tür wieder zu. Dann setzte er sich hinter das Steuer.

Sarah war zu schockiert, um noch etwas zu sagen. Sie sah zu, wie Miles den Motor anließ, auf das Gaspedal drückte und krachend den Gang einlegte. Die Reifen quietschten, und der Wagen schoss im Rückwärtsgang zur Straße.

Miles würdigte sie keines Blickes mehr. Kurz darauf war er außer Sicht.

Kapitel 33

Miles fuhr unkonzentriert. Mal drückte er das Gaspedal bis zum Anschlag durch, dann wieder bremste er hart, als wolle er testen, wie viel er dem Wagen zumuten konnte. Mehr als einmal wurde Brian nach vorn geschleudert. Von der Rückbank aus sah er, wie Miles' Kinnmuskeln zuckten. Miles umklammerte das Steuerrad mit beiden Händen und warf immer wieder Blicke in den Rückspiegel zu Brian.

Brian registrierte seine Wut, die sich überdeutlich im Spiegel zeigte, aber gleichzeitig noch etwas anderes, das er nicht erwartet hatte – Leid. Er erinnerte sich daran, wie Miles bei Missys Beerdigung ausgesehen hatte, als er in der Kirchenbank saß und seiner Verzweiflung Herr zu werden versuchte. Brian wusste nicht, ob dieser gequälte Blick diesmal wegen Missy oder Sarah in seine Augen trat – oder wegen beiden.

Aus dem Augenwinkel sah er die Bäume vorüberfliegen. Die Straße beschrieb eine Kurve, und wieder nahm Miles das Gas nicht zurück. Brian stemmte die Füße gegen den Boden und wurde dennoch gegen das Fenster gedrückt. In wenigen Minuten würden sie die Stelle von Missys Unfall passieren.

Die Gemeindekirche zum Guten Hirten lag in Pollocksville, und Bennie Wiggins, der Fahrer des kircheneigenen Lieferwagens, hatte in seiner vierundfünfzigjährigen Fahrpraxis noch nicht einmal einen Strafzettel wegen Geschwindigkeitsüberschreitung bekommen. Darauf war er stolz, aber der Reverend hätte ihn auch ohne diese beachtliche Leistung gebeten, für ihn zu fahren. Freiwillige waren schwer zu finden, besonders wenn das Wetter unfreundlich war, aber auf Bennie konnte man immer zählen.

An jenem Morgen hatte der Reverend Bennie aufgetragen, mit dem Lieferwagen in New Bern ein paar Lebensmittel und Kleiderspenden abzuholen, und Bennie war pünktlich erschienen. Er war hingefahren, hatte eine Tasse Kaffee getrunken und zwei Doughnuts gegessen, während die anderen den Wagen beluden, hatte allen für ihre Hilfe gedankt und sich wieder hinters Steuer gesetzt.

Es war kurz vor zehn, als er in die Madame Moore's Lane einbog.

Er drehte am Radioknopf in der Hoffnung, Gospels zu finden, die ihm den Rückweg versüßen würden. Obwohl die Straße nass war, nahm er dafür eine Hand vom Steuerrad.

Er konnte nicht ahnen, dass vor ihm, noch außer Sicht, ein anderes Auto frontal auf ihn zuraste.

»Es tut mir Leid«, begann Brian vorsichtig, »ich wollte das alles nicht.«

Beim Klang seiner Stimme schaute Miles wieder in den Rückspiegel. Statt zu antworten, kurbelte er das Fenster herunter. Kalte Luft blies herein. Brian schauerte es, seine offene Jacke flatterte im Fahrtwind.

Miles warf ihm im Rückspiegel einen hasserfüllten Blick zu.

Sarah nahm die Kurve fast so schnell wie Miles, weil sie ihn einzuholen hoffte. Er hatte Vorsprung – nicht viel, ein paar Minuten vielleicht. Als sie eine gerade Strecke erreichte, beschleunigte sie noch mehr.

Sie musste die beiden unbedingt einholen. Sie durfte ihm Brian nicht ausliefern, nicht nach der unbändigen Wut, die sich auf seinem Gesicht abgezeichnet hatte, nicht nach der Geschichte mit Otis.

Sie wollte dabei sein, wenn Miles Brian auf das Revier brachte, aber das Problem war, dass sie nicht wusste, wo es sich befand. Sie kannte die Polizeiwache, das Gericht, sogar das Rathaus, da alles im Stadtzentrum lag. Aber das Sheriffgebäude hatte sie noch nie gesehen. Es musste irgendwo außerhalb der Stadt liegen.

Sie konnte anhalten und anrufen oder in einem Telefonbuch nachschauen, aber dadurch verlor sie nur noch mehr Zeit. Wenn es nicht anders ging, würde sie anhalten. Wenn sie ihn in den nächsten Minuten nicht sah …

Werbung.

Bennie Wiggins schüttelte den Kopf. Werbung und immer nur Werbung. Heutzutage brachten sie kaum noch etwas anderes im Radio. Wasserentkalker, Autohändler, Alarmanlagen … nach jedem Lied dieselbe Litanei von Geschäften, die ihre Waren anpriesen.

Plötzlich lugte die Sonne über die Wipfel, und ihre Lichtreflexe auf dem Schnee blendeten Bennie. Er kniff die Augen zusammen und klappte den Blendschutz herunter, während im Radio ein Song ausgeblendet wurde.

Schon wieder Werbung. Diesmal ging es um Lesehilfen für Kinder. Er streckte die Hand aus, um abzuschalten.

Er merkte nicht, dass der Wagen, während seine Augen noch auf die Anzeige geheftet waren, langsam über die Mittellinie nach links driftete.

»Sarah hat es nicht gewusst«, sagte Brian schließlich in das Schweigen hinein.

Er war sich nicht sicher, ob Miles ihn bei diesem Fahrtwind verstand, aber er musste es versuchen. Dies war zweifellos seine letzte Chance, ohne Zeugen mit Miles zu reden. Jeder Anwalt, den sein Vater für ihn auftrieb, würde ihm raten, kein weiteres Wort mehr zu äußern. Und Miles würde vermutlich aufgefordert werden, sich von ihm fern zu halten.

Aber Miles musste die Wahrheit über Sarah erfahren. Nicht etwa im Hinblick auf eine gemeinsame Zukunft – so wie Brian die Dinge sah, hatten sie keine Chance –, sondern weil er den Gedanken nicht ertragen konnte, dass Miles glaubte, sie habe es von Anfang an gewusst. Er wollte nicht, dass Miles sie hasste. Sarah, gerade Sarah, hatte das nicht verdient. Sie war, anders als Miles oder er, vollkommen unbeteiligt.

»Ich war auf dem College und habe erst an Thanksgiving erfahren, dass Sie mit ihr befreundet sind. Aber von dem

Unfall habe ich ihr erst gestern erzählt. Bis dahin hat sie nichts gewusst. Ich weiß, Sie wollen mir nicht glauben …«

»Warum sollte ich?«, fuhr Miles dazwischen.

»Sie hat nichts gewusst«, wiederholte Brian. »Ich würde Sie in dieser Sache nicht belügen.«

»Und in welcher Sache würdest du lügen?«

Brian taten seine Worte sofort Leid, und ihn fröstelte, als er sich seine Antwort vorstellte. *Die Beerdigung. Seine Träume. Das Warten auf Jonah vor der Schule. Das nächtliche Spionieren bei Miles zu Hause* …

Er versuchte angestrengt, diese Gedanken zu verscheuchen. »Sarah hat nichts Unrechtes getan«, wich er aus.

Aber Miles ließ sich nicht ablenken.

»Antworte mir«, sagte er. »Wann lügst du? Bei der Sache mit dem Hund vielleicht?«

»Nein.«

»Missy ist dir nicht vors Auto gelaufen.«

»Sie konnte nicht anders. Niemand war schuld. Es ist einfach passiert. Es war ein Unfall.«

»NEIN, DAS WAR ES NICHT!«, donnerte Miles und fuhr herum. Trotz des röhrenden Fahrwindes hallte seine Stimme durch das Wageninnere.

»Du hast nicht aufgepasst und sie überfahren!«

»Nein!«, beteuerte Brian. Er hatte erstaunlich wenig Angst vor Miles. Er war ruhig, als sei er ein Schauspieler, der seinen Text rezitiert. Keine Furcht. Nur völlige Erschöpfung. »Es ist genau so passiert, wie ich es Ihnen erzählt habe.«

Halb nach hinten gewandt, deutete Miles mit dem Finger auf Brian. »Du hast sie umgebracht und bist geflüchtet!«

»Nein – ich habe angehalten und nach ihr geschaut. Und als ich sie gefunden hatte …« Brian verstummte.

Vor seinem geistigen Auge sah er Missy mit verdrehten Gliedmaßen im Graben liegen. Und ihn anstarren.

Dieser Blick ins Nichts.

»Mir war so schlecht, ich hatte das Gefühl, ich würde auch gleich sterben.« Brian sah zur Seite. »Ich habe sie zugedeckt«, flüsterte er. »Ich wollte nicht, dass jemand anders sie so sieht.«

Bennie Wiggins hatte endlich ein Lied gefunden, das ihm gefiel. Der gleißende Schnee blendete ihn weiterhin, und er richtete sich starr in seinem Sitz auf, als er merkte, auf welcher Straßenseite er sich befand. Sofort lenkte er den Wagen nach rechts auf die richtige Spur.

Das entgegenkommende Auto war jetzt ganz nahe.

Er sah es immer noch nicht.

Miles erschauderte, als Brian die Decke erwähnte, und zum ersten Mal wusste Brian, dass er tatsächlich zuhörte, obwohl er so abweisend wirkte. Brian redete weiter, ohne auf Miles zu achten, ohne auf die Kälte zu achten.

Ohne zu merken, dass Miles' Aufmerksamkeit allein ihm galt und nicht der Straße.

»Ich hätte gleich anrufen sollen, noch in derselben Nacht, als ich nach Hause kam. Ich habe mich falsch verhalten. Es gibt keine Entschuldigung dafür, und es tut mir Leid. Es tut mir Leid, was ich Ihnen und Jonah damit angetan habe.«

Brian kam es vor, als gehöre seine Stimme einem Fremden.

»Ich wusste nicht, dass es schlimmer sein würde, alles für mich zu behalten. Ich weiß, Sie wollen mir das nicht glauben, aber es war so. Ich konnte nicht schlafen. Ich konnte nicht essen …«

»Das ist mir egal!«

»Ich musste immer daran denken. Und daran hat sich nichts geändert. Ich bringe sogar Blumen an Missys Grab …«

Bennie Wiggins sah das Auto erst, als es nach der Kurve auf ihn zuschoss.

Es geschah alles so schnell, dass er es kaum begriff. Das Auto steuerte direkt auf ihn zu, zunächst wie in Zeitlupe, dann mit Furcht erregender Geschwindigkeit. Bennies Verstand versuchte krampfhaft, die Situation zu erfassen.

Nein, das ist unmöglich … Warum fährt er auf meiner Spur? … Das kann nicht sein … Aber er fährt wirklich auf meiner Seite …

Sieht er mich denn nicht? Er muss mich doch sehen … Gleich wird er das Steuer herumreißen.

In Sekundenbruchteilen wusste Bennie mit absoluter Gewissheit, dass derjenige, der dort am Steuer saß, zu schnell fuhr, um noch rechtzeitig ausweichen zu können.

Sie fuhren frontal aufeinander zu.

Brian bemerkte die Lichtreflexe auf der Windschutzscheibe des Lieferwagens, sobald dieser um die Kurve kam. Er brach mitten im Satz ab und wollte instinktiv die Hände vor den Kopf heben, um sich zu schützen. Durch seine ruckartige Armbewegung schnitten die Handschellen ins Fleisch, und während er sich zusammenkrümmte, schrie er noch: »ACHTUNG!«

Miles riss das Steuerrad automatisch herum, als die beiden Autos nur noch Meter voneinander entfernt waren. Brian kippte zur Seite, und sein Kopf knallte gegen das Seitenfenster. Die Absurdität der Situation kam ihm blitzartig zu Bewusstsein.

Alles hatte mit ihm und einem Auto auf der Madame Moore's Lane angefangen.

Und hier würde alles enden.

Brian wappnete sich gegen den Aufprall.

Aber er kam nicht.

Er spürte einen dumpfen Schlag, aber nicht vorn, sondern am hinteren Teil des Wagens, auf seiner Seite. Der Wagen rutschte von der Straße, weil Miles auf die Bremse trat. Die Räder glitten über den Schnee auf ein Verkehrsschild zu. Doch dann griffen sie im letzten Augenblick wieder. Das Auto brach seitlich aus und kam mit einem plötzlichen Ruck in einer Senke zum Stehen.

Brian landete auf dem Boden. Benebelt und verwirrt, zwischen den Sitzbänken eingequetscht, hatte er Mühe, sich zu orientieren. Er schnappte nach Luft, als tauche er aus einem tiefen Gewässer auf. Die Schnittwunden an seinen Handgelenken spürte er nicht.

Er sah auch nicht das verschmierte Blut an der Scheibe des Seitenfensters.

Kapitel 34

Alles in Ordnung mit dir?«

Undeutliche Geräusche wurden lauter und leiser, und Brian stöhnte. Er versuchte, sich zwischen den Sitzen hochzustemmen, doch die Handschellen auf dem Rücken hinderten ihn daran.

Miles stieß erst seine Tür auf, dann Brians. Vorsichtig zog er Brian heraus und half ihm auf die Füße. Über seine Wange lief Blut. Er wollte allein stehen, aber er stolperte, und Miles hielt ihn am Arm fest.

»Moment – du blutest am Kopf. Ist wirklich alles in Ordnung?«

Brian schwankte und hatte das Gefühl, die Welt kreise um ihn. Er verstand die Frage nicht gleich. Hinter ihnen stieg der Fahrer des Lieferwagens gerade aus seinem Gefährt.

»Ja … ich glaube schon … mir tut der Kopf weh.«

Miles ließ Brian nicht los und sah zur Straße hinüber. Der Fahrer des Lieferwagens – ein älterer Mann – überquerte die Straße und hastete auf sie zu. Miles drückte Brian leicht nach unten, damit er die Wunde inspizieren konnte, dann ließ er ihn sich wieder aufrichten. Er sah erleichtert aus.

»Es ist nur eine oberflächliche Schnittwunde«, sagte Miles. Er hielt zwei Finger in die Höhe und fragte: »Wie viel ist das?«

Brian blinzelte und konzentrierte sich, bis er scharf sah. »Zwei.«

Miles wiederholte den Test.

»Und wie viel jetzt?«

»Vier.«

»Und dein Blickfeld sonst? Schwarze Punkte? Schwarz an den Rändern?«

Brian schüttelte langsam und mit halb geschlossenen Augen den Kopf.

»Irgendwas gebrochen? Kannst du die Arme bewegen? Und die Beine?«

Brian bewegte vorsichtig seine Gliedmaßen, wobei er fast das Gleichgewicht verlor.

Als er die Schultern rollte, verzog er das Gesicht.

»Meine Handgelenke tun weh.«

»Einen Moment.« Miles holte den Schlüsselbund und nahm ihm die Handschellen ab. Mit einer Hand fuhr Brian sich sofort an den Kopf. Ein Handgelenk war aufgeschürft und brannte, das andere konnte er kaum bewegen.

»Kannst du allein stehen?«, fragte Miles.

Brian spürte, dass er leicht schwankte, aber er nickte. Miles griff ins Auto. Dort fand er ein T-Shirt, das Jonah auf dem Sitz liegen gelassen hatte. Er kam zurück und drückte es gegen die Wunde an Brians Kopf.

»Kannst du das halten?«

Brian nahm es entgegen. In diesem Moment langte der Fahrer des Lieferwagens schnaufend bei ihnen an, bleich und verängstigt.

»Kann ich euch helfen?«, fragte er.

»Uns geht's gut«, antwortete Miles heiser.

Der Fahrer wandte sich Brian zu. Er sah das tropfende Blut und den schmerzverzerrten Mund.

»Er blutet aber ziemlich heftig.«

»Es ist nicht so schlimm, wie es aussieht.«

»Glauben Sie, er braucht einen Krankenwagen? Vielleicht sollte ich einen rufen …«

Trotz der Schmerzen am Kopf und an den Handgelenken kam Brian sich wie ein Zuschauer vor.

»Nicht nötig«, unterbrach Miles. »Ich bin Sheriff. Ich habe die Wunde untersucht, es ist schon in Ordnung.«

»Sie sind ein Sheriff?« Der Fahrer wich zurück und sah Brian hilfesuchend an. »Er ist über die Mittellinie gefahren. Es war nicht meine Schuld …«

Miles hob die Hände. »Hören Sie …«

Der Fahrer entdeckte die Handschellen, die Miles noch in

der Hand hielt, und riss die Augen auf. »Ich hab versucht auszuweichen, aber Sie waren auf meiner Spur«, sagte er nachdrücklich.

»Moment mal – wie ist Ihr Name?«, fragte Miles, um die Situation wieder unter Kontrolle zu bringen.

»Bennie Wiggins«, erwiderte der Mann. »Ich bin nicht zu schnell gefahren. Sie waren auf meiner Spur.«

»Moment ...«, setzte Miles erneut an.

»Sie sind über die Mittellinie gefahren«, wiederholte der Fahrer. »Sie können mich dafür nicht festnehmen. Ich hab gut aufgepasst.«

»Ich will Sie nicht festnehmen ...«

»Wozu dann die?«, fragte er, auf die Handschellen deutend.

Bevor Miles antworten konnte, meldete Brian sich zu Wort. »Die sind für mich«, sagte er. »Er bringt mich aufs Revier.«

Der Fahrer sah sie verständnislos an, doch bevor er noch etwas anfügen konnte, kam Sarahs Wagen schlitternd neben ihnen zum Stehen. Alle wandten sich ihr zu. Sie stieg hastig aus, erschrocken, verwirrt und ärgerlich zugleich.

»Was ist passiert?«, rief sie. Ihr Blick schweifte über die Szene und blieb schließlich an Brian haften. »Was ist mit dir?«, fragte sie besorgt und zog ihn von Miles weg.

Noch halb benommen, wehrte Brian ab.

»Alles okay, alles okay ...«

Wütend drehte Sarah sich zu Miles um.

»Was zum Teufel hast du mit ihm angestellt? Hast du ihn geschlagen?«

»Nein«, erwiderte Miles schnell. »Wir hatten einen Unfall.«

»Er ist über die Mittellinie gefahren«, mischte sich Bennie ein und zeigte auf Miles.

»Einen Unfall?«, fragte Sarah entgeistert.

»Ich fahre ganz friedlich vor mich hin«, erzählte Bennie, »und als ich um die Kurve biege, steuert dieser Kerl direkt auf mich zu! Ich bin ausgewichen, aber es hat nicht gereicht. Es war seine Schuld. Ich hab ihn erwischt, aber dafür kann ich nichts ...«

»Halb so schlimm«, unterbrach Miles ihn. »Er hat nur den hinteren Kotflügel gestreift, und ich bin von der Straße abgekommen. Wir haben uns kaum berührt.«

Sarah wusste nicht, was sie glauben sollte, und wandte sich wieder Brian zu.

»Ist wirklich alles in Ordnung?«

Brian nickte und nahm die Hand vom Kopf. Das T-Shirt war durchtränkt von Blut. »Es war ein Unfall«, erklärte er schließlich. »Niemand hatte Schuld. Es ist einfach so passiert.«

Das stimmte natürlich. Miles hatte den Lieferwagen nicht gesehen, weil er nach hinten geschaut hatte. Brian wusste, dass es keine Absicht gewesen war.

Aber er erinnerte sich nicht mehr daran, dass er mit genau denselben Worten den Unfall mit Missy beschrieben hatte, mit den Worten, die er vorhin im Auto und in den letzten beiden Jahren in Gedanken unablässig wiederholt hatte.

Miles jedoch entging das nicht.

Sarah legte die Arme um Brian. Er schloss die Augen und fühlte sich plötzlich wieder schwach.

»Ich bringe ihn ins Krankenhaus«, verkündete Sarah. »Er braucht einen Arzt.«

Mit einem sanften Schubs bugsierte sie ihn in Richtung Auto.

Miles versperrte ihnen den Weg.

»Das kannst du nicht ...«, fing er an.

»Versuch nur, mich daran zu hindern«, erwiderte sie scharf. »Du kommst mir nicht mehr in seine Nähe.«

»Warte«, sagte Miles, aber Sarah warf ihm einen verächtlichen Blick zu.

»Keine Sorge. Wir laufen dir nicht weg.«

»Was ist denn hier eigentlich los?«, fragte der Fahrer mit Panik in der Stimme. »Warum fahren sie weg?«

»Das geht Sie nichts an«, erwiderte Miles.

Er zögerte.

So, wie Brian aussah, konnte er ihn nicht aufs Revier bringen, aber wegfahren konnte er auch nicht, bis die Situation hier geklärt war. Er hätte Sarah und Brian vermutlich aufhalten können, aber Brian brauchte wirklich einen Arzt, und Miles hätte jedem, der kam, um den Hergang zu ermitteln, alle Details erklären müssen – und dem fühlte er sich im Moment nicht gewachsen. Und so unternahm er gar nichts. Als Brian sich nach ihm umwandte, glaubte er noch einmal seine letzten Worte zu hören.

Es war ein Unfall. Niemand hatte Schuld.

Brian hatte Unrecht. Das wusste Miles. Er selbst hatte nicht aufgepasst, wohin er fuhr – er hatte nicht mal nach vorn geschaut –, weil es auf das geachtet hatte, was Brian sagte.

Über Sarah. Über die Decke. Über die Blumen.

Er hatte ihm nicht glauben wollen, und so ging es ihm immer noch. Und doch ... Brian log nicht, daran bestand kein Zweifel. Miles hatte die Decke gesehen und bei jedem seiner Besuche am Grab die Blumen ...

Miles schloss die Augen und verjagte diese Gedanken.

Das alles zählt jetzt nicht. Natürlich tut es Brian Leid. Er hat jemanden getötet. Wem würde das nicht Leid tun?

Das hatte er Brian ins Gesicht geschrien, als es passiert war. Als er lieber auf die Straße hätte schauen sollen. Aber stattdessen – blind gegenüber allem, außer seinem eigenen Zorn – wäre er beinahe frontal in ein anderes Auto gerast.

Beinahe hätte er sie alle umgebracht.

Und dennoch hatte Brian, obwohl er verletzt war, ihn hinterher gedeckt. Und während er zusah, wie Sarah ihren Bruder zum Auto führte, wusste er instinktiv, dass dieser ihn nie verraten würde.

Warum?

Weil er sich schuldig fühlte und sein Unrecht auf diese Weise wieder gutmachen wollte? Damit er Miles in der Hand hatte? Oder hatte er wirklich geglaubt, was er sagte?

Vielleicht war das wirklich Brians Sichtweise. Miles hatte nicht mit Absicht gehandelt, deshalb hatte Brian den Zusammenstoß zu einem Unfall erklärt.

Wie bei Missy?

Miles schüttelte den Kopf. Nein ...

Das war etwas anderes. Nicht Missys Schuld.

Der Wind frischte auf und wirbelte zarte Schneeflocken durch die Luft.

Oder doch? Spielt keine Rolle mehr, dachte Miles. Jetzt nicht mehr. Es ist zu spät.

Am Straßenrand hielt Sarah für Brian die Autotür auf, half ihm beim Einsteigen und blickte mit unverhohlenem Ärger zu Miles zurück.

Sie verbarg nicht, wie sehr seine Worte sie verletzt hatten.

Sarah hat es erst gestern erfahren, hatte Brian behauptet. *Ich wusste nicht, dass Sie mit ihr befreundet sind.*

Vor wenigen Minuten war es ihm noch sonnenklar erschienen, dass Sarah es von Anfang an gewusst hatte. Doch jetzt, unter ihrem Blick, war er sich nicht mehr sicher. Die Sarah, in die er sich verliebt hatte, wäre zu einem solchen Verrat nicht fähig gewesen.

Miles' Schultern sackten ein wenig nach unten.

Nein, Brian hatte ihn nicht angelogen. Ebenso wenig wie in Bezug auf die Decke oder die Blumen oder wie Leid ihm alles tat. Doch wenn das die Wahrheit war …

Sagte er womöglich auch die Wahrheit über den Unfall?

Sarah ging zur Fahrertür. Miles wusste, dass er sie immer noch aufhalten konnte. Wenn er es wirklich wollte.

Aber er wollte nicht.

Er brauchte Zeit zum Nachdenken – über alles, was er heute erfahren hatte, über Brians Geständnis …

Und vor allem brauchte er Zeit, um über Sarah nachzudenken.

Wenige Minuten später kam die Verkehrspolizei – ein Anwohner hatte sie gerufen – und nahm die Zeugenaussagen auf. Bennie erläuterte gerade eifrig seine Version, als Charlie vorfuhr. Der Polizist nahm ihn beiseite und unterhielt sich ein paar Minuten mit ihm. Charlie nickte und trat dann auf Miles zu.

Miles lehnte in Gedanken versunken am Auto. Er fuhr mit der Hand über den Kratzer und die Beule am Kotflügel.

»Für so eine kleine Beule siehst du aber ziemlich mitgenommen aus.«

Miles sah überrascht hoch.
»Charlie! Was machst du denn hier?«
»Ich habe von dem Unfall gehört.«
»Das ging aber schnell.«
Charlie zuckte die Achseln. »So ist das eben.« Er wischte sich die Schneeflocken von der Jacke. »Alles okay?«
Miles nickte. »Ja. Nur ein bisschen durcheinander.«
»Was ist passiert?«
Miles zuckte die Achseln.
»Hab die Kontrolle verloren. Die Straße war glatt.«
Charlie wartete, ob Miles noch etwas hinzufügen wollte.
»Das ist alles?«
»Wie du gesagt hast, nur ein Blechschaden.«
Charlie musterte ihn aufmerksam.
»Na, wenigstens bist du nicht verletzt. Der andere Fahrer hat wohl auch nichts abbekommen.«
Miles nickte, und Charlie stellte sich neben ihn.
»Willst du noch mehr dazu sagen?«
Miles antwortete nicht. Charlie räusperte sich.
»Der Polizist hat mir erzählt, dass noch jemand bei dir im Auto saß, der Handschellen trug, und dann kam eine junge Dame und hat ihn mitgenommen. Sie hat gesagt, sie bringt ihn ins Krankenhaus. Also ...« Er zog die Jacke enger um sich. »Der Unfall ist eine Sache, Miles. Aber das war offenbar nicht alles. Wer saß bei dir im Wagen?«
»Er ist nicht schwer verletzt, falls du dir darüber Sorgen machst. Er wird bald wieder wohlauf sein.«
»Beantworte einfach meine Frage. Du hast schon genug Schwierigkeiten. Wen hast du da festgenommen?«
Miles trat von einem Fuß auf den anderen.
»Brian Andrews«, erwiderte er. »Sarahs Bruder.«
»Dann hat *sie* ihn ins Krankenhaus gebracht?«
Miles nickte.
»Und er trug Handschellen?«
Lügen war sinnlos. Miles nickte nur.
»Hast du vielleicht vergessen, dass du suspendiert bist?«, fragte Charlie. »Offiziell bist du nicht befugt, jemanden zu verhaften.«

»Ich weiß.«

»Also was zum Teufel hast du dir dabei gedacht? Was war so dringend, dass du uns nicht rufen konntest?« Er schwieg und sah Miles durchdringend an. »Ich muss die Wahrheit wissen – ich bekomme sie sowieso heraus, aber ich will sie von dir hören. Was hat er angestellt – mit Drogen gedealt?«

»Nein.«

»Ein Auto geknackt?«

»Nein.«

»Sich mit jemandem geprügelt?«

»Nein.«

»Also, was dann?«

Obwohl Miles das Bedürfnis verspürte, Charlie die ganze verrückte Geschichte zu erzählen, wollten die Worte nicht über seine Lippen. Noch nicht. Nicht, bis er alles durchdacht hatte.

»Es ist kompliziert«, antwortete er endlich.

Charlie steckte die Hände in die Hosentaschen. »Lass hören.«

Miles blickte zur Seite. »Ich brauche ein bisschen Zeit, um alles zu verstehen.«

»Was verstehen, Miles? Es ist eine einfache Frage.«

Gar nichts ist einfach.

»Vertraust du mir?«, fragte Miles unvermittelt.

»Ja, ich vertraue dir, Miles. Aber darum geht es nicht ...«

»Bevor wir alles besprechen, muss ich nachdenken.«

»Ach, hör auf ...«

»Bitte, Charlie! Kannst du mir etwas Zeit lassen? Ich weiß, ich hab dich in den letzten Tagen zur Weißglut gebracht und mich wie ein Irrer aufgeführt, aber ich bitte dich wirklich um etwas Zeit. Und es hat nichts mit Otis oder Sims oder dieser Sache zu tun – ich schwöre, ich halt mich von ihnen fern.«

Etwas an der Ernsthaftigkeit in Miles' Stimme und seine offenkundige Betroffenheit verrieten Charlie, dass etwas Außergewöhnliches vor sich gehen musste.

Das gefiel ihm nicht. Irgendetwas war hier im Busch, und er hätte zu gern gewusst, was es war.

Aber ...

Gegen besseres Wissen seufzte er und stieß sich von Miles' Auto ab. Er sagte nichts und blickte auch nicht zurück, als er auf seinen Wagen zuging, weil er wusste, dass er sonst seine Meinung geändert hätte.

Kurz darauf war er verschwunden.

Nach einer Weile hatte der Verkehrspolizist seine Untersuchung beendet und ging. Auch Bennie fuhr weg.

Miles dagegen blieb noch fast eine Stunde und kämpfte mit einem undurchdringlichen Wirrwarr der widersprüchlichsten Gefühle. Er saß bei geöffneten Fenstern im Auto, ohne die Kälte zu spüren, und strich immer und immer wieder mit den Händen über das Steuerrad.

Als er zu einem Entschluss gekommen war, kurbelte er die Fenster hoch, drehte den Zündschlüssel im Schloss und fuhr auf die Straße zurück. Es war im Wagen noch nicht richtig warm geworden, als er schon wieder anhielt und ausstieg. Die Sonne brachte den Schnee zum Schmelzen. Von den Zweigen tropfte das Wasser.

Das dichte Gebüsch am Straßenrand – Miles war tausendmal daran vorbeigefahren, aber bis heute Morgen hatte es keine Bedeutung für ihn gehabt.

Jetzt registrierte er es zum ersten Mal. Die Sträucher blockierten die Sicht auf den Rasen dahinter, und es war ohne weiteres plausibel, dass Missy einen Hund, der hinter dem Gebüsch lauerte, nicht bemerkt hatte.

Miles lief an den Büschen vorbei, bis er zu der Stelle kam, an der Missy vermutlich von dem Wagen erfasst worden war. Er beugte sich hinunter und erstarrte: eine Lücke zwischen den Büschen, fast ein Loch. Abdrücke waren nicht zu sehen, aber auf dem Schnee am Boden klebten schwarze Blätter und auf beiden Seiten waren Zweige umgeknickt.

Offensichtlich ein Durchgang.

Für einen schwarzen Hund?

Miles lauschte angestrengt, ob zufällig in der Nähe ein Hund bellte. Er sah sich nach allen Seiten um.

Nichts.

Nachdenklich blickte er die Straße entlang. Steckte die Hände in die Hosentaschen. Sie waren steif vor Kälte und prickelten unangenehm, als sie sich erwärmten. Er kümmerte sich nicht darum.

Weil ihm nichts Besseres einfiel, fuhr er zum Friedhof, um dort seine Gedanken zu ordnen. Er sah sie, noch bevor er das Grab erreichte. Frische Blumen, gegen den Grabstein gelehnt.

Ihm fiel ein, was Charlie einmal vermutet hatte.

Als wolle er sich entschuldigen.

Miles drehte sich um und ging weg.

Stunden vergingen. Der Winterhimmel war schwarz und Unheil verkündend.

Sarah wandte dem Fenster den Rücken zu und nahm ihre unruhige Wanderung durch die Wohnung wieder auf. Brian war aus dem Krankenhaus entlassen worden. Die Wunde war nicht tief – nur drei Stiche, und keine Knochenbrüche. Es hatte weniger als eine Stunde gedauert.

Obwohl sie ihn geradezu angefleht hatte, hatte Brian nicht bei ihr bleiben wollen. Er wollte allein sein. Er befand sich jetzt im Haus seiner Eltern, mit Mütze und Sweatshirt, um seine Wunden zu verbergen.

»Erzähl ihnen nicht, was passiert ist, Sarah. Ich bin noch nicht so weit. Ich will es ihnen selbst sagen. Ich mache es, wenn Miles kommt.«

Miles würde ihn verhaften. Dessen war sie sich sicher.

Sarah fragte sich nur, warum es so lange dauerte.

Die vergangenen acht Stunden waren ein ständiges Wechselbad zwischen Zorn und Sorge, Enttäuschung und Bitterkeit gewesen. Zu viele verschiedene Gefühle trieben sie um, als dass sie sie hätte auseinander halten können.

Im Geiste gab sie Miles immer wieder die Antwort, die ihr hätte einfallen sollen, als er so unfair auf sie losgegangen war. *Glaubst du denn, dass du der Einzige bist, dem hier wehgetan wurde?*, hätte sie gern gesagt. *Dass niemand auf der Welt dich verstehen kann? Hast du eine Sekunde lang überlegt, wie schwer es mir gefallen ist, Brian heute früh zu dir zu bringen? Meinen eigenen Bruder auszuliefern? Und deine Reaktion – oh, die war großartig! Ich habe dich verraten? Ich habe dich benutzt?*

Frustriert nahm sie die Fernbedienung in die Hand und schaltete den Fernseher an. Zappte durch alle Kanäle. Schaltete ihn wieder aus.

Dann suchte sie Gründe dafür, warum er noch nicht kam. Er hat gerade erst erfahren, wer seine Frau getötet hatte. Das war ein harter Schlag. Besonders von ihr.

Und dann Brian.

Sie musste ihm unbedingt dafür danken, dass er ihrer aller Leben zerstört hatte.

Sarah schüttelte den Kopf. Das war auch nicht fair. Er war noch jung gewesen. Es war ein Unfall. Brian hätte alles darum gegeben, die Tragödie ungeschehen zu machen.

Sarah drehte noch eine Runde durch das Wohnzimmer und stand nach kurzer Zeit doch wieder am Fenster. Immer noch keine Spur von ihm. Sie ging zum Telefon und hob den Hörer ab, um zu prüfen, ob der Wählton zu hören war. Ja. Brian hatte versprochen, sie anzurufen, sobald Miles auftauchte. Wo war Miles, und was hatte er vor?

Sarah war ratlos. Sie konnte die Wohnung nicht verlassen, konnte nicht telefonieren. Nicht, solange sie auf den Anruf wartete.

Brian verschanzte sich den Rest des Tages in seinem Zimmer.

Er lag mit lang ausgestreckten Armen und Beinen auf dem Bett, als läge er in einem Sarg, und starrte an die Decke. Er wusste, dass er hin und wieder einschlief, weil das Licht im Zimmer sich änderte. Während die Stunden vergingen, die Sonne über den Himmel zog und schließlich unterging, wurden die weißen Wände erst blassgrau, dann dunkel wie Schatten. Brian hatte weder mittags noch abends etwas gegessen.

Irgendwann am Nachmittag hatte seine Mutter an die Tür geklopft und war eingetreten. Brian hatte die Augen geschlossen und so getan, als schliefe er. Er hatte ihr vorher gesagt, er fühle sich krank. Sie legte ihm die Hand auf die

Stirn, um zu prüfen, ob er Fieber hatte. Nach einer Weile schlich sie auf Zehenspitzen hinaus und zog leise die Tür hinter sich zu. Brian hörte, wie sie gedämpft mit seinem Vater sprach.

»Er muss wirklich krank sein«, sagte sie. »Er wirkt ganz zerschlagen.«

Wenn Brian nicht schlief, dachte er über Miles nach. Er fragte sich, wo er wohl steckte und wann er kommen würde. Er dachte auch an Jonah und seine Reaktion, wenn sein Vater ihm sagen würde, wer seine Mutter getötet hatte. Er machte sich Gedanken um Sarah und wünschte, sie wäre nicht in die Sache hineingezogen worden.

Schließlich fragte er sich, wie es im Gefängnis aussehen mochte.

In Filmen wurden Gefängnisse immer als eine eigene Welt dargestellt, mit ihren eigenen Gesetzen, ihren Herrschern, Opfern und Gangs. Brian stellte sich das trübe, fluoreszierende Licht und die kalte Allgegenwart von Stahlgittern vor. Türen, die zuschlugen. Er hörte die Spülung von Toiletten, Leute, die redeten, flüsterten, schrien und stöhnten. Ein Ort, an dem es nie still wurde, nicht einmal nachts. Er sah sich selbst, wie er auf die hohen, von Stacheldraht gekrönten Betonmauern und die Wächter in ihren Türmen starrte, deren Gewehrmündungen zum Himmel zeigten. Er sah andere Häftlinge, die ihn interessiert begutachteten und Wetten abschlossen, wie lange er wohl überleben würde. Er hatte keinen Zweifel daran: Wenn er dort landete, dann als Opfer.

An einem solchen Ort würde er nicht überleben.

Später wurden die Geräusche im Haus schwächer, und Brian hörte, wie seine Eltern zu Bett gingen. Licht drang durch die Türritzen, dann wurde es dunkel. Er schlief wieder ein, und als er plötzlich aufwachte, sah er Miles vor sich. Miles stand mit einer Waffe in der Hand in der Zimmerecke. Brian blinzelte, kniff die Augen zusammen, und die Angst schnürte ihm die Kehle zu. Er setzte sich auf, streckte abwehrend die Hände aus. Dann erkannte er seinen Irrtum.

Was er für Miles gehalten hatte, war nur seine Jacke auf dem Kleiderständer.

Miles.
Er hatte ihn gehen lassen. Nach dem Unfall hatte Miles ihn gehen lassen und war nicht wiedergekommen.
Brian rollte sich eng zusammen.
Er würde bestimmt noch kommen.

Sarah hörte das Klopfen kurz vor Mitternacht und wusste nach einem kurzen Blick durch das Fenster, wer draußen stand. Sie öffnete die Tür. Miles lächelte nicht, er sah nicht wütend aus, er bewegte sich nicht. Seine Augen waren gerötet und vor Müdigkeit geschwollen.
»Wann hast du das mit Brian erfahren?«, fragte er unvermittelt.
Sarah sah ihm in die Augen.
»Gestern«, antwortete sie. »Er hat es mir gestern gesagt. Und ich war genauso entsetzt wie du.«
Miles' raue, aufgesprungene Lippen formten nur ein Wort.
»Gut.«
Damit drehte er sich um und wollte gehen, aber Sarah hielt ihn am Ärmel fest.
»Warte … bitte.«
Er blieb stehen.
»Es war ein Unfall, Miles«, sagte sie. »Ein schrecklicher, schrecklicher Unfall. Er hätte nicht passieren dürfen, und es war nicht fair, dass Missy sterben musste. Ich weiß das, und es tut mir sehr Leid für dich …«
Sie verstummte und wusste nicht, ob ihre Worte ihn erreicht hatten. Sein Gesicht blieb undurchdringlich.
»Aber?«, fragte er emotionslos.
»Kein Aber. Ich will nur, dass du das weißt. Es gibt keine Entschuldigung dafür, dass Brian davongefahren ist, aber es war ein Unfall.«
Sie wartete vergeblich auf eine Reaktion und ließ schließlich seinen Arm los. Er blieb dennoch stehen.
»Was hast du jetzt vor?«, fragte sie nach einer Weile.
Miles sah in die Ferne. »Er hat meine Frau getötet, Sarah. Er hat das Gesetz gebrochen.«
Sie nickte. »Ich weiß.«

Miles schüttelte schweigend den Kopf, dann ging er über den Gartenweg zu seinem Auto zurück. Sie beobachtete, wie er einstieg und davonfuhr.

Dann setzte sie sich auf das Sofa. Das Telefon stand auf dem Lampentisch. Sarah wartete. Gleich würde es klingeln.

Kapitel 35

Wohin sollte er jetzt gehen? Was sollte er tun, jetzt, da er die Wahrheit kannte? Bei Otis war es einfach gewesen. Es gab nichts zu bedenken, nichts zu diskutieren. Es war gleichgültig, ob alle Fakten zusammenpassten oder ob es für alles eine plausible Erklärung gab. Otis verdiente jede Strafe, die das Gesetz vorsah – nur gab es jetzt ein Problem.

Er war nicht der Täter.

Die Ermittlungen hatten nichts ergeben. Der Ordner, den er über zwei Jahre lang sorgsam zusammengestellt hatte, war wertlos. Sims und Earl und Otis waren unbedeutend. Nichts hatte zur Lösung des Falles geführt.

Eines musste er unbedingt herausfinden:

War das von Bedeutung?

Zwei Jahre lang hatte er sich diese Frage mit ja beantwortet. Er war nachts wach geblieben und hatte geweint, er hatte angefangen zu rauchen und mit dem Schicksal gehadert und war sicher gewesen, dass alles anders würde, sobald er »den Fall« gelöst hatte. Und jetzt war die Lösung zum Greifen nahe. Mit einem einzigen Anruf konnte er sich rächen.

Theoretisch. Aber was, wenn bei näherer Betrachtung die Lösung nicht die war, die er sich immer ausgemalt hatte? Was, wenn der Schuldige kein Betrunkener war, kein Feind, und wenn keine Fahrlässigkeit im Spiel war? Was, wenn es ein Junge mit Pickeln und Baggy Pants und dunkelbraunen Haaren war, der verängstigt und geknickt vor ihm stand und schwor, dass niemand diesen Unfall hätte vermeiden können?

War die Lösung dann immer noch von Bedeutung?

Wie sollte man so eine Frage beantworten? Sollte er die Erinnerung an seine Frau und das Unglück der letzten beiden

Jahre als Gerüst nehmen, dann seine Verantwortung als Ehemann und Vater und seine Pflicht als Gesetzeshüter hinzufügen und daraus eine schlüssige Antwort zimmern? Oder sollte er von der Summe der bedenkenswerten Aspekte das Alter, die Angst und die offenkundige Qual des Jungen abziehen, so wie seine Liebe zu Sarah, und das Ergebnis auf Null drücken?

Miles wusste es nicht. Wenn er Brians Namen vor sich hin flüsterte, hinterließ dieser einen bitteren Geschmack im Mund. Ja, dachte er, es war von Bedeutung. Es wird immer von Bedeutung sein, und er musste etwas unternehmen.

So wie er die Dinge sah, blieb ihm keine andere Wahl.

Mrs. Knowlson hatte die Beleuchtung brennen lassen. Sie warf einen gelben Schimmer über den Weg zu ihrer Haustür. Miles roch von Ferne den Rauch des Holzfeuers. Er klopfte, bevor er seinen Schlüssel in die Tür steckte und sie sachte aufstieß.

Mrs. Knowlson döste in ihrem Schaukelstuhl unter einem Quilt. Mit ihren weißen Haaren und den Falten kam sie Miles vor wie ein Gnom. Der Fernseher lief, aber er war leise gestellt, und Miles trat vorsichtig näher. Mrs. Knowlsons Kopf neigte sich zur Seite, und sie schlug die Augen auf, fröhliche Augen, die sich nie zu trüben schienen.

»Entschuldigen Sie, dass ich so spät komme«, sagte er, und Mrs. Knowlson nickte.

»Er schläft im hinteren Zimmer«, sagte sie. »Obwohl er versucht hat, wach zu bleiben.«

»Ich bin froh, dass er schläft«, sagte Miles. »Soll ich Ihnen noch in Ihr Zimmer helfen?«

»Nein«, sagte sie. »Seien Sie nicht albern. Ich bin alt, aber ich kann noch ganz gut krabbeln.«

»Ich weiß. Danke fürs Aufpassen.«

Sie lächelte.

»Wie ging es ihm heute?«, fragte Miles

»Müde war er. Und ein bisschen still. Er wollte nicht draußen spielen, deshalb haben wir Kekse gebacken.«

Sie sagte nicht ausdrücklich, dass Jonah traurig war, aber Miles wusste, was sie meinte.

Nachdem er sich noch einmal bedankt hatte, ging er ins Schlafzimmer und nahm Jonah auf die Arme. Der Junge regte sich nicht.

Miles trug ihn in sein Haus hinüber und brachte ihn ins Bett. Dann deckte er ihn zu, schaltete das Nachtlicht an und setzte sich auf die Bettkante. In dem bleichen Licht sah Jonah jung und verletzlich aus. Miles blickte zum Fenster.

Der Mond schien durch die Jalousien. Miles schloss sie ganz. Er zog die Bettdecke hoch und strich Jonah über die Haare.

»Ich weiß, wer es war«, flüsterte er, »aber ich weiß nicht, ob ich es dir sagen soll. Willst du es wissen?«

Jonah gab keine Antwort.

Nach einer Weile verließ Miles das Kinderzimmer und holte sich ein Bier aus dem Kühlschrank. Er hängte seine Jacke in den Schrank. Auf dem Fußboden stand die Schachtel, in der er die Videos aufbewahrte, und nach kurzem Nachdenken trug er sie ins Wohnzimmer, stellte sie auf den Couchtisch und öffnete sie.

Er zog wahllos eine Kassette heraus und legte sie in den Videorekorder ein. Dann setzte er sich auf das Sofa.

Zuerst war der Bildschirm schwarz, dann flimmerte er, dann erschien ein klares Bild. Kinder saßen um einen Küchentisch und zappelten aufgeregt. Ihre kleinen Arme und Beine flatterten wie Fahnen an einem windigen Tag. Andere Eltern standen dabei oder wanderten durch das Bild.

Es war Jonahs Geburtstagsparty, und die Kamera zoomte auf ihn. Er war zwei Jahre alt. In seinem Hochstuhl sitzend, hämmerte er mit einem Kaffeelöffel auf den Tisch und grinste bei jedem lauten Knall.

Missy erschien im Bild, mit einem Tablett voller Schokoladenmuffins. Auf einem steckten zwei Kerzen, und diesen stellte sie vor Jonah. Sie sang »Happy Birthday«, und die anderen Eltern stimmten ein. Innerhalb von Sekunden waren sämtliche Hände und Gesichter mit Schokolade verschmiert.

Es folgte eine Großaufnahme von Missy, und Miles hörte sich selbst ihren Namen rufen. Sie drehte sich zu ihm um und lächelte. Ihre Augen strahlten. Das Bild wurde ausgeblendet, und eine andere Szene begann, in der Jonah seine Geschenke auspackte.

Danach sprang das Band einen Monat weiter zum Valentinstag. Miles erinnerte sich noch gut an das romantische Abendessen. Er hatte das elegante Porzellan gedeckt, und die Weingläser funkelten im flackernden Kerzenlicht. Er hatte für Missy und sich gekocht – mit Krabben und Shrimps gefüllte Seezunge mit Zitronencremesauce, dazu wilden Reis und Spinatsalat. Missy war im Schlafzimmer und zog sich um. Miles hatte sie gebeten, erst zu kommen, wenn alles fertig war.

Die Kamera erfasste ihr Gesicht, als sie das Esszimmer betrat und den Tisch sah. In jener Nacht glich sie nicht der Ehefrau und Mutter vom Kindergeburtstag, in jeder Nacht trat sie auf, als sei sie in Paris oder New York auf dem Weg zu einer Opernpremiere. Sie trug ein schwarzes Cocktailkleid und kleine Ohrringe. Die Haare hatte sie hoch gesteckt, und ihr Gesicht war von ein paar Strähnen umrahmt.

»Wunderschön«, sagte sie andächtig, »danke, Liebling.«

»Du bist auch wunderschön«, hatte Miles geantwortet.

Miles erinnerte sich, dass sie ihn gebeten hatte, die Kamera abzustellen, damit sie sich an den Tisch setzen konnten. Er wusste auch noch, dass sie nach dem Essen ins Schlafzimmer gegangen waren und sich stundenlang geliebt hatten. Tief in Erinnerungen versunken, hörte er die kleine Stimme hinter sich nicht gleich.

»Ist das Mommy?«

Miles hielt das Band mit der Fernbedienung an, sah sich um und entdeckte Jonah im Flur. Er fühlte sich ertappt und versuchte, seine Verlegenheit mit einem Lächeln zu überspielen.

»Was ist los, Chef?«, fragte er. »Kannst du nicht schlafen?«

Jonah nickte. »Ich hab Geräusche gehört. Die haben mich geweckt.«

»Tut mir Leid – das war ich wahrscheinlich.«

»War das Mommy?«, wiederholte Jonah seine Frage. Er blickte Miles unverwandt an. »Im Fernseher?«

Miles hörte die Trauer in seiner Stimme, als habe er aus Versehen ein Lieblingsspielzeug zerbrochen. Miles klopfte auf das Sofa. »Komm«, sagte er, »setz dich zu mir.«

Nach einem kurzen Zögern tapste Jonah zu ihm. Miles legte den Arm um ihn. Jonah blickte abwartend zu ihm hoch und kratzte sich an der Wange.

»Ja, das war deine Mom.«

»Warum ist sie im Fernsehen?«

»Es ist ein Video. Weißt du noch, dass wir manchmal mit der Videokamera gefilmt haben? Als du klein warst?«

»Ach so«, sagte Jonah. Er deutete auf die Schachtel. »Sind das alles Videos?«

Miles nickte.

»Ist Mommy da auch drauf?«

»Auf manchen.«

»Kann ich sie mit dir anschauen?«

Miles zog Jonah näher zu sich heran. »Es ist spät, Jonah – das Band war sowieso fast durchgelaufen. Vielleicht ein andermal.«

»Morgen?«

»Vielleicht.«

Damit schien Jonah zufrieden, wenigstens vorläufig, und Miles schaltete die Lampe aus. Er lehnte sich zurück, und Jonah kuschelte sich an ihn. Ihm fielen die Augen zu, und Miles spürte, wie sein Atem langsamer wurde. Er gähnte. »Dad?«

»Ja.«

»Hast du die Videos angeschaut, weil du wieder traurig bist?«

»Nein.«

Miles strich Jonah mit rhythmischen Bewegungen durch die Haare.

»Warum musste Mommy sterben?«

Miles schloss die Augen.

»Ich weiß es nicht.«

Jonahs Brust hob und senkte sich. Auf und ab. Tiefe Atemzüge.

»Ich wünschte, sie wäre noch hier.«

»Ich auch.«

»Sie kommt nie mehr zurück.« Eine Feststellung, keine Frage.

»Nein.«

Jonah sagte nichts mehr, bis er einschlief. Miles hielt ihn im Arm. Jonah fühlte sich klein an, wie ein Baby, und Miles roch den Shampooduft in seinen Haaren. Er küsste ihn auf den Scheitel und lehnte die Wange gegen seinen Kopf.

»Ich liebe dich, Jonah.«

Keine Antwort.

Es war schwierig, vom Sofa aufzustehen, ohne Jonah zu wecken, aber Miles schaffte es und trug seinen Sohn zum zweiten Mal an diesem Abend ins Kinderzimmer. Beim Hinausgehen ließ er die Tür einen Spalt offen.

Warum musste Mommy sterben?

Ich weiß es nicht.

Miles ging ins Wohnzimmer zurück und legte das Video in die Schachtel. Er wünschte, Jonah hätte es nicht gesehen und hätte nicht über Missy gesprochen.

Sie kommt nie mehr zurück.

Auf der hinteren Veranda nahm Miles in der kühlen Nachtluft einen tiefen Zug aus seiner Zigarette, der dritten in dieser Nacht, und starrte auf das schwarze Wasser.

Er stand draußen, seit er die Videos weggelegt hatte, und versuchte, das Gespräch mit Jonah zu vergessen. Er war erschöpft und verärgert und wollte nicht an Jonah denken oder überlegen, was er offenbaren sollte und was nicht. Er wollte weder an Sarah und Brian denken noch an Charlie, Otis und den schwarzen Hund, der zwischen den Büschen hervorgestürzt war. Er wollte auch nicht an Decken, Blumen oder die Straßenbiegung denken, mit der alles angefangen hatte.

Er wollte an gar nichts mehr denken. Alles vergessen. Die Uhr zurückdrehen.

Er wollte sein Leben zurück.

Brian, so nahm er an, würde am Ende freigelassen werden, selbst wenn er ihn verhaftete.

Er würde Bewährung bekommen. Vielleicht würde man

ihm den Führerschein entziehen, aber hinter Gitter käme er nicht. Er war noch minderjährig, als es passierte. Man konnte mildernde Umstände anführen, der Richter würde seine Reue berücksichtigen und Mitleid haben.

Und Missy kehrte nie mehr zurück.

Die Zeit verging. Miles zündete die nächste Zigarette an und rauchte sie bis zum Filter. Dunkle Wolken zogen über den Himmel. Über dem Fluss lugte unvermittelt der Mond durch sie hindurch. Sanftes Licht ergoss sich über den Garten. Miles verließ die Veranda und betrat die Schieferplatten, die er als Trittsteine auf die Erde gelegt hatte. Der Pfad führte zu einer Wellblechhütte, in der er sein Werkzeug, den Rasenmäher, Unkrautvertilger und einen Benzinkanister aufbewahrte. Während seiner Ehe hatte er die Hütte als sein Refugium betrachtet, Missy hatte sich selten dorthin verirrt.

Außer an ihrem letzten Tag ...

Auf dem Schiefer hatten sich kleine Pfützen gebildet, und das Wasser spritzte um Miles' Füße. Der Pfad führte am Haus vorbei zu der Trauerweide, die er für Missy gepflanzt hatte. Er kam an einer Reifenschaukel vorbei, dann an einem Wägelchen, das Jonah gehörte. Ein paar Meter weiter stand die Hütte.

An der Tür befand sich ein Vorhängeschloss, und Miles griff nach oben und ertastete den Schlüssel über dem Türrahmen. Das Schloss sprang klickend auf. Miles stieß die Tür auf, und ein Schwall abgestandener Luft schlug ihm entgegen. Auf dem Regal lag eine Taschenlampe. In ihrem Schein sah er sich um. Von der Ecke zum Fenster zogen sich Spinnweben.

Vor Jahren, als sein Vater fortgezogen war, hatte er Miles einige Gegenstände zur Aufbewahrung überlassen. Sie lagen in einer großen Metallkiste. Den Schlüssel hatte Miles nicht erhalten. Das Schloss war jedoch klein. Er nahm einen Hammer von der Wand. Nach einem einzigen Hieb sprang das Schloss auf. Miles hob den Deckel.

Ein paar Fotoalben, ein in Leder gebundenes Notizbuch, eine Schuhschachtel voller Pfeilspitzen, die sein Vater bei Tuscarora gefunden hatte. Miles schob sie beiseite und fand, wonach er suchte. Sein Vater hatte die Box behalten, und die Pistole lag sicher verwahrt darin. Es war die einzige Waffe, von der Charlie nichts wusste.

Miles fettete sie ein, um sicherzugehen, dass sie auch funktionieren würde.

Kapitel 36

In jener Nacht holte Miles mich nicht.

Völlig unausgeschlafen quälte ich mich im Morgengrauen aus dem Bett und ging duschen. Ich war noch steif von dem Unfall, und als ich den Hahn aufdrehte, durchfuhr ein stechender Schmerz meinen Rücken und meine Brust. Beim Haarewaschen war die Kopfhaut überempfindlich. Die Handgelenke schmerzten, aber ich war fertig mit Frühstücken, bevor meine Eltern aufgestanden waren, weil ich fürchtete, dass sie Fragen stellen würden. Mein Vater ging zur Arbeit, und da Weihnachten bevorstand, wusste ich, dass meine Mutter Einkäufe erledigen würde.

Ich wollte es ihnen später erzählen, wenn Miles mich holen kam.

Sarah rief mich vormittags an, um zu hören, wie es mir ging. Ich stellte ihr dieselbe Frage. Sie sagte, Miles sei in der Nacht noch zu ihr gekommen, sie hätten kurz miteinander geredet, aber sie könne sich keinen Reim auf sein Verhalten machen.

Ich sagte, mir ginge es genauso.

Aber ich wartete. Sarah wartete. Meine Eltern gingen ihren gewohnten Tätigkeiten nach.

Am Nachmittag rief Sarah abermals an.

»Nein, er war immer noch nicht da«, sagte ich. Angerufen hatte er hatte auch nicht.

Der Tag verstrich, und der Abend kam. Immer noch kein Miles.

Am Mittwoch fing für Sarah die Schule wieder an. Ich ermunterte sie zu gehen, ich konnte sie schließlich auch in der Schule erreichen, falls Miles sich zeigte. Es war die letzte Schulwoche vor den Weihnachtsferien, und Sarah hatte viel zu tun. Ich blieb zu Hause und wartete auf Miles.

Ich wartete vergeblich.

Dann war Donnerstag, und ich wusste plötzlich, was ich zu tun hatte.

Miles saß im Auto und nippte an einem Kaffee, den er am Kiosk gekauft hatte. Die Pistole lag auf dem Beifahrersitz unter einer gefalteten Zeitung, geladen und feuerbereit. Das Seitenfenster beschlug, und er wischte es mit einer Hand frei. Er brauchte ungehinderte Sicht.

Er war am richtigen Ort, das wusste er. Jetzt musste er nur noch genau aufpassen, und wenn der Zeitpunkt gekommen war, würde er handeln.

Als ich an jenem Spätnachmittag ins Auto stieg, glühte der Himmel am Horizont in leuchtendem Orange und Rot. Es war noch kühl, aber die beißende Kälte war vorüber und die Temperaturen wieder normal. Der Regen an den vorangegangenen Tagen hatte den Schnee zum Schmelzen gebracht. Kränze und rote Schleifen dekorierten die Fenster, aber beim Fahren fühlte ich mich wie abgeschnitten von der Jahreszeit, als hätte ich sie verschlafen und müsse nun ein Jahr warten.

Wie üblich hielt ich unterwegs nur einmal. Ich glaube, der Mann kannte mich inzwischen, denn ich kaufte jedes Mal dasselbe. Wenn er mich eintreten sah, wartete er an der Ladentheke, nickte, wenn ich ihm meinen Wunsch mitteilte, und kehrte wenige Minuten später zurück. Wir unterhielten uns nie miteinander.

Dafür sagte er jedes Mal, wenn er sie mir gab:

»Das sind die frischesten, die ich habe.«

Er nahm mein Geld und legte es in die Kasse. Auf dem Rückweg zum Wagen roch ich ihren süßen, honigartigen Duft und wusste, er hatte Recht. Die Blumen waren wirklich wunderschön.

Ich legte sie im Auto neben mich. Die Straßen, die ich entlangfuhr, kannte ich gut, aber ich hätte mir gewünscht, sie für immer vergessen zu können. Vor dem Tor hielt ich an. Innerlich gefasst, stieg ich aus dem Auto.

Der Friedhof schien menschenleer. Ich zog die Jacke über der Brust zusammen und senkte den Kopf. Den Weg kannte ich auswendig. Der Boden war nass und lehmig. Minuten später stand ich am Grab.

Wie üblich war ich erstaunt, wie klein es ist.

Es war ein verrückter Gedanke, aber er überfiel mich jedes Mal. Das Grab war gut gepflegt, das Gras kurz geschnitten, und in einer kleinen Vase vor dem Grabstein stand eine Nelke aus Seide. Sie war rot, wie auch die Nelken vor den anderen Grabsteinen, und ich wusste, dass der Friedhofswärter sie hingestellt hatte. Ich beugte mich vor und legte die Blumen vor den Granit, wobei ich darauf achtete, den Stein nicht zu berühren. Das war mir wichtig. Ich hatte kein Recht darauf.

Danach wanderten meine Gedanken in alle Richtungen. Gewöhnlich dachte ich an Missy und meine falschen Entscheidungen. An jenem Tag jedoch war ich innerlich mit Miles beschäftigt.

Wahrscheinlich hörte ich deshalb die Schritte nicht, bis sie hinter mir innehielten.

»Blumen«, sagte Miles.

Beim Klang seiner Stimme fuhr Brian herum, halb erstaunt, halb erschrocken.

Miles stand neben einer Eiche, deren Äste dicht über der Erde in die Breite strebten. Er trug einen langen, schwarzen Mantel über seinen Jeans. Die Hände steckten in den Manteltaschen.

Brian spürte, wie er blass wurde.

»Sie braucht keine Blumen mehr«, sagte Miles. »Du kannst damit aufhören.«

Brian reagierte nicht. Was hätte er auch sagen sollen?

Miles starrte ihn an. In der Dämmerung war sein Gesicht dunkel, voller Schatten, und sein Mienenspiel nicht zu erkennen. Brian hatte keine Ahnung, was er dachte.

Miles kam nicht näher, und einen kurzen Moment lang hatte Brian den Impuls wegzulaufen. Zu fliehen. Er war fünfzehn Jahre jünger – ein kurzer Spurt würde ihn zur Straße bringen. Dort wären Autos, Menschen.

Aber ebenso schnell erlosch das Bedürfnis wieder, und er fühlte sich jeglicher Energie beraubt. Er hatte keine Reserven mehr. Seit Tagen hatte er nichts gegessen. Er würde es nie schaffen, nicht, wenn Miles ihn wirklich schnappen wollte.

Und wohin sollte er flüchten?

Deshalb blieb er, wo er war. Miles stand ein paar Meter von ihm entfernt, hob den Kopf und sah ihn unverwandt an. Brian wartete auf irgendeine Bewegung, eine Geste. Vielleicht geht es Miles genauso, dachte er, und deshalb stehen wir uns gegenüber wie zwei Cowboys im Wilden Westen beim Showdown.

Als das Schweigen zu drückend wurde, ließ Brian seinen Blick zur Straße schweifen. Ihm fiel auf, dass Miles' Wagen hinter seinem parkte. Andere Autos sah er nicht. Sie waren allein zwischen all den Grabsteinen.

»Woher haben Sie gewusst, dass ich hier bin?«, fragte Brian schließlich.

Miles ließ sich Zeit mit der Antwort. »Ich bin dir gefolgt«, sagte er. »Ich habe angenommen, dass du irgendwann das Haus verlässt, und ich wollte mit dir allein sein.«

Brian schluckte bei dem Gedanken, wie lange Miles ihn wohl schon beobachtet hatte.

»Du bringst Blumen, aber du kanntest sie nicht einmal, stimmt's?«, sagte Miles ruhig. »Wenn du sie gekannt hättest, würdest du Tulpen bringen. Das waren die einzigen Blumen, die sie hier gewollt hätte. Ihre Lieblingsblumen – gelb, rot, rosa, sie mochte alle Farben. Im Garten hat sie immer Tulpenzwiebeln gesetzt. Hast du das gewusst?«

Nein, dachte Brian, *das wusste ich nicht*. In der Ferne ertönte das durchdringende Pfeifen eines Zuges.

»Hast du gewusst, dass Missy sich wegen ihrer Augenfältchen Sorgen machte? Oder dass sie zum Frühstück am liebsten Toast aß? Oder dass sie schon immer gern einen Mustang Cabriolet gehabt hätte? Hast du gewusst, dass sie die erste Frau war, die ich je geliebt habe?«

Miles stockte. Er wollte, dass Brian ihn ansah.

»Das ist alles, was ich noch habe. Erinnerungen. Und es werden keine mehr hinzukommen. Du hast sie mir weggenommen. Und Jonah auch. Wusstest du, dass Jonah seit ihrem Tod Albträume hat? Dass er im Schlaf nach seiner Mutter weint? Ich muss ihn auf den Arm nehmen und stundenlang fest halten, bis es aufhört. Weißt du, wie ich mich dabei fühle?«

Sein Blick durchbohrte Brian, als wolle ihn mit einem Bann belegen.

»Zwei Jahre lang habe ich nach dem Mann gesucht, der mein Leben zerstört hat. Meins und das von Jonah. Ich habe zwei Jahre verloren, weil ich an nichts anderes denken konnte.«

Miles blickte zu Boden und schüttelte den Kopf.

»Ich wollte denjenigen finden, der sie auf dem Gewissen hat. Ich wollte, dass er weiß, wie viel er mir an jenem Abend genommen hat. Ich wollte, dass der Mann für Missys Tod bezahlt. Du hast keine Ahnung, wie sehr mich diese Gedanken umgetrieben haben. Ein Teil von mir will ihn immer noch töten. Seiner Familie dasselbe antun, das er mir angetan hat. Und jetzt sehe ich diesen Mann vor mir. Und der Mann legt die falschen Blumen auf das Grab meiner Frau.«

Brian schlug das Herz bis zum Hals.

»Du hast meine Frau getötet«, sagte Miles. »Ich werde dir nie vergeben und es nie vergessen. Wenn du in den Spiegel schaust, möchte ich, dass du das weißt. Und vergiss nie, was du mir genommen hast. Du hast mir den Menschen genommen, den ich am meisten auf der Welt geliebt habe, du hast meinem Sohn die Mutter genommen und mir zwei Jahre meines Lebens. Verstehst du?«

Nach einer Weile nickte Brian.

»Dann hör jetzt gut zu. Sarah darf wissen, was hier passiert ist, aber nur sie. Du nimmst dieses Gespräch – und alles andere – mit ins Grab. Erzähl niemandem auch nur ein Sterbenswörtchen. Niemals. Deinen Eltern nicht, deiner Frau nicht, deinen Kindern nicht, deinem Pfarrer nicht, deinen Freunden nicht. Und mach etwas aus deinem Leben, damit ich nicht bedauere, was ich jetzt tue. Versprich mir das.«

Miles ließ ihn nicht aus den Augen, um sicher zu sein, dass Brian ihm zugehört hatte, und Brian nickte noch einmal. Dann drehte Miles sich um und ging weg. Gleich darauf war er verschwunden.

Erst da begriff Brian, dass Miles ihn laufen ließ.

Als Miles später am Abend die Tür öffnete, stand Sarah wortlos davor. Er trat heraus und schloss die Tür hinter sich.

»Jonah ist da«, sagte er. »Lass uns draußen reden.«

Sarah verschränkte die Arme und sah in den Garten. Miles folgte ihrem Blick.

»Ich weiß nicht genau, warum ich hier bin«, sagte sie. »Dir danken erscheint irgendwie unangebracht, aber ich kann auch nicht ignorieren, was du getan hast.«

Miles nickte fast unmerklich.

»Alles tut mir sehr Leid. Dabei kann ich nicht mal im Mindesten nachempfinden, was du durchgemacht hast.«

»Nein«, sagte er, »das kannst du nicht.«

»Ich wusste nicht, dass es Brian war. Wirklich nicht.«

»Ich weiß.« Er sah sie ernst an. »Ich hätte es gleich wissen müssen. Und ich entschuldige mich für die Vorwürfe.«

Sarah schüttelte den Kopf.

»Das brauchst du nicht.«

Er rang nach Worten. »Ich glaube, ich sollte dir dafür danken, dass ich durch dich erfahren habe, was wirklich passiert ist.«

»Ich musste es dir erzählen.« Sarah legte die Handflächen zusammen. »Wie kommt Jonah mit allem zurecht?«

»Nicht so gut. Er weiß nichts, aber er hat sicher gespürt, dass etwas Besonderes geschehen ist, so wie ich mich verhalten habe. In den letzten Nächten hatte er wieder Albträume. Wie geht es ihm in der Schule?«

»Bisher ganz gut. Mir ist nichts aufgefallen.«

»Gut.«

Sarah fuhr sich durch die Haare. »Miles – darf ich dich etwas fragen? Du musst nicht antworten, wenn du nicht willst.«

»Warum ich Brian laufen gelassen habe?«

Sie nickte.

Er schwieg lange. »Ich habe den Hund gesehen.«

Sie fuhr überrascht auf.

»Ein großer schwarzer Hund, genau wie Brian gesagt hat. Er rannte durch einen Garten ganz in der Nähe der Unfallstelle.«

»Du bist vorbeigefahren und hast ihn zufällig gesehen?«
»Nein, so war es nicht. Ich habe ihn gesucht.«
»Um zu wissen, ob Brian die Wahrheit gesagt hat?«
Er schüttelte den Kopf. »Nein, eigentlich nicht. Ich war schon ziemlich überzeugt, dass er die Wahrheit sagte. Aber ich hatte eine verrückte Idee im Kopf, die ich einfach nicht loswerden konnte.«
»Welche Idee?«
»Wie gesagt, ich war verrückt.«
Sarah sah ihn verwirrt an.
»Als ich an jenem Tag nach Hause kam – als Brian es mir gesagt hatte, meine ich –, wollte ich unbedingt etwas unternehmen. Jemand musste bezahlen, aber ich wusste nicht, wer, bis mir dann plötzlich ein Gedanke kam. Also habe ich die Pistole meines Vaters geholt und am nächsten Abend nach diesem verdammten Köter gesucht.«
»Du wolltest den Hund erschießen?«
Er zuckte die Schultern. »Ich wusste ja nicht, ob ich eine Chance dazu haben würde, aber dann tauchte er auf, kaum dass ich angehalten hatte. Er jagte ein Eichhörnchen durch den Garten.«
»Und du hast ihn erschossen?«
»Nein. Ich kam nahe genug an ihn heran, aber während ich ihn dann beobachtete, ging mir auf, wie unmöglich das Ganze war. Ich meine, da stehe ich und jage ein Haustier! Nur ein psychisch Gestörter würde so etwas tun. Also bin ich wieder ins Auto gestiegen. Ich habe ihn laufen lassen.«
Sarah lächelte.
»Wie Brian?«
»Ja«, bestätigte er, »wie Brian.«
Sie nahm seine Hand, und nach kurzem Widerstreben ließ er es zu. »Ich bin froh«, sagte sie.
»Ich nicht. Irgendwie wünsche ich mir fast, ich hätte es getan. Dann hätte ich wenigstens *irgendetwas* unternommen.«
»Du hast etwas unternommen.«
Miles drückte ihre Hand, bevor er sie losließ. »Ich habe es auch für mich getan. Und für Jonah. Es war Zeit loszu-

lassen. Ich habe schon zwei Jahre meines Lebens verloren, und es hatte keinen Sinn, so weiterzumachen. Als ich das begriffen hatte … ich weiß nicht … es war das einzig Richtige. Was auch mit Brian geschieht, Missy kommt dadurch nicht zurück.«

Er legte die Hände vors Gesicht und rieb sich die Augen. Keiner von beiden sagte etwas. Die Sterne zeigten ihre ganze Pracht, und Miles' Blick wanderte zum Polarstern.

»Ich werde etwas Zeit brauchen«, sagte er leise.

Sie wusste, was er meinte, und nickte. »Ich weiß.«

»Keine Ahnung, wie lange.«

Sarah sah ihn aufmerksam an.

»Willst du, dass ich warte?«

Er sagte lange nichts.

»Ich kann nichts versprechen, Sarah. Es ist beileibe nicht so, dass ich dich nicht mehr liebe. In den letzten Tagen hat mir das sehr zu schaffen gemacht. Du bist das Beste, was mir seit Missys Tod passiert ist. Ach was, du warst das einzig Gute überhaupt. Für Jonah auch. Er hat gefragt, warum du nicht mehr kommst, und du fehlst ihm. Aber obwohl ich einerseits zu gern weitermachen würde wie vorher, kann ich es mir andererseits überhaupt nicht vorstellen. Ich kann einfach nicht vergessen, was passiert ist. Und du bist seine Schwester.«

Sarah presste die Lippen zusammen. Sie schwieg.

»Ich weiß nicht, ob ich damit leben kann, auch wenn du gar nichts damit zu tun hattest, denn wenn ich mit dir zusammen bin, muss ich mich auch mit ihm arrangieren. Er gehört zu deiner Familie, und … das ist mir noch zu schwierig. Ich wüsste nicht, wie ich damit umgehen soll. Und ich weiß nicht, ob ich es je schaffe.«

»Wir könnten wegziehen«, schlug sie vor. »Wir könnten woanders neu anfangen.«

Miles schüttelte den Kopf.

»Es würde mich überall hin verfolgen. Du weißt das.«

Er schaute sie an. »Ich weiß nicht, was ich tun soll.«

Sie lächelte traurig.

»Ich auch nicht«, gab sie zu.

Miles trat auf sie zu und legte die Arme um sie. Er küsste sie sanft und hielt sie lange fest, das Gesicht in ihren Haaren vergraben.

»Ich liebe dich, Sarah«, flüsterte er.

Sie spürte die Tränen in sich aufsteigen und lehnte sich an ihn, spürte seinen Körper und fragte sich, ob es das letzte Mal war, dass er sie so hielt.

»Ich liebe dich auch, Miles.«

Nachdem Miles sie losgelassen hatte, atmete Sarah tief durch und versuchte, die Tränen zurückzuhalten. Miles stand reglos vor ihr, und Sarah holte die Autoschlüssel aus ihrer Jackentasche. Sie klimperten leise. Ihre Stimme weigerte sich, Lebewohl zu sagen, denn diesmal, das wusste sie, war es vielleicht für immer.

»Geh jetzt zu Jonah zurück«, sagte sie.

Im sanften Schein der Laterne glaubte sie auch in seinen Augen Tränen zu erkennen.

Sie wischte sich die Augen. »Ich habe ein Weihnachtsgeschenk für ihn. Kann ich es irgendwann vorbeibringen?«

Miles wandte den Blick ab.

»Wir sind vielleicht nicht da. Ich will nächste Woche nach Nags Head hochfahren. Charlie hat da ein Haus, das er mir angeboten hat. Ich muss für eine Weile Abstand haben, verstehst du?«

Sie nickte. »Ich bin da, falls du mich anrufen willst.«

»Okay«, murmelte er.

Sarah fühlte sich leer und suchte nach Worten, durch die alles gut werden würde. Vergeblich. Mit einem angestrengten Lächeln drehte sie sich um und ging zum Auto zurück. Mit zitternden Händen öffnete sie die Fahrertür, dann blickte sie zu Miles zurück. Er hatte sich nicht bewegt, und seine Lippen bildeten eine gerade Linie.

Sarah glitt hinter das Steuer.

Miles folgte ihr mit seinem Blick, wollte ihren Namen rufen, sie bitten, doch zu blieben, ihr sagen, dass er einen Weg finden würde, zwischen ihnen alles zu bereinigen. Wollte ihr sagen, dass er sie liebte, jetzt und für immer.

Aber er blieb stumm.

Sarah drehte den Schlüssel, und der Motor sprang an. Sie legte den Rückwärtsgang ein und rollte aus der Einfahrt.

Miles' Gesicht lag jetzt im Schatten und wurde immer kleiner. Sie fühlte, wie ihre Wangen nass wurden.

Wie die Dinge lagen, konnte sie nicht in New Bern bleiben. Miles in der Stadt zufällig zu treffen, wäre zu grausam. Zudem musste sie sich eine neue Arbeitsstelle suchen. Irgendwo würde sie neu anfangen.

Wieder einmal.

Langsam fuhr sie durch die Dunkelheit und zwang sich, nicht zurückzuschauen.

Ich werde es überstehen, sagte sie sich. Ganz egal, was kommt. Ich werde es schaffen, wie schon einmal. Mit oder ohne Miles.

Nein, das kann ich nicht, schrie eine Stimme in ihr plötzlich.

Und da brach sie zusammen. Die Tränen strömten über ihr Gesicht, und sie fuhr an den Straßenrand. Die Fenster beschlugen, weil Sarah weinte, wie sie noch nie zuvor geweint hatte.

Kapitel 37

Wo warst du?«, fragte Jonah. »Ich hab dich gesucht, aber du warst nicht da.«

»Ich war auf der Veranda«, sagte Miles.

»Was hast du da gemacht?«

»Sarah ist vorbeigekommen.«

Jonahs Gesicht erhellte sich. »Ja? Wo ist sie?«

»Sie ist nicht mehr da. Sie konnte nicht bleiben.«

»Oh …«, maulte Jonah enttäuscht. »Ich wollte ihr doch meinen Legoturm zeigen.«

Miles hockte sich neben ihn, bis er auf Augenhöhe war. »Du kannst ihn mir zeigen.«

»Du hast ihn doch schon gesehen.«

»Ich weiß. Aber du kannst ihn mir noch mal zeigen.«

»Nicht nötig. Ich wollte, dass Ms. Andrews ihn sieht.«

»Das tut mir Leid. Vielleicht kannst du ihn morgen mit in die Schule nehmen und ihr dann zeigen.«

Jonah zuckte die Schultern. »Ist schon okay.«

Miles sah ihn prüfend an. »Was ist los, Chef?«

»Nichts.«

»Sicher?«

Jonah antwortete nicht gleich. »Sie fehlt mir eben, das ist los.«

»Wer? Ms. Andrews?«

»Ja.«

»Aber du siehst sie doch jeden Tag in der Schule!«

»Ich weiß. Aber das ist nicht dasselbe.«

»Als wenn sie hier ist, meinst du?«

Jonah nickte traurig. »Habt ihr euch gestritten?«

»Nein.«

»Aber ihr seid nicht mehr Freunde.«

»Doch, natürlich. Wir sind noch Freunde.«

»Warum kommt sie dann nicht mehr her?«

Miles räusperte sich. »Weißt du, die Sache ist irgendwie kompliziert. Wenn du erwachsen bist, wirst du das verstehen.«

»Ah«, sagte Jonah. Er dachte nach. »Ich will nicht erwachsen sein«, verkündete er schließlich.

»Warum nicht?«

»Weil Erwachsene immer sagen, dass die Dinge kompliziert sind«, erwiderte er.

»Manchmal sind sie es wirklich.«

»Magst du Ms. Andrews noch?«

»Ja«, sagte Miles, »ich mag sie.«

»Und mag sie dich?«

»Ich glaube, ja.«

»Was ist dann so kompliziert?« Jonah sah Miles flehend an, und Miles wusste, dass sein Sohn Sarah nicht nur vermisste, sondern auch sehr liebte.

»Komm her«, sagte Miles und zog Jonah an sich, weil er nicht wusste, was er sonst tun sollte.

Zwei Tage später fuhr Charlie in die Einfahrt von Miles' Haus, als dieser gerade ein paar Gepäckstücke ins Auto lud.

»Fahrt ihr schon los?«

Miles drehte sich um.

»Oh … hallo, Charlie. Ich dachte, es ist besser, wenn wir ein bisschen früher fahren. Ich will nicht in den Stau kommen.«

Miles schlug den Kofferraumdeckel zu. »Nochmals vielen Dank, dass wir dein Haus benutzen dürfen.«

»Gern geschehen. Brauchst du Hilfe?«

»Nein. Ich bin fast fertig.«

»Wie lange willst du bleiben?«

»Ich weiß noch nicht. Vielleicht zwei Wochen, bis nach Neujahr. Ginge das?«

»Keine Sorge, du hast genug Urlaub, um vier Wochen da oben zu verbringen.«

Miles zuckte die Schultern. »Wer weiß. Vielleicht bleibe ich tatsächlich so lange.«

Charlie zog eine Augenbraue hoch. »Ach, übrigens, ich wollte dir noch erzählen, dass Harvey keine Anklage erheben wird. Anscheinend hat ihm Otis gesagt, er soll darauf verzichten. Deine Suspendierung ist also offiziell aufgehoben, und du kannst wieder arbeiten, wenn du zurückkommst.«

»Gut.«

Jonah stürmte aus der Tür, und die beiden Männer drehten sich zu ihm um. Der Junge begrüßte Charlie, dann rannte er wieder ins Haus, als hätte er etwas vergessen.

»Wird Sarah dich für ein paar Tage besuchen? Sie kann das natürlich gern tun.«

»Ich glaube nicht. Ihre Familie ist hier, und in den Ferien wird sie es wohl kaum schaffen.«

»Schade. Du siehst sie aber, wenn ihr wieder da seid?«

Miles senkte den Blick, und Charlie verstand. »Probleme?«

»Du weißt, wie das ist.«

»Nein, eigentlich nicht. Ich hatte seit vierzig Jahren keine Freundin mehr. Aber es tut mir sehr Leid.«

»Du kennst sie doch gar nicht, Charlie.«

»Muss ich auch nicht. Ich meine, es tut mir Leid für dich.«

Charlie vergrub die Hände in den Hosentaschen. »Ich bin nicht hergekommen, um dich auszuhorchen. Das geht mich nichts an. Ich wollte etwas anderes wissen. Eine Sache verstehe ich nämlich noch nicht ganz.«

»Und zwar?«

»Dieser Telefonanruf … Du weißt schon, als du mich angerufen hast, um zu sagen, dass Otis unschuldig ist und wir die Ermittlungen abbrechen sollen.«

Miles schwieg, und Charlie spähte unter seiner Hutkrempe hervor.

»Ich nehme an, du bleibst bei deiner Meinung?«

Nach einem kurzen Augenblick nickte Miles. »Er ist unschuldig.«

»Trotz allem, was Sims und Earl ausgesagt haben?«

»Ja.«

»Du sagst das nicht nur, damit du auf eigene Faust handeln kannst?«

»Du hast mein Wort, Charlie.«

Charlie sah ihn forschend an und spürte, dass er die Wahrheit sagte. »Also gut«, murmelte er und fuhr sich mit den Händen über die Brust, als wische er etwas von seinem Hemd ab. Dann tippte er sich an den Hut. »Na dann – viel Spaß oben in Nags Head. Angle ein paar Fische für mich mit, okay?«

Miles lächelte. »Klar.«

Charlie machte sich auf den Rückweg, doch dann blieb er plötzlich noch einmal stehen. »Ach so – eins noch.«

»Was denn?«

»Brian Andrews ... Mir ist nicht ganz klar, warum du ihn neulich festgenommen hast. Soll ich mich um irgendetwas kümmern, während du weg bist? Oder muss ich über etwas Bescheid wissen?«

»Nein, es war ein Irrtum, Charlie.« Miles studierte den Kofferraumdeckel. »Einfach nur ein Irrtum.«

Charlie lachte verwundert. »Das ist komisch.«

»Was?«

»Deine Wortwahl. Brian hat genau dasselbe gesagt.«

»Du hast mit Brian gesprochen?«

»Ich musste nach ihm sehen. Er hatte einen Unfall, während er bei einem meiner Deputys in Gewahrsam war. Ich musste überprüfen, ob es ihm gut geht.«

Miles wurde blass.

»Mach dir keine Gedanken – ich habe darauf geachtet, dass sonst niemand zu Hause war.« Charlie ließ den Satz wirken, dann legte er die Hand ans Kinn und schien nach den richtigen Worten zu suchen. »Weißt du«, sagte er schließlich, »ich habe über diese beiden Vorfälle nachgedacht, und der Sheriff in mir hat das Gefühl, dass sie irgendwie miteinander verbunden sind.«

»Sind sie nicht«, widersprach Miles sofort.

Charlie nickte mit ernstem Gesicht. »Ich habe schon vermutet, dass du das sagen würdest, aber ich musste mich vergewissern. Noch einmal: Es gibt nichts, was ich über Brian Andrews wissen sollte?«

Miles hätte sich denken können, dass Charlie dahinter kommen würde.

»Nein«, erwiderte er knapp.

»Okay«, sagte Charlie. »Dann will ich dir einen Rat geben.«

Miles wartete.

»Wenn du zu mir sagst, dass es vorbei ist, dann nimm dir das auch selbst zu Herzen, in Ordnung?«

Charlie wartete, um sicher zu sein, dass Miles begriff, wie ernst es ihm war.

»Was soll das heißen?«

»Wenn es vorbei ist – wirklich vorbei –, dann lass es nicht dein restliches Leben kaputtmachen.«

»Das kapiere ich nicht.«

Charlie seufzte.

»O doch«, sagte er.

Epilog

Die Morgendämmerung steht kurz bevor, und meine Geschichte ist fast fertig. Es ist an der Zeit, den Rest zu erzählen.

Ich bin jetzt einunddreißig Jahre alt und seit drei Jahren mit einer Frau namens Janice verheiratet, die ich in einer Bäckerei kennen lernte. Sie ist Lehrerin, wie Sarah, aber sie unterrichtet Englisch an der Highschool. Wir leben in Kalifornien, wo ich Medizin studiert und mein praktisches Jahr absolviert habe. Ich arbeite jetzt seit einem Jahr in der Notaufnahme und habe in den vergangenen drei Wochen mit vielen anderen Helfern zusammen sechs Menschen das Leben retten können. Ich sage das nicht, um anzugeben, sondern weil ich damit erklären will, das ich mein Bestes getan habe, um Miles' Mahnung auf dem Friedhof gerecht zu werden.

Ich habe mein Wort gehalten und es niemandem erzählt.

Miles hat mir nicht um meinetwillen dieses Versprechen abgenommen, wissen Sie. Mein Schweigen diente seinem eigenen Schutz.

Ob Sie es glauben oder nicht – dass er mich damals laufen ließ, war eine Straftat. Ein Sheriff, der von einem Verbrechen erfährt, muss den Täter anzeigen. Auch wenn unsere beiden Taten ganz unterschiedlich gewichtet waren, ist die Rechtslage in diesem Punkt unumstritten, und Miles hat das Gesetz gebrochen.

Das wenigstens glaubte ich damals. Jetzt, nach Jahren des Nachdenkens, weiß ich, dass es so nicht stimmt.

Ich weiß jetzt, dass er mich wegen Jonah schweigen ließ.

Wenn es bekannt geworden wäre, dass ich der Fahrer des Unfallwagens war, hätten die Leute in der Stadt endlos über Miles' Vergangenheit geredet. Immer, wenn von ihm die Rede gewesen wäre, hätte man gesagt: »Stell dir vor, was ihm Schreckliches pas-

siert ist«, und Jonah hätte mit dieser Belastung aufwachsen müssen. Er hätte mit dem Wissen leben müssen, dass er und sein Vater die Frau geliebt hatten, deren Bruder den wichtigsten Menschen in ihrem Leben getötet hatte. Wie hätte sich dieses Wissen auf ein Kind ausgewirkt? Ich weiß es nicht, und Miles wusste es auch nicht. Aber er wollte kein Risiko eingehen.

Und ich will das auch heute noch nicht. Wenn ich fertig bin, werde ich diese Seiten im Kamin verbrennen. Es musste nur einmal aus mir heraus.

Es ist immer noch schwierig für uns alle. Ich telefoniere ab und zu mit meiner Schwester, meistens zu ungewöhnlichen Zeiten, und besuche sie nur selten. Ich nenne die räumliche Distanz als Entschuldigung – sie wohnt auf der anderen Seite des Kontinents –, aber wir beide kennen den wahren Grund, aus dem wir uns kaum sehen. Manchmal jedoch kommt sie mich besuchen. Dann ist sie immer allein.

Was Miles und Sarah betrifft, können Sie sich bestimmt schon denken, wie es weiterging …

Es geschah am Weihnachtsabend, sechs Tage, nachdem Miles und Sarah sich auf der Veranda Lebewohl gesagt hatten. Inzwischen hatte Sarah sich widerstrebend damit abgefunden, dass ihre Beziehung vorbei war. Sie hatte nichts mehr von Miles gehört und erwartete nichts mehr.

An jenem Abend parkte Sarah nach dem Besuch bei ihren Eltern ihren Wagen am Straßenrand. Sie blickte flüchtig zu ihrer Wohnung hoch – und traute ihren Augen nicht. Sie schloss die Augen und öffnete sie langsam wieder, hoffend und betend, dass das, was sie gesehen hatte, keine Täuschung war.

Es war keine.

Ein glückliches Lächeln breitete sich auf ihrem Gesicht aus.

Wie winzige Sterne flackerten zwei Kerzen im Fenster.

Miles und Jonah warteten drinnen auf sie.

Danksagung

Wie bei all meinen Büchern darf der Dank an meine wunderbare Frau Cathy nicht fehlen. Nach zwölf Jahren liebe ich dich immer noch wie am ersten Tag.

Außerdem möchte ich meinen fünf Kindern Miles, Ryan, Landon, Lexie und Savannah danken. Sie machen mir große Freude und sorgen dafür, dass ich nicht abhebe.

Larry Kirshbaum und Maureen Egen haben mit in meiner beruflichen Laufbahn immer unterstützt. Dank an euch beide. (Habt ihr eure Namen im Roman schon gefunden?)

Richard Green und Howie Sanders, meine Agenten in Hollywood, sind die Besten ihres Fachs. Vielen Dank!

Denise Di Novi, die Produzentin von »Weit wie das Meer« und »Zeit im Wind«, versteht ihre Arbeit wie keine andere; ich schätze mich glücklich, sie als Freundin zu haben.

Scott Schwimer, meinem Anwalt, schulde ich Anerkennung und Dank: Sie sind der Größte.

Micah und Christine, mein Bruder und seine Frau: ich liebe euch beide.

Weiterhin danke ich Jennifer Romanello, Emi Battaglia und Edna Farley von der PR-Abteilung, Flag für das Design der Buchumschläge, Courtenay Valenti und Lorenzo Di Bonaventura von *Warner Brothers*, Hunt Lowry von *Gaylord Films*, Mark Johnson und Lynn Harris von *New Line Cinema.* Ihnen allen verdanke ich, dass ich geworden bin, was ich bin.